Los errantes

Olga Tokarczuk

Los errantes

Traducción del polaco de Agata Orzeszek

EDITORIAL ANAGRAMA
BARCELONA

Título de la edición original:
Bieguni
© Wydawnictwo Literackie
 Cracovia, 2007

BOOK INSTITUTE

Publicado con la ayuda del
© *Poland Translation Program* ©POLAND

Ilustración: © lookatcia

Primera edición: noviembre 2019

Diseño de la colección: Julio Vivas y Estudio A

© De la traducción, Agata Orzeszek, 2019

© EDITORIAL ANAGRAMA, S. A., 2019
 Pedró de la Creu, 58
 08034 Barcelona

ISBN: 978-84-339-8053-3
Depósito Legal: B. 22953-2019

Printed in Spain

Liberdúplex, S. L. U., ctra. BV 2249, km 7,4 - Polígono Torrentfondo
08791 Sant Llorenç d'Hortons

AQUÍ ESTOY

Tengo pocos años. Estoy sentada en el alféizar, a mi alrededor hay juguetes esparcidos por el suelo, torres de cubos derrumbadas, muñecas de ojos saltones. La casa está a oscuras, en las estancias el aire, poco a poco, se enfría, se debilita. No hay nadie; se han marchado, han desaparecido, cada vez más tenues se pueden oír todavía sus voces, su arrastrar de pies, el eco de sus pasos y alguna risa lejana. Al otro lado de la ventana el patio aparece desierto. La oscuridad se desliza suavemente desde el cielo. Se posa sobre todas las cosas como un negro rocío.

Lo más molesto es la quietud: espesa, visible; el frío crepúsculo y la luz mortecina de las lámparas de vapor de sodio que se sumerge en la penumbra apenas a un metro de su fuente.

No ocurre nada, el avance de la oscuridad se detiene ante la puerta de casa, el vocerío del eclipse se desvanece. Se forma una espesa tela, como la de la leche al enfriarse. Los contornos de las casas, con el cielo como telón de fondo, se alargan hasta el infinito, perdiendo sus ángulos agudos, bordes y aristas. La luz que se apaga se lleva el aire: no hay nada que respirar. La oscuridad penetra en la piel. Los sonidos se han enroscado y han echado para atrás sus ojos de caracol; la orquesta del mundo se ha ido alejando hasta desaparecer en el parque.

Esta tarde es un confín del mundo, lo he tocado por casualidad, mientras jugaba, sin querer. Lo he descubierto porque me han dejado un rato sola en casa, sin vigilar. Sin duda he caído en una trampa. Tengo pocos años, estoy sentada en el alféizar mirando el frío patio. Han apagado las luces de la cocina del colegio, todo el mundo se ha marchado. Las losas de cemento del patio han empapado la oscuridad y desaparecido. Puertas cerradas, celosías y persianas bajadas. Me gustaría salir, pero no tengo adónde ir. Solo mi presencia adopta contornos nítidos que tiemblan, ondean, y eso duele. Enseguida descubro la verdad: ya no hay nada que hacer, existo, aquí estoy.

EL MUNDO EN LA CABEZA

Hice mi primer viaje a través de los campos, a pie. Durante mucho tiempo nadie advirtió mi desaparición, lo que permitió que me alejara bastante. Recorrí todo el parque; después, por caminos de tierra, atravesando maizales y prados cubiertos de caléndulas y surcados por zanjas de drenaje, logré alcanzar el río. El río, de todas formas, era omnipresente en la llanura, empapaba la tierra bajo la hierba, lamía los sembrados.

Al encaramarme al terraplén de contención, pude ver una cinta oscilante, un camino que serpenteaba hasta más allá del encuadre, del mundo. Y, con suerte, se podían ver sobre ella unas barcazas planas desplazándose en ambos sentidos sin reparar en las orillas, ni en los árboles, ni en las personas que se hallaban en el terraplén, al considerarlos, seguramente, puntos de orientación inestables, indignos de atención, meros testigos de su grácil movimiento. Yo soñaba con trabajar en una barca de esas cuando fuera mayor o, mejor todavía, con convertirme en una de ellas.

No era un gran río, tan solo el Odra, pero por entonces también yo era pequeña. Ocupaba su propio lugar en la jerarquía de los ríos –cosa que más tarde comprobaría en un mapa–, segundón, aunque notable, como de vizcondesa de provincias en la corte de la reina Amazonas. A mí, no obstante, me bastaba y me sobraba, me parecía inmenso. Fluía a sus anchas, sin regular desde hacía ya tiempo, amigo de desbordarse, indómito. En ciertos lugares, junto a las márgenes, sus aguas se arremolinaban al topar con algún que otro obstáculo subacuático. Fluía, desfilaba, fiel a sus razones ocultas tras el horizonte, en algún remoto lugar del norte. Imposible posar sobre él la mirada, la arrastraba más allá del horizonte hasta el punto de hacerle perder a una el equilibrio.

Ocupadas en sí mismas, las aguas no reparaban en mí, aguas viajeras, cambiantes, en las que jamás se podría entrar dos veces, como supe más tarde.

Todos los años se cobraba un buen tributo por llevar a lomo las barcas, pues no había uno en que no se ahogara alguien, ya fuera un niño al bañarse durante los tórridos días de verano o un borracho que, a saber por qué, se había tambaleado en el puente y, a pesar de la baranda, había caído al agua. A los ahogados siempre se los buscaba durante largo tiempo y montando bastante alboroto, lo que mantenía en tensión a todo el territorio. Se organizaban equipos de buzos y lanchas motoras del ejército. Según los relatos de los adultos que espié, los cuerpos rescatados aparecían hinchados y pálidos: el agua les había chupado todo rastro de vida, desdibujando hasta tal punto sus rostros que los allegados a duras penas eran capaces de reconocer los cadáveres.

Plantada sobre el terraplén antiinundaciones, la mirada fija en la corriente, descubrí que –pese a todos los peligros–

9

siempre sería mejor lo que se movía que lo estático, que sería más noble el cambio que la quietud, que lo estático estaba condenado a desmoronarse, degenerar y acabar reducido a la nada; lo móvil, en cambio, duraría incluso toda la eternidad. Desde entonces el río se convirtió en una aguja clavada en mi seguro y estable paisaje del parque, de los invernaderos donde germinaban tímidamente las hileras de hortalizas y de las losas de cemento de la acera donde se jugaba a la rayuela. Lo atravesaba por completo, como marcando verticalmente una tercera dimensión; lo agujereaba, y el mundo infantil no resultaba ser más que un juguete de goma del que el aire escapaba emitiendo un silbido.

Mis padres no eran del todo una tribu sedentaria. Se mudaron muchas veces de un lugar a otro hasta que finalmente se asentaron por un tiempo en una escuela de provincias, lejos de cualquier estación de tren y de toda carretera merecedora de tal nombre. El mero hecho de cruzar la linde para ir a la pequeña ciudad comarcal se convertía en todo un viaje. La compra, el papeleo en la oficina municipal, el peluquero de siempre en la plaza del mercado junto al ayuntamiento, ataviado con el mismo delantal lavado y blanqueado una y otra vez, sin éxito, porque los tintes de pelo de las clientas dejaban en él manchas caligráficas, ideogramas chinos. Cuando mamá se teñía el pelo, papá la esperaba en el café Nowa, en una de las dos mesas que instalaban fuera. Leía el periódico local, cuya sección más interesante siempre era la de sucesos, con sus crónicas de robos de mermeladas y pepinillos de los sótanos donde se guardaban.

Esos viajes vacacionales suyos, un poco acobardados, en un Škoda cargado hasta los topes. Largamente preparados, planeados durante las tardes preprimaverales, apenas se fundía la nieve, pero la tierra aún no volvía en sí; había que esperar a que por fin entregara su cuerpo a arados y azadas, a que se dejara inseminar, entonces los tendría ocupados desde la mañana hasta la noche.

10

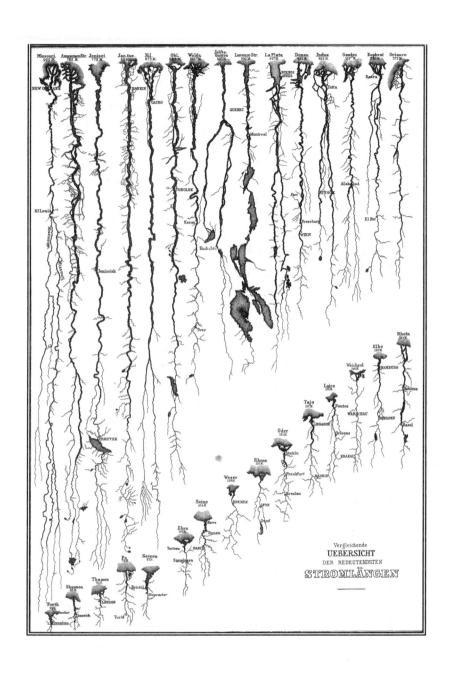

Vergleichende
UEBERSICHT
DER BEDEUTENDSTEN
STROMLÄNGEN

Pertenecían a esa generación que viajaba con remolques de acampada que arrastraban tras de sí un remedo de casa. Un hornillo, mesas y sillas plegables. Una cuerda de plástico para tender la ropa durante las paradas y pinzas de madera. Hules para la mesa, impermeables. Un kit de pícnic: platos de plástico de colorines, cubiertos, saleros y vasos.

En uno de esos rastrillos que tanto les gustaba visitar (cuando no se fotografiaban delante de iglesias y monumentos), mi padre compró una tetera como las que usan en el ejército: un artefacto de cobre con un tubo dentro en el que se echaba un puñado de ramitas secas y se les prendía fuego. Y aunque en los campings se podía usar la electricidad, mi padre organizaba un caos al hervir el agua tan solo en aquella tetera que echaba humo. De rodillas ante el humeante artefacto, escuchaba con orgullo el borboteo del agua hirviendo que vertería luego sobre saquitos de té: un auténtico nómada.

Se repantigaban en sus asientos de camping, siempre en compañía de gente como ellos, para charlar con los vecinos junto a calcetines puestos a secar en las cuerdas de las tiendas de campaña. Planeaban futuros viajes, señalando en la guía los puntos de interés. Hasta el mediodía tocaba bañarse en el mar o en el lago, y por la tarde alguna excursión a los monumentos históricos de la ciudad que culminaba con una cena procedente las más de las veces de tarros cerrados al vacío: gulash, filetes rusos, albóndigas en salsa de tomate... Solo faltaba cocer el arroz o la pasta. Y esa constante necesidad de ahorrar; la sempiterna debilidad del zloty, el céntimo del mundo. La búsqueda de lugares donde poder conectarse a la electricidad y luego, con desgana, vuelta a hacer la maleta para seguir viaje, sin abandonar no obstante la metafísica órbita del hogar. No eran auténticos viajeros, porque se iban para volver. Y regresaban aliviados, con la sensación del deber cumplido. Volvían para recoger de la cómoda montones de cartas y facturas. Para hacer una gran colada. Para matar de aburrimiento a los amigos, que bostezaban con disimulo mientras les iban mostrando las fotografías. Aquí estamos en Carcasona. Y aquí mi mujer con la Acrópolis de fondo.

Después, todo un año de vida sedentaria, esa vida extraña en la que por la mañana se regresa a lo que se ha dejado por la noche, donde la ropa absorbe el olor del piso propio y los pies huellan incansablemente un sendero en la alfombra.

No era para mí. A todas luces yo carecía de ese gen que hace que en cuanto se detiene uno en un lugar por un tiempo más o menos largo, enseguida eche raíces. Lo he intentado muchas veces, pero mis raíces nunca fueron lo suficientemente profundas, y me tumbaba la primera racha de viento. Tampoco he sabido germinar, desprovista de esa capacidad vegetal. No me nutro de la savia de la tierra, soy lo contrario de Anteo. Mi energía es generada por el movimiento: el vaivén de los autobuses, el traqueteo de los trenes, el rugido de los motores de avión, el balanceo de los ferrys.

No soy grande, tengo un tamaño cómodo y estoy bastante bien hecha. Tengo un estómago pequeño, nada exigente, unos pulmones robustos, una barriga firme y unos brazos fuertemente musculados. No tomo medicamentos ni hormonas, no llevo gafas. Me corto el pelo con una maquinilla, una vez cada tres meses, casi no uso cosméticos. Tengo los dientes sanos, tal vez no del todo bien alineados, pero enteros, con un solo empaste ya antiguo, creo que en el primer molar inferior izquierdo. El hígado, normal. El páncreas, normal. Los riñones derecho e izquierdo, en excelente estado. Mi aorta abdominal, normal. La vejiga, correcta. Hemoglobina: 12,7. Leucocitos: 4,5. Hematocrito: 41,6. Plaquetas: 228. Colesterol: 204. Creatinina: 1,0. Bilirrubina: 4,2. Etcétera. Mi CI –si alguien cree en esas cosas–: 121; suficiente. Tengo muy desarrollada la imaginación espacial, casi eidética, mas no así la lateralidad, que flojea. El perfil de mi personalidad es cambiante, más bien poco digno de confianza. La edad: psicológica. El sexo: gramatical. Compro libros preferentemente de tapa blanda para así poder dejarlos sin sentir pena en los andenes, para otros ojos. No colecciono nada.

He hecho una carrera universitaria, pero en realidad no he aprendido ningún oficio, cosa que lamento mucho; mi bisabuelo era tejedor, blanqueaba las telas ya tejidas extendiéndolas sobre la ladera del monte para que les diesen los ardientes rayos del sol. Me gustaría mucho entrelazar urdimbres y tramas, no existen, sin embargo, telares portátiles, tejer es un arte de pueblos asentados. Cuando viajo hago punto. Lamentablemente en los últimos tiempos algunas líneas aéreas prohíben subir a bordo agujas y ganchillos. Lo dicho: no he aprendido ningún oficio y sin embargo, pese a lo que siempre repetían mis padres, he conseguido sobrevivir a los muchos trabajos que he desempeñado por el camino sin nunca tocar fondo.

Cuando mis padres volvieron a la ciudad tras su romántico experimento de veinte años, ya cansados de las sequías y las heladas, de los alimentos sanos que durante inviernos enteros yacían enfermos en el sótano, de la lana de sus propias ovejas cuidadosamente embutida en las fauces sin fondo de edredones y almohadas, me dieron un poco de dinero, y por primera vez me puse en camino.

Desempeñaba trabajos ocasionales allí donde llegaba. En una manufactura internacional en las afueras de una gran metrópoli, ensamblaba antenas para yates de lujo. Allí había muchas personas como yo. Nos contrataban en negro, sin preguntar de dónde éramos ni qué planes de futuro teníamos. El viernes recibíamos la paga, y quien no estaba conforme simplemente no volvía por allí el lunes. Había entre nosotros futuros universitarios que aprovechaban el intervalo entre el examen de Estado y los exámenes de acceso a la universidad. Migrantes en busca de ese país justo e ideal de Occidente donde las personas son hermanas y hermanos, con un Estado fuerte como padre protector. Fugitivos de sus respectivas familias: esposas, maridos, padres... Infelizmente enamorados, distraídos, melancólicos y siempre muertos de frío. Prófugos de la ley por no lograr hacer frente a los pagos de los créditos suscritos. Bohemios y vagabundos. Locos que, tras sufrir una recaída de su enfermedad, acababan en un hospital, de donde –en virtud de difusas disposiciones legales– acababan siendo deportados a sus países de origen.

Solo un hindú trabajaba allí de forma fija, desde hacía años, aunque, a decir verdad, su situación no difería de la nuestra. No estaba asegurado ni tenía vacaciones. Trabajaba en silencio, paciente y acompasadamente. No llegaba nunca tarde ni buscaba excusas para librar. Convencí a varias personas de la necesidad de fundar un sindicato –corrían los tiempos de Solidarność–, aunque solo fuera por él, pero no quiso. Conmovido por mi interés, me invitaba todos los días a un curry picante que traía en una fiambrera. Hoy ni tan siquiera recuerdo su nombre.

Hice de camarera, de «kelly» en un hotel de lujo y de niñera. Vendí libros, vendí billetes. Me empleé una temporada en un pequeño teatro como encargada de vestuario y así sobreviví a un largo invierno entre telones de terciopelo, pesados trajes, pelucas y capas de satén. Terminada la carrera, trabajé como pedagoga, terapeuta de desintoxicación y también, recientemente, en una biblioteca. En cuanto lograba ganar algo de dinero, me ponía en camino.

LA CABEZA EN EL MUNDO

Estudié psicología en una sombría gran ciudad comunista, mi facultad ocupaba el edificio que durante la guerra albergó la sede de un destacamento de las SS. Esta parte de la ciudad se construyó sobre las ruinas del gueto, era fácil verlo si se miraba con atención: todo el barrio se elevaba un metro

15

por encima del resto de la ciudad. Un metro de escombros. Nunca me sentí a gusto allí; entre los bloques de pisos nuevos y las plazuelas de tres al cuarto siempre soplaba el viento y el aire frío parecía particularmente helado; pellizcaba la cara. En el fondo, pese a las nuevas edificaciones, el lugar seguía perteneciendo a los muertos. El edificio de la facultad se me sigue apareciendo en sueños: sus anchos pasillos, como tallados en piedra y bruñidos por un sinfín de pies, los bordes de los peldaños gastados, los pasamanos pulidos por un sinfín de manos, huellas grabadas en el espacio. Tal vez por eso se nos aparecían fantasmas.

Cuando metíamos ratas en el laberinto, siempre había una cuyo comportamiento contradecía la teoría al hacer caso omiso de nuestras brillantes hipótesis. Se ponía sobre sus dos patitas, sin mostrar interés alguno por el premio que le aguardaba al final del recorrido propuesto por el experimento; reacia a los privilegios del reflejo de Pávlov, paseaba la vista por nosotros y luego daba media vuelta o, sin apresurarse, se dedicaba a estudiar el laberinto. Buscaba algo en los corredores laterales, intentaba llamar la atención. Desorientada, emitía tenues gemidos, momento en que las chicas, contraviniendo las reglas, la sacaban del laberinto y la tomaban en brazos.

Los músculos de la despatarrada rana muerta se relajaban y se tensaban al dictado de los impulsos eléctricos, pero de una manera aún no descrita en nuestros manuales: nos hacían señales, y sus extremidades, con evidentes gestos de burla y amenaza, contradecían la consagrada fe en la inocencia mecánica de los reflejos fisiológicos.

Nos enseñaban que era posible describir el mundo e, incluso, explicarlo mediante respuestas sencillas a preguntas inteligentes. Que en esencia era inerte y exánime, que lo regían leyes bastante simples que debían ser explicadas y presentadas, mejor con ayuda de diagramas. Nos exigían experimentos. Formular hipótesis. Verificaciones. Se nos introducía en los arcanos de la estadística, creyendo que con su ayuda se podía describir a la perfección todas las reglas que gobernaban el mundo: que un noventa por cien era más relevante que un cinco por cien.

Pero hoy sé algo a ciencia cierta: quien busque un orden, que evite la psicología. Más vale que opte por la fisiología o la teología, así tendrá al menos una base sólida, ya sea en la materia o en el espíritu; no tropezará con la psique. La psique es un objeto de estudio muy resbaladizo.

Tenían razón quienes afirmaban que esta carrera no se elegía con vistas a una salida laboral, por curiosidad o vocación de ayudar a la gente, sino por un motivo diferente, muy sencillo. Sospecho que todos teníamos alguna tara oculta en nuestro más profundo interior, aunque seguramente aparentábamos ser jóvenes inteligentes y sanos: nuestro defecto estaba enmascarado, hábilmente camuflado en los exámenes de acceso. El ovillo de nuestras emociones, liado a conciencia, estaba hecho una bola compacta, como esos extraños tumores que en ocasiones se descubren en el cuerpo humano y que pueden ser contemplados en cualquier museo de anatomía patológica que se precie. ¿Y si resultaba que nuestros examinadores eran personas como nosotros y que en el fondo sabían lo que hacían? En ese caso habríamos sido sus herederos. Cuando en el segundo curso estudiábamos el funcionamiento de los mecanismos de defensa y descubríamos con admiración la potencia de esa parte de nuestra psique, empezábamos a comprender que si no fuera por la racionalización, la sublimación, la represión y los demás trucos con que nos obsequiamos a nosotros mismos, si se pudiese mirar al mundo sin protección alguna, valiente y honradamente, se nos partiría el corazón.

En la facultad nos enteramos de que estamos hechos de defensas, escudos y armaduras, de que somos ciudades cuya arquitectura se limita a murallas, torres y fortificaciones: un país de búnkeres.

Nos sometíamos a todos los test, entrevistas y pruebas unos a otros, y al acabar tercero ya era capaz de poner nombre a mis males; fue como descubrir mi propio nombre secreto, el que abre el camino iniciático con solo pronunciarlo.

No tardé en dar por terminado el ejercicio de mi profesión. En el curso de uno de mis viajes, cuando me quedé sin dinero en una gran ciudad en la que trabajaba como «kelly», me puse a escribir un libro. Era un libro de viaje, para ser leído en un tren, como si lo escribiera solo para mí. Un libro-canapé, para engullir de un bocado, sin masticar.

Supe concentrarme como era menester, fui por un tiempo una descomunal oreja dedicada a escuchar susurros, ecos y rumores, voces lejanas que atravesaban las paredes.

Pero nunca llegué a ser una auténtica escritora o, mejor dicho, escritor, puesto que en masculino la palabra suena más seria. A mí la vida siempre se me escabullía. Solo daba con sus huellas, pálidos vestigios. Cuando alcanzaba a detectarla, ya estaba en otra parte. Tan solo encontraba marcas como las que se quedan grabadas en la corteza de los árboles del parque: «Estuve aquí». En mi escritura la vida devenía en historias incompletas, cuentos oníricos, tramas vagas; se aparecía a lo lejos en extrañas perspectivas desenfocadas o en secciones transversales, lo que hacía difícil llegar a una conclusión generalizadora.

Todo aquel que en algún momento haya intentado escribir una novela sabe lo duro que es este trabajo, sin duda una de las peores formas de autoempleo. Hay que quedarse permanentemente encerrado en uno mismo, en una celda individual, completamente a solas. No deja de ser una psicosis controlada, una paranoia y una obsesión uncidas al trabajo, desprovistas por lo tanto de plumas, polisones y máscaras venecianas por los que las conocemos, sino ataviadas más bien con delantales de carnicero, calzadas con botas de goma, empuñando un cuchillo de destripar. Desde ese sótano de escritor se ven apenas los pies de los transeúntes y se oye el taconeo. A veces alguien se detiene, se agacha y echa un vistazo al interior, y entonces por fin puede verse un rostro humano e incluso intercambiar unas palabras. Pero en realidad la mente sigue ocupada en el juego que desarrolla ante sí misma en un panóptico trazado a vuelapluma para mover figuritas sobre ese escenario provisional: el autor y el protagonista, la narradora y la lectora, la que describe y la que es descrita; los pies, los zapatos, los tacones y los rostros más tarde o más temprano formarán parte de este juego.

No estoy arrepentida de haber elegido esta singular ocupación: no habría sido una buena psicóloga. No sabía revelar fotografías familiares desde el cuarto oscuro de los pensamientos ajenos, ni explicarlas. Las confesiones de otros, lo admito con tristeza, a menudo me aburrían. Para ser sincera, a menudo habría preferido intercambiar los papeles y empezar a hablarles de mí. Me tenía que controlar para no tirar de pronto de la manga a una paciente e interrumpirle a mitad de una frase: «Pero ¡qué cosas dice, señora! ¡Yo lo percibo de forma totalmente diferente! Mire lo que he soñado...» O: «¡Qué sabrá usted del insomnio, señor! Y esto, según usted, ¿es un ataque de pánico? Déjese de bromas. El que he sufrido yo recientemente, ese sí que lo fue...»

No sabía escuchar. No respetaba los límites. Caía en transferencias. No creía en la estadística ni en la verificación de la teoría. El postulado «una personalidad = una persona» siempre me ha parecido excesivamente reduccionista. Tendía a difuminar lo obvio, a poner en tela de juicio argumentos irrefutables; era un hábito, un sutil placer que me hacía vibrar por dentro. Sospechar de toda sentencia, saborearla bajo la lengua para finalmente descubrir lo esperado: que no había ninguna verdadera, todas eran falsas, y su marca, fraudulenta. Rechazaba las opiniones fijas, que habrían supuesto un bagaje innecesario. En los debates tomaba partido ya por unos, ya por otros, y sé que por eso no caía bien a mis interlocutores. Era consciente del extraño fenómeno que tenía lugar en mi cabeza: cuantos más argumentos encontraba «a favor», tantos más se me ocurrían «en contra», y cuanto más me decantaba por los primeros, más atractivos se volvían los segundos.

¿Cómo iba a examinar a otros si a mí misma me resultaba difícil superar cualquier test? Se me antojaban demasiado difíciles los cuestionarios del test de personalidad, con sus columnas de preguntas y respuestas *multiple choice*. No tardé en descubrir esta tara mía, por eso en la carrera, cuando durante las prácticas nos hacíamos test unos a otros, solía dar respuestas aleatorias, al azar. Se obtenían entonces perfiles extraños, curvas conducidas por el eje de coordenadas. «¿Crees que la mejor decisión es la más fácil de cambiar?» ¿Si lo creía? ¿Qué decisión? ¿Cambiar? ¿Cuándo? ¿Más fácil? ¿Cómo? «Al entrar en una habitación, ¿prefieres ocupar un lugar central antes que uno periférico?» ¿En qué habitación? ¿Y cuándo? ¿La habitación está vacía? ¿Hay junto a sus paredes sofás de terciopelo rojo? Y las ventanas, ¿qué vista ofrecen? La pregunta por el libro: ¿prefiero quedarme leyéndolo en vez de salir de fiesta, o tal vez dependa de qué libro y qué fiesta?

¡Menuda metodología! Tácitamente se parte de la premisa de que la persona no se conoce realmente, pero que si se le plantea una serie de preguntas hábilmente formuladas, se descubrirá. Se hará preguntas y se las responderá. Sin quererlo se revelará a sí misma un secreto que desconocía por completo.

Y una segunda premisa, mortalmente peligrosa: somos inmutables y nuestras reacciones son predecibles.

La historia de mis viajes es solo la de mis dolencias. Padezco un síndrome que fácilmente se puede encontrar en cualquier atlas de síndromes clínicos y que –según afirman fuentes especializadas– es cada vez más frecuente. Lo mejor es echar mano de la antigua edición (de los setenta) de *The Clinical Syndromes,* una especie de enciclopedia «sindrómica». Para mí, además, constituye una inagotable fuente de inspiración. ¿Alguien más se atrevería a describir a una persona en su totalidad, íntegra y objetivamente? ¿Usando con toda convicción el concepto de personalidad? ¿Atentando contra la convincente tipología? No lo creo. El concepto de síndrome le sienta como un guante a la psicología del viaje. El síndrome es pequeño, portátil, episódico, y no está ligado a la inerte teoría. Con su ayuda se puede explicar algo para luego tirarlo a la papelera. Una herramienta de conocimiento de un solo uso.

El mío se llama Síndrome de Desintoxicación Perseverante. Traducido de forma directa y nada ingeniosa, significa que en esencia la conciencia insiste en regresar una y otra vez a ciertas ideas o, incluso, en buscarlas compulsivamente. Se trata de una variante del Síndrome del Mundo Cruel *(Mean World Syndrome),* bastante bien descrito últimamente en la literatura neuropsicológica como infección propagada sobre todo por los medios de comunicación. En el fondo es una dolencia pequeñoburguesa. El paciente pasa largas horas ante el televisor, buscando con el mando a distancia únicamente aquellos canales que emiten las noticias más espantosas: guerras, epidemias, catástrofes... Fascinado por lo que está viendo, ya no puede apartar la vista.

Los síntomas en sí mismos no entrañan ningún peligro y permiten vivir en paz, siempre y cuando se sea capaz de guardar las distancias. Esta desagradable dolencia no tiene tratamiento; en este caso la ciencia se limita a constatar con amargura su mera existencia. Cuando el paciente, asustado de sí mismo, acude a la consulta de un psiquiatra, este le prescribe una vida más sana: dejar el café y el alcohol, dormir en una habitación bien ventilada, trabajar en el jardín, tejer o hacer punto.

Mi sintomatología se resume en que me atrae todo lo defectuoso, imperfecto, roto. Me interesan las formas amorfas, los errores en la obra de la Creación, los callejones sin salida. Aquello que por una u otra razón se ha quedado a medio camino en su desarrollo, o que, por el contrario, ha excedido los límites de lo previsto. Todo lo que se aparta de la norma, lo que es demasiado pequeño o demasiado grande, exuberante o incompleto, monstruoso y repulsivo. Formas que descuidan la simetría, que se multiplican, crecen a lo ancho, se reproducen por gemación o, por el contrario, las que reducen lo múltiple a la unidad. No me interesan los acontecimientos repetibles, esos que tan atentamente sigue la estadística y que todo el mundo celebra con una sonrisa feliz y familiar en los labios. Siento debilidad por la teratología y los monstruos. Tengo la constante y torturadora convicción de que es precisamente ahí donde el verdadero ser sale a la superficie y revela su naturaleza. Una súbita revelación accidental. Un avergonzado «ay»: el dobladillo de la ropa interior asomando de una falda esmeradamente plisada. Un horrendo esqueleto de metal que surge repentinamente de debajo de una tapicería de terciopelo; la ilusión de esponjosidad obscenamente desmentida por la erupción del muelle de un sillón de felpa.

EL GABINETE DE CURIOSIDADES

Nunca he sido muy aficionada a visitar museos de arte, y si de mí dependiera, con gusto los convertiría en gabinetes de curiosidades, donde se reúne y se exhibe lo raro e irrepetible, lo insólito y monstruoso. Lo que existe a la sombra de la conciencia, y que desaparece del campo de visión en cuanto se intenta mirarlo. Sí, sin duda alguna tengo este dichoso síndrome. No me atraen las colecciones exhibidas en el centro de las ciudades, sino las pequeñas, junto a los hospitales, a menudo trasladadas a los sótanos, consideradas indignas de ser expuestas en cualquier lugar que se precie y que delatan el gusto harto sospechoso de sus antiguos propietarios. Una salamandra con dos rabos metida en un tarro ovalado, con el hocico hacia arriba, esperando el día del Juicio Final, cuando todos los animales del mundo envasados en tarros por fin resuciten. El riñón de un delfín en formol. El cráneo de una oveja, anomalía pura, con doble número de ojos, orejas y hocicos, bello como la efigie de una antigua deidad de naturaleza polimorfa. Un feto humano adornado con abalorios y leyenda primorosamente caligrafiada: «*Fetus Aethiopis 5 mensium*». Fechorías de la naturaleza coleccionadas durante años, bicéfalas y acéfalas, nonatas, flotando soñolientas en la solución de formaldehído. O el caso del *Cephalothoracopagus monosymetro*, exhibido hasta hoy en un museo de Pensilvania, donde la morfología patológica de un feto con una cabeza y dos cuerpos pone en tela de juicio los fundamentos de la lógica al demostrar que 1 = 2. Y como colofón, un conmovedor espécimen casero, de cocina: manzanas del verano de 1848 maceradas en alcohol puro, rarísimas, de formas anormales; por lo visto alguien consideró que estas fechorías de la naturaleza merecían ser inmortales y que solo perduraría lo diferente.

Son precisamente los errores y accidentes de la creación lo que busco pacientemente en mis viajes.

He aprendido a escribir en trenes, hoteles y salas de espera. En las mesitas abatibles de los aviones. Tomo apuntes durante las comidas, bajo la mesa o en el lavabo. Escribo en las escaleras de los museos, en los cafés, en el coche aparcado en un arcén. Lo apunto todo en retazos de papel, en blocs de notas, en tarjetas postales, en la palma de la mano, en servilletas, en los márgenes de los libros. Por lo general se trata de frases cortas, de pequeñas imágenes, aunque a veces también copio fragmentos de los periódicos. A veces atisbo entre la multitud una figura que me seduce, entonces me desvío de mi camino para seguirla durante un rato y, así, empezar su historia. Es un buen método; no ceso de perfeccionarlo. Con el paso de los años, el tiempo se ha ido convirtiendo en mi aliado, como lo es para todas las mujeres: me he vuelto invisible, transparente. Puedo moverme como un fantasma, observar a la gente mirándola de soslayo, escuchar sus riñas y contemplar cómo duermen apoyando la cabeza sobre sus mochilas, cómo conversan, sin ser conscientes de mi presencia, tan solo moviendo los labios y formando palabras que pronto pronunciaré yo en su lugar.

VER ES SABER

Mi peregrinación es siempre en pos de otro peregrino. En esta ocasión, de uno malogrado, hecho pedazos.

Aquí, por ejemplo, han reunido huesos, pero solo aquellos que presentan algún defecto: columnas vertebrales retorcidas, cintas de costillas probablemente extraídas de cuerpos igualmente retorcidos, tratadas, disecadas e, incluso, barnizadas. Un pequeño número identificativo ayudará a encontrar la descripción de la enfermedad en listados que hace tiempo dejaron de existir, pues ¿en qué queda la perdurabilidad del papel comparada con la de los huesos? ¡Pues haberlo escrito directamente en los huesos!

He aquí, por ejemplo, un fémur que algún curioso serró longitudinalmente para ver qué ocultaba en su interior. Seguro que le decepcionó lo hallado, porque, tras atar ambas mitades con una cuerda de cáñamo y pensando ya en otra cosa, lo devolvió a la vitrina.

La vitrina, convertida en una bella, espaciosa, seca e iluminada tumba, reúne a varias decenas de personas a las que tiempo y espacio separan, condenándolas así a la eternidad de las piezas de museo. Sin duda son la envidia de esos otros huesos que encallaron en el eterno combate con la tierra. ¿Estarán preocupados algunos –los huesos de los católicos– por cómo se juntarán todos en el Juicio Final, por cómo, tan dispersos, reconstruirán ese cuerpo que cometió pecados e hizo buenas acciones?

Calaveras con tumores de todas las estructuras imaginables, agujereadas por balas u otros objetos, atrofiadas. Huesos de manos reumáticas. Un brazo con fractura múltiple soldado de forma natural, al azar: un duradero dolor petrificado.

Huesos largos demasiado cortos y otros cortos demasiado largos, tuberculosos, estampados y con el color alterado: se diría que roídos por la carcoma.

Pobres cráneos humanos expuestos en iluminadas vitrinas victorianas donde, mandíbula arriba, exhiben sus dentaduras. Este, por ejemplo, muestra un gran agujero en medio de la frente, pero tiene los dientes perfectos. Me pregunto si este agujero fue mortal. No necesariamente. Un ingeniero al que una vara de metal perforó el cerebro mientras trabajaba en la construcción de un ferrocarril vivió muchos años más con semejante herida, con lo que naturalmente prestó un gran servicio a la neuropsicología, que predica *urbi et orbi* que existimos dentro de nuestro cerebro. No murió, pero cambió mucho. Se convirtió en otra persona, según decían. Puesto que del cerebro depende el cómo somos, torzamos sin dilación a la izquierda hacia el pasillo de los cerebros. ¡Aquí están! Anémonas de color crema sumergidas en un líquido, grandes y pequeñas, las geniales y las incapaces de contar hasta tres.

Más allá se abre la zona destinada a los fetos, personitas en miniatura. Muñecos de laboratorio, especímenes reducidos hasta hacer que una persona quepa en un pequeño tarro.

Los más jóvenes, embriones apenas visibles, son pececillos o renacuajos suspendidos de una crin de caballo en un océano de formol. Los más grandes nos muestran el orden del cuerpo humano, su maravilloso envoltorio. Migajas prehumanas, alevines semihumanoides, sus vidas nunca cruzaron la mágica frontera de una mera posibilidad potencial. Tienen forma, pero no crecieron lo suficiente para adquirir espíritu; ¿y si la presencia del espíritu guardara relación con el tamaño de la forma? La materia, con soñolienta obstinación, empezaba ya a organizarse para la vida, a reunir tejidos, a sentar futuras relaciones entre órganos, a tejer la red de un sistema compacto; perfilaba el ojo y ultimaba los pulmones, si bien luz y aire quedaban todavía muy lejos.

En la siguiente fila se ven los mismos órganos, pero ya acabados, felices de que las circunstancias les permitieran crecer hasta alcanzar su tamaño correcto. ¿Correcto? ¿Cómo sabían cuál era, cuándo debían detenerse? Algunos no lo sabían: estos intestinos habían crecido con tal desmesura que a nuestros profesores les costó trabajo encontrar un tarro en el que cupieran. Tanto más difícil resulta imaginar cómo pudo alojarlos la barriga del hombre cuyas iniciales figuran en la etiqueta.

El corazón. Todo su misterio ha sido desvelado de una vez para siempre: es ese bulto amorfo del tamaño de un puño de color crema sucio. Pues ese es precisamente el color de nuestro cuerpo, crema grisáceo, gris parduzco, feo; no hay que olvidarlo. No querríamos ese color para nuestro coche ni para las paredes de casa. Es el color de lo interno, de lo oscuro, de aquellos lugares que el sol no alcanza, donde la materia se oculta entre humedades de toda mirada ajena, lo que deja fuera de lugar la necesidad de presumir. Solo se ha permitido una extravagancia con la sangre; la sangre debe actuar como advertencia, el rojo como alarma de que el cascarón de nuestro cuerpo ha sido abierto. La continuidad de los tejidos, rota.

En realidad, por dentro somos incoloros. Un corazón exangüe adopta un aspecto bien diferente: parece un moco. Tal cual.

SIETE AÑOS DE VIAJE

–Un viaje por año, desde que nos casamos, hace siete –contaba en el tren un hombre joven que vestía un largo y elegante abrigo negro y llevaba una cartera rígida que hacía pensar en un sofisticado estuche de cubertería.

Tenemos un montón de fotos, decía, muy bien ordenadas. El sur de Francia, Túnez, Turquía, Italia, Creta, Croacia e incluso Escandinavia. También dijo que solían ver esas fotos varias veces: primero con la familia, después en el trabajo, más tarde con los amigos... A partir de entonces se guardan celosamente en sus sobres de plástico donde descansan durante años, como pruebas clasificadas en el archivador de un detective: estuvimos allí.

Pensativo, miró por la ventanilla tras cuyo cristal escapaban paisajes que ya llegaban tarde a alguna parte. Tal vez se preguntara: pero ¿qué significa «estuvimos»? ¿Adónde han ido a parar esas dos semanas en Francia que hoy se pueden resumir en apenas un par de recuerdos: un repentino golpe de hambre en las murallas de una ciudad medieval y el destello de una cena en un pequeño restaurante con tejado cubierto de parra? ¿Qué fue de Noruega? De ella tan solo queda el frío del agua del lago y lo inacabable del día, y también la alegría de comprar cerveza justo antes de que cerrara la tienda o la magnífica primera vista del fiordo.

–Esas imágenes no me las quita nadie –concluyó el hombre y, súbitamente animado, se asestó una sonora palmada en el muslo.

Otro hombre, tímido y afable, me dijo que siempre se llevaba un libro de Cioran en sus viajes de trabajo, uno de esos compuestos de textos brevísimos. En los hoteles lo dejaba en la mesilla de noche y al despertarse lo abría al azar y encontraba la divisa que regiría el día. Opinaba que los ejemplares de la Biblia de los hoteles europeos debían ser sustituidos por Cioran cuanto antes. Desde Rumanía hasta Francia. Que como herramienta para predecir el futuro, la Biblia ha perdido toda vigencia. Si la abrimos imprudentemente un viernes de abril o un miércoles de diciembre, ¿de qué nos sirve, por ejemplo, el siguiente versículo: «Todos los enseres del tabernáculo para todo su servicio, y todas sus estacas, y todas las estacas del atrio serán de bronce»? (Éxodo 27:19). ¿Cómo se supone que debemos entenderlo? De todos modos, tampoco es que estuviera empeñado en seguir únicamente a Cioran. Me lanzó una mirada desafiante y dijo:

—Muy bien, señora, proponga otra cosa.

No se me ocurrió nada. Entonces sacó de su mochila un fino y gastado opúsculo, lo abrió al azar y se le iluminó la cara.

—«En lugar de observar el rostro de los transeúntes, me fijé en sus pies, y todos aquellos agitados se redujeron a pasos que se precipitaban... ¿hacia dónde? Y me pareció evidente que nuestra misión era rozar el polvo en busca de un misterio carente de seriedad» —leyó, satisfecho.

KUNICKI. AGUA I

Es media mañana, no sabe exactamente qué hora es, no ha mirado el reloj, pero no debe de llevar esperando más de un cuarto de hora. Se reclina cómodamente en su asiento y entorna los ojos; el silencio es tan penetrante como un persistente sonido agudo, no puede ordenar sus pensamientos. Todavía no sabe que lo que suena es una alarma. Aparta el asiento del volante y estira las piernas. Le pesa la cabeza, un peso que zambulle su cuerpo en un aire tórrido, blanco. No piensa moverse, esperará.

Seguro que se ha fumado un pitillo, tal vez incluso dos. Al cabo de varios minutos baja del coche y orina en la cuneta. Parece que mientras tanto no ha pasado ningún coche, aunque ahora ya no está tan seguro. Vuelve al coche y bebe agua de una botella de plástico. Finalmente, empieza a impacientarse. Toca con furia el claxon, cuyo ruido ensordecedor desencadena una oleada de ira que, en cierto modo, lo devuelve a la tierra. A partir de este momento lo ve todo mucho más claro: mentalmente ya enfila el mismo sendero por el que ellos se han ido, concibiendo para sus adentros las palabras que en breve va a pronunciar: «¿Por qué tardas tanto? ¡¿Qué diablos crees que estás haciendo!?»

Es un olivar, reseco como un hueso. La hierba cruje bajo los zapatos. Entre los retorcidos olivos crecen zarzamoras silvestres; sus tiernos brotes intentan alcanzar el sendero y agarrarlo de los pies. Hay basura por todas partes: pañuelos desechables, compresas asquerosas, excrementos humanos infestados de moscas... Otras personas también se paran para hacer sus necesidades junto a la carretera. No se toman la molestia de internarse un poco en los matorrales, tienen prisa, incluso aquí.

No hay viento. No hay sol. El cielo blanco e inmóvil recuerda al sobretecho de una tienda de campaña. Hace bochorno. Partículas de agua se expanden en el aire y en todas partes se percibe el olor del mar: de electricidad, de ozono, de pescado.

Ve movimiento, pero no allí, entre los árboles, sino aquí mismo, bajo sus pies. Un enorme escarabajo negro avanza hasta el sendero; durante un rato analiza el aire con sus antenas, se detiene, a todas luces consciente de la presencia humana. El blanco cielo se refleja en su perfecto caparazón formando una mancha lechosa, y a Kunicki, por un instante, le parece que desde la tierra lo observa un ojo extraño que no pertenece a ningún cuerpo, un ojo intempestivo e indiferente. Kunicki escarba con la punta de su sandalia. El escarabajo cruza el sendero haciendo susurrar la hierba seca. Desaparece entre las zarzamoras. Es todo.

Maldiciendo, Kunicki da media vuelta para volver al coche, aún alberga la esperanza de que ella y el crío hayan regresado ya dando un rodeo, sí, está seguro de ello. Les va a decir: «¡Llevo una hora buscándoos! ¡¿Qué diablos creéis que estáis haciendo!?»

Ella dijo: «Para el coche.» Cuando lo detuvo, ella bajó y abrió la puerta de atrás. Desató al niño de su sillita, lo tomó de la mano y se alejaron juntos. Kunicki no tenía ganas de salir, se sentía soñoliento y cansado, aunque no habían recorrido más que unos pocos kilómetros. Apenas les echó un vistazo con el rabillo del ojo, sin darles importancia; no sabía que debía prestar atención. Ahora intenta evocar esa imagen borrosa, enfocarla, acercarla y fijarla. Así que los está viendo caminar por el sendero que cruje, de espaldas. Cree recordar que ella lleva unos pantalones claros de lino y una camiseta negra, y el pequeño, una camiseta con un elefante, de eso está seguro porque él mismo se la puso por la mañana. Mientras caminan, se dicen cosas, él no oye qué cosas; no sabía que debía escuchar. Desaparecen entre los olivos. No sabe cuánto rato, pero no mucho. Un cuarto de hora, tal vez un poco más, ha perdido la noción del tiempo, no miró el reloj. No sabía que debía controlar el tiempo. Detestaba que ella le preguntara: «¿En qué piensas?» Le contestaba que en nada, pero ella no le creía. Decía que era imposible no pensar, se ofendía. Pero sí que es capaz –ahora Kunicki experimenta una especie de satisfacción– de no pensar en nada. Sabe hacerlo.

Sin embargo, de repente se detiene en medio de la selva de zarzamoras, se queda quieto, como si su cuerpo, al alcanzar el rizoma de la zarza, encontrase involuntariamente un nuevo punto de equilibrio. El zumbido de las moscas y otro que está solo en su propia cabeza acompañan el silencio reinante. Por un momento se ve a sí mismo desde arriba: un hombre que viste camiseta blanca y un vulgar pantalón safari, con una pequeña calva en la coronilla, en medio de los matorrales, un intruso, un invitado en casa ajena. Un hombre expuesto al bombardeo, caído en el epicentro de un efímero alto el fuego en la batalla que libran el cielo incandescente y la tierra abrasada. Cae presa del pánico; querría ocultarse cuanto antes, esconderse en el coche, pero el cuerpo no obedece: es incapaz de mover el pie, de forzar el ponerse en marcha. Dar un paso: nunca creyó que fuese tan difícil. Se han cortado las conexiones. El pie metido en su sandalia es el ancla que lo ata a la tierra: ha encallado. Conscientemente, con esfuerzo, sorprendiéndose a sí mismo, lo obliga a moverse. No hay otra manera de abandonar este tórrido espacio infinito.

Llegaron el 14 de agosto. El ferry desde Split estaba abarrotado: muchos turistas, aunque el pasaje estaba formado mayoritariamente por gente del país. Llevaban las compras hechas en tierra firme, donde todo es más barato. Las islas no producen muchas cosas. Era fácil distinguir a los turistas porque, cuando el sol empezó a caer irremisiblemente en el mar, se trasladaron a estribor apuntando los objetivos de sus cámaras hacia él. El ferry fue sorteando lentamente los desperdigados islotes y, tras superarlos, pareció salir a mar abierto. Una sensación desagradable, unos instantes de pánico sin importancia.

Encontraron sin dificultad su hostal; se llamaba Poseidón. El propietario, Branko, con barba y una camiseta con una concha estampada, insistió en que lo tutearan y, dando a Kunicki palmaditas cómplices en la espalda, los condujo al primer piso de la angosta casa de piedra construida sobre el mismísimo mar, donde, orgulloso, les mostró el apartamento. Disponían de dos dormitorios y una pequeña cocina rinconera amueblada con los tradicionales armarios de conglomerado de madera laminada. Las ventanas daban directamente a la playa y a mar abierto. Bajo una de ellas acababa de florecer un agave: la flor, en su fuerte tallo, se elevaba triunfalmente sobre el agua.

Saca el mapa de la isla y estudia las posibilidades. Quizá ella se ha desorientado y ha salido en otro lugar de la carretera. Seguramente estará ahí, puede que pare un coche y se dirija... ¿hacia dónde? Advierte en el mapa que la carretera dibuja una línea sinuosa por toda la isla y que se la puede recorrer en circunvalación sin descender en ningún momento hasta el mar. Así es como visitaron Vis hace unos días. Deja el mapa en el asiento de ella, sobre su bolso, y arranca. Conduce despacio, buscándolos con la vista entre los olivos. Pero al cabo de un kilómetro el paisaje cambia: sustituyen al olivar rocosas tierras baldías cubiertas de hierba seca y zarzamoras. Las blancas piedras calizas parecen enormes dientes perdidos por un ser salvaje. Tras recorrer varios kilómetros, da media vuelta. A la derecha, ante sus ojos se extienden viñedos de un verde deslumbrante, salpicados aquí y allá por pequeños cobertizos de piedra para guardar herramientas: vacíos y lóbregos. En el mejor de los casos se ha perdido, pero... ¿y si se ha desmayado, ella o el pequeño? Hace tanto calor, tanto bochorno... A lo mejor necesitan auxilio inmediato, mientras que él, en vez de hacer algo, da vueltas por la carretera. Pues sí, solo un idiota como él puede tardar tanto en darse cuenta.

Su corazón empieza a latir con más fuerza. ¿Y si ha sufrido una insolación? ¿O se ha roto una pierna?

Regresa y pega varios bocinazos. A su lado pasan dos coches alemanes. Calcula el tiempo: ha pasado hora y media, lo que significa que el ferry ya ha zarpado. El imponente barco blanco ha engullido los coches, ha cerrado las puertas y se ha echado a la mar. Con cada minuto que pasa, los separan extensiones cada vez más vastas de un mar indiferente. Kunicki tiene un mal presentimiento que le deja la lengua seca, un presentimiento de algo relacionado con la basura junto a la carretera, con las moscas y los excrementos humanos. Ha comprendido. No están. Han desaparecido los dos. Sabe que no los encontrará entre los olivos, pero aun así toma el seco sendero y lo recorre llamándolos a gritos, aunque ya sin esperanza de que le contesten.

Es la hora de la siesta, la pequeña ciudad está casi desierta. En la playa, justo al lado de la carretera, tres mujeres hacen volar una cometa azul. Las distingue perfectamente mientras aparca. Una de ellas lleva pantalones de color crema claro que ciñen sus rollizas nalgas.

Encuentra a Branko sentado en una mesa de un pequeño café. En compañía de dos hombres. Beben pelinkovac con hielo como si fuera whisky. Branko, sorprendido, sonríe al verlo.

–¿Has olvidado algo? –pregunta.

Le acercan una silla, pero no se sienta. Quiere contarlo todo por orden, pasa al inglés al tiempo que en otra parte de la cabeza, como si se tratara de una película, se pregunta qué se hace en tales situaciones. Dice que Jagoda y el pequeño han desaparecido, y precisa dónde y cuándo. Los ha buscado y no los ha encontrado. Branko entonces le pregunta:

–¿Os habéis peleado?

Responde que no, sin faltar a la verdad. Los otros dos hombres apuran sus copas de pelinkovac. A él también le gustaría tomar un trago. Siente en la boca ese sabor agridulce que tiene el licor. Branko, con parsimonia, recoge de la mesa el paquete de tabaco y el mechero. Los otros también se levantan, a regañadientes, como si se concentraran antes de entrar en combate, o tal vez, simplemente, porque preferirían seguir disfrutando de la sombra del toldo. Irán todos con él, pero Kunicki insiste en que primero hay que avisar a la policía. Branko vacila. Vetas canosas entreveran su negra barba. En su camiseta amarilla destaca, en rojo, el dibujo de una concha con la palabra *Shell*.

–¿Y si ha bajado hasta el mar?

Puede ser. Quedan en lo siguiente: Branko y Kunicki irán a aquel lugar, y los otros dos, al puesto de policía, desde donde telefonearán a Vis. Branko explica que Komiža cuenta con un solo agente, que la verdadera comisaría está en Vis. Sobre la mesa quedan las copas con el hielo derritiéndose.

Kunicki reconoce enseguida la pequeña entrada al borde de la carretera donde ha permanecido aparcado. Le parece que han transcurrido siglos desde entonces, ahora el tiempo corre de otra manera, espeso y acre, compuesto por secuencias. El sol asoma entre las blancas nubes, de pronto hace mucho calor.

–Toca el claxon –dice Branko, y Kunicki obedece.

El sonido es prolongado y lastimero como una voz animal. Al cesar se diluye en vagos ecos de cigarras.

Se internan en la espesura entre los olivos, llamándose de vez en cuando. Se vuelven a encontrar junto al viñedo y, tras intercambiar unas palabras, deciden inspeccionarlo de punta a punta. Avanzan por las sombreadas hileras, llamando a la mujer desaparecida: «¡Jagoda, Jagoda!» Kunicki se percata del significado de este nombre, arándano, ya se le había olvidado, y de pronto cree estar participando en un rito ancestral, borroso y grotesco. De los arbustos penden carnosas bayas violeta oscuro, perversos pezones multiplicados, mientras él deambula por los frondosos laberintos gritando: «Jagoda, Jagoda.» ¿A quién se dirige? ¿A quién está buscando?

Tiene que detenerse unos segundos al notar un pinchazo en el costado; se dobla en dos entre las hileras de las plantas. Sumerge la cabeza en la umbría frescura, la voz de Branko, amortiguada por el follaje, ya no le llega, y Kunicki solo oye el zumbido de las moscas, la familiar textura del silencio.

Tras un viñedo empieza otro, separado tan solo por un angosto sendero. Se detienen y Branko habla por el móvil. Repite las palabras *žena* y *dijete*, «esposa» e «hijo», las únicas que Kunicki es capaz de entender en croata. El sol, ya de color naranja, enorme e hinchado, se debilita a ojos vistas. Pronto podrán mirarlo a la cara. Los viñedos adquieren a su vez un intenso verde oscuro. Dos figuras humanas están en medio de ese verde mar a rayas, impotentes.

Al anochecer, en la carretera hay ya algunos vehículos y un grupo de hombres. Kunicki, en el coche en que pone *Policija*, con ayuda de Branko contesta unas preguntas que le resultan caóticas, formuladas por un policía fornido y bañado en sudor. Habla en un inglés básico. «*We stopped. She went out with the child. They went right, here*», y señala con la mano. «*I was waiting, let's say, fifteen minutes. Then I decided to go and look for them. I couldn't find them. I didn't know what had happened.*» Le ofrecen agua mineral recalentada, la bebe con avidez. «*They are lost.*» Y repite: «*lost*». El policía marca un número en su móvil. «*It is impossible to be lost here, my friend*», le dice mientras espera a que le contesten. A Kunicki le llama mucho la atención ese «*my friend*». Luego se oye un walkie-talkie. Pasará aún una hora antes de que formen filas irregulares para emprender una batida por la isla.

En este lapso de tiempo, el hinchado sol desciende sobre los viñedos; para cuando alcancen la cima, ya tocará el mar. Lo quieran o no, asisten a esa puesta de sol operísticamente prolongada. Finalmente encienden las linternas. Ya a oscuras, bajan hasta el abrupto acantilado desde donde ven muchas pequeñas calas. Inspeccionan dos de ellas; en cada una hay una casita de piedra en la que se alojan esos turistas excéntricos que reniegan de los hoteles y prefieren pagar más por no tener agua corriente ni luz eléctrica. Cocinan en fogones de piedra u hornillos de butano. Pescan peces que del agua pasan directamente a la parrilla. No, nadie ha visto a una mujer con un niño. Se disponen a cenar; aparecen en las mesas pan, quesos, aceitunas y esos pobres pescaditos que esa misma tarde vivían absortos en sus frívolas ocupaciones marinas. De vez en cuando Branko llama al hotel de Komiža; se lo pide Kunicki porque cree que ella, después de perderse, habrá logrado llegar hasta allí por otro camino. Pero después de cada llamada, Branko se limita a darle unas palmaditas en la espalda.

Alrededor de la medianoche resulta que el grupo de hombres ha menguado, pero entre los que quedan están los dos que Kunicki vio en la mesa del café en Komiža. Ahora, al despedirse, hacen las presentaciones: Drago y Roman. Juntos se dirigen al coche. Kunicki les está muy agradecido por la ayuda, pero no sabe cómo se dice «gracias» en croata; debe de parecerse al polaco *«dziękuję»*, algo así como *«diákuyu»* o *«diákuye»* o una cosa por el estilo. En realidad, con un poco de buena voluntad, podrían crear una versión eslava de *koiné*, un conjunto de palabras parecidas y prácticas para comunicarse sin necesidad de la gramática, en vez de recurrir a una versión sosa y simplona del inglés.

En plena noche un bote atraca frente a su casa. Deben evacuar la zona, es una inundación. El agua alcanza ya el primer piso de los edificios. En la cocina se cuela por las juntas entre los azulejos y sale con cálidos chorritos de los enchufes.

36

Los libros se han hinchado por la humedad. Abre uno y constata que las letras se corren como el maquillaje, dejando manchas en las páginas en blanco. Resulta que todo el mundo ha salido ya en el bote anterior; solo queda él.

Entre sueños oye las gotas de agua que caen perezosamente del cielo y que al cabo de un instante se convertirán en un breve y violento aguacero.

BENEDICTUS QUI VENIT

Abril en la autopista, haces de sol rojo sobre el asfalto, el mundo aparece primorosamente cubierto por el glaseado de la lluvia recién caída: un pastel de Pascua. Es Viernes Santo, anochece, voy conduciendo por algún lugar entre Bélgica y Holanda, no sé exactamente en qué país estoy, pues la frontera se ha difuminado, por falta de uso, se ha borrado por completo. En la radio suena un réquiem. Al llegar al *Benedictus,* se enciende el alumbrado a lo largo de la autopista, como queriendo validar la involuntaria bendición que me transmite la radio.

Aunque, a decir verdad, esto solo puede significar que ya me encuentro en Bélgica, donde, siguiendo una costumbre que agradecen los viajeros, todas las autopistas están iluminadas.

PANÓPTICO

El panóptico y la *Wunderkammer,* como leí en la guía de un museo, forman la venerable pareja que precedió a la existencia de los museos. Se exhibían en ellos objetos curiosos de todo tipo traídos por sus propietarios de viajes a lugares más o menos lejanos.

Sin embargo, tampoco hay que olvidar que Bentham llamó panóptico a su genial sistema de vigilancia en las cárceles; se trataba de construir un espacio desde el cual se pudiera ver en todo momento a todos y cada uno de los presos.

KUNICKI. AGUA II

–Tampoco es que sea tan grande la isla –dice por la mañana Djurdžica, la mujer de Branko, al tiempo que le sirve un café bien cargado.

Se lo repiten todos como un mantra. Kunicki comprende lo que intentan decirle, él mismo sabe que la isla es demasiado pequeña como para perderse en ella. A lo largo de sus poco más de diez kilómetros, tiene solo dos ciudades dignas de tal nombre: Vis y Komiža. Es posible registrarla a conciencia, centímetro a centímetro, como un cajón. Y los habitantes de ambas localidades se conocen bien. Las noches son cálidas, los campos están cubiertos de viñedos y los higos ya casi maduros. Aunque se hubieran perdido, nada malo les podría pasar, no iban a morir de hambre ni de frío, ni tampoco devorados por fieras salvajes. Pasarían la cálida noche tumbados sobre la hierba abrasada por el sol, bajo un olivo, acunados por el soñoliento susurro del mar. No más de tres o cuatro kilómetros separan cualquier lugar de la carretera. En los campos hay casitas de piedra con barriles y prensas de vino, algunas provistas de víveres y velas. Desayunarán un jugoso racimo de uva o compartirán el desayuno habitual de los veraneantes de las calas.

Bajan hasta el hotel, donde los espera un policía, pero no el mismo, uno más joven. Por un momento Kunicki alberga la esperanza de oír buenas noticias, pero este le pide el pasaporte. Copia concienzudamente los datos y anuncia que buscarán también en tierra firme, en Split. Y en las islas vecinas.

38

—Es posible que caminara hacia el ferry por la orilla —explica.

—No llevaba dinero. *No money.* Está todo aquí. —Y Kunicki muestra el bolso del que saca un monedero, rojo y bordado con pequeñas cuentas. Lo abre y se lo enseña al policía, que se encoge de hombros y copia la dirección polaca.

—¿Cuántos años tiene el niño?

Kunicki contesta que tres.

Conducen por la serpenteante carretera de vuelta al mismo lugar, el día promete ser despejado y tórrido, sobrexpuesto a la luz como una película sacada del carrete. A mediodía todas las imágenes habrán desaparecido. Kunicki piensa en la posibilidad de escrutarlo todo desde lo alto, desde un helicóptero, al fin y al cabo la isla está casi desnuda. También piensa en los chips, en que se los injertan a los animales, a las aves migratorias, cigüeñas y grullas, y ya no quedan para las personas. Todo el mundo debería llevar uno, por su propia seguridad. Posibilitaría el rastreo en internet de todo movimiento humano: caminos, lugares donde la gente descansa y donde se pierde. ¡Cuántas vidas podrían salvarse! Cree estar viendo la imagen en la pantalla de un ordenador: líneas de colores correspondientes a cada individuo, huellas y señales constantes. Círculos y elipses, laberintos. Quizá también ochos sin acabar, quizá espirales malogradas, abruptamente truncadas.

Hay un perro pastor de color negro; le dan a oler un jersey de ella desde el asiento de atrás. El perro olfatea los alrededores del coche y luego se interna entre los olivos por el sendero. Kunicki siente una súbita inyección de energía, pronto se aclarará todo. Corren tras el perro, que se detiene en el sitio donde habrán hecho sus necesidades, pese a que no se distingue huella alguna. Se le ve muy satisfecho de sí mismo, pero, querido pastor, no has hecho más que empezar. ¿Dónde están, adónde se fueron? El perro no entiende qué más esperan de él, pero retoma la marcha, a regañadientes, en dirección opuesta, alejándose de los viñedos a lo largo de la carretera.

Así que caminó a lo largo de la carretera, piensa Kunicki, seguramente se equivocó. Pudo salir más adelante y haberlo esperado a unos cientos de metros. Pero ¿no oyó el claxon? ¿Y después? Quizá los recogió alguien, pero teniendo en cuenta que no los han encontrado, ¿dónde puede haberlos llevado ese alguien? Alguien. Una figura vaga, difusa, ancha de hombros. Cogote recio. Un secuestro. ¿Los habrá noqueado y metido en el maletero? Después los habrá trasladado a tierra firme en el ferry, podrían estar en Zagreb o en Múnich o en cualquier otra parte. ¿Y cómo pudo cruzar la frontera con dos cuerpos inconscientes?

Sin embargo, el perro no tarda en torcer hacia un barranco que va en diagonal a la carretera, una brecha larga y pedregosa que desciende sorteando las piedras. Al fondo se extiende un pequeño viñedo descuidado donde hay una casa de piedra, parecida a un quiosco, con techo de hojalata ondulada llena de herrumbre. Ante la puerta hay un montoncito de tallos de vid secos, reunidos probablemente para ser quemados. El perro describe círculos concéntricos alrededor de la casa y acaba regresando siempre a la puerta. Sin embargo, constatan con sorpresa que la puerta está cerrada con candado. Habrá sido el viento el que ha acumulado las ramitas en el umbral. Resulta evidente que nadie ha podido entrar por ahí. El policía mira al interior a través de los cristales sucios, después empieza a tirar de la ventana, cada vez más fuerte, hasta que la arranca. Entonces se asoman y les golpea un persistente olor a cerrado y a mar.

El walkie-talkie crepita, el perro bebe agua y recibe nueva orden de oler el jersey. Da tres vueltas a la casa, regresa a la carretera y, tras dudar un rato, la recorre en dirección a unas rocas prácticamente desnudas, apenas cubiertas de hierba seca en muy contados lugares. Desde el acantilado se

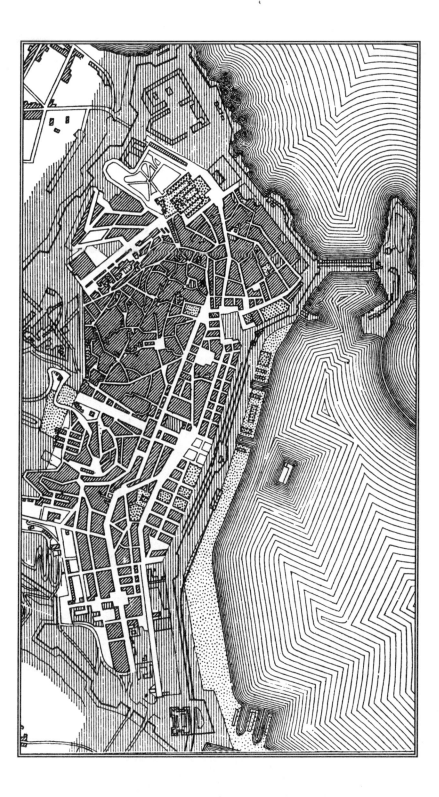

ve el mar. Todos los del grupo de búsqueda están allí, de cara al agua.

El perro pierde el rastro, da media vuelta, finalmente se tumba en medio del sendero.

—*To je zato jer je po noci padala kiša* —dice alguien en croata, y Kunicki entiende perfectamente que habla de la lluvia de anoche.

Viene Branko y se lo lleva a comer. La policía se queda allí mientras ellos dos van a Komiža. Casi no hablan. Kunicki intuye que Branko seguramente no sabe qué decirle, y más aún en una lengua extranjera, en inglés. De acuerdo, que no diga nada. Piden pescado frito en un restaurante a orillas del mar; de hecho ni siquiera es un restaurante, sino la cocina de unos amigos de Branko. Todos lo son aquí, incluso tienen un aire de familia, rasgos afilados, caras curtidas por el viento, una tribu de lobos de mar. Branko le sirve una copa de vino e insiste en que se la beba. Apura la suya de un trago. No acepta dinero para pagar la cuenta. Recibe una llamada.

—*They manage to get a helicopter, an airplane. Police* —dice.

Elaboran un plan de expedición bordeando la costa, con la barca de Branko. Kunicki telefonea a Polonia, a casa de sus padres, oye la familiar voz ronca de su padre, le dice que deben quedarse tres días más. No le cuenta la verdad. Todo va bien, sencillamente deben quedarse. También llama al trabajo, dice que le ha surgido un pequeño problema y pide tres días más de vacaciones. No sabe por qué dice «tres días».

Espera a Branko en el embarcadero. Este aparece otra vez con su camiseta con una concha estampada, pero es una camiseta nueva, limpia, fresca, debe de tener para dar y regalar. Entre las barcas amarradas encuentran un pequeño bote de pesca. Unas letras azules torpemente escritas en el borde pregonan su nombre: *Neptuno.* En ese momento Kunicki recuerda que el ferry que los trajo se llamaba *Poseidón,* al igual que muchos bares, tiendas y barcas. *Poseidón* o *Neptuno,* nombres que el mar expele como conchas. Sería interesante averiguar cómo se compran los derechos de autor a un dios. ¿Con qué se le paga?

Se acomodan en el bote. Pequeño y estrecho, es más bien una barca a motor con una minúscula cabina de madera, de tablones toscamente armados. Branko guarda en ella botellas de agua, llenas y vacías. Algunas contienen vino de su propio viñedo, blanco, bueno, fuerte. Todos tienen aquí su propio viñedo y hacen su propio vino. Branko saca de allí un motor y lo fija en la popa. Arranca al tercer intento. A partir de entonces hay que gritar para oírse. El ruido es espantoso, pero al cabo de un rato el cerebro se acostumbra a él como a la gruesa ropa de invierno que separa el cuerpo del resto del mundo. Poco a poco el ruido se impone a la vista de la bahía, cada vez más pequeña, y del puerto. Kunicki divisa la casa en la que se alojaban, incluso las ventanas de la cocina y la flor de agave disparándose hacia lo alto desesperadamente, como un fuego artificial petrificado, una eyaculación triunfante.

Todo disminuye y se funde ante sus ojos: las casas en una oscura línea irregular, el puerto en una caótica mancha blanca entreverada por las rayas de los mástiles; sobre la ciudad, a su vez, emergen las montañas, desnudas, grises, salpicadas aquí y allá por el verdor de los viñedos. No paran de crecer, ya son enormes. Desde su interior, desde la carretera, la isla parecía pequeña, ahora exhibe su poderío: un macizo de rocas formando un cono monumental, un puño que sobresale del agua.

Al virar a babor dejando atrás la bahía y adentrarse en mar abierto, la costa de la isla parece escarpada y amenazadora.

A consecuencia de la maniobra las blancas crestas de las olas golpean las rocas y los pájaros se asustan por la presencia del bote. Cuando vuelven a arrancar el motor, los pájaros desaparecen. Y aún hay más: la línea vertical de un avión que va rumbo al sur y parte el cielo en dos.

Reemprenden la marcha. Branko enciende un par de cigarrillos y ofrece uno a Kunicki. Resulta difícil fumar: gotas minúsculas salpican desde debajo de la proa alcanzándolo todo.

–Mira el agua –grita Branko–, cualquier movimiento.

Al aproximarse a una bahía con una gruta, ven un helicóptero. Vuela en sentido contrario. Branko se pone en pie en medio del bote y hace señales. Kunicki mira el artefacto, casi feliz. La isla no es grande, piensa por centésima vez, nada puede escapar a la mirada de esa libélula mecánica que vuela alto, todo se verá claro y cristalino.

–Pongamos rumbo al *Poseidón* –grita a Branko, pero este se muestra reticente.

–Por allí no se puede pasar –grita a su vez como respuesta.

Sin embargo, el bote vira y aminora la marcha. Se mete entre las rocas con el motor apagado.

Esta parte de la isla también debe de llamarse Poseidón, como todo lo demás, piensa Kunicki. El bueno del dios se ha construido aquí sus propias catedrales: naves, cuevas, columnas y coros. Las líneas son imprevisibles, el ritmo falso y desacompasado. La humedad da brillo a las negras rocas ígneas, como forradas con un oscuro y raro metal. Ahora, al anochecer, estas construcciones resultan tristísimas, la quintaesencia del abandono, nadie ha rezado nunca aquí. Kunicki tiene de pronto la sensación de encontrarse ante prototipos de los templos creados por el hombre, de que los grupos de turistas deberían ser traídos aquí antes de visitar Reims o Chartres. Quiere compartir con Branko este descubrimiento, pero hay demasiado ruido como para poder hablar. Ven otro bote, más grande, donde pone *Policie. Split*. Sigue la línea de la escarpada costa. Los botes se aproximan y Branko se pone a hablar con los policías. No hay ni rastro, nada. Al menos eso imagina Kunicki, pues el estruendo del motor ahoga la conversación. Deben de entenderse leyendo los labios e interpretándolo todo por la manera suave e impotente de encogerse de hombros que no casa con sus camisas blancas con chatarreras de uniforme policial. Indican que hay que volver porque pronto se hará de noche. Es lo único que oye Kunicki: «Volved.» Branko pisa el acelerador, emitiendo un ruido que suena como una explosión. El agua se contrae levantando olas minúsculas como escalofríos.

Llegar ahora a la isla resulta muy distinto que hacerlo de día. Primero ven luces centelleantes que por momentos se separan formando hileras. Crecen sumidas en una oscuridad cada vez más profunda, se independizan y diferencian: las luces de los yates amarrados junto al muelle en nada se parecen a las que se filtran por las ventanas de las casas; las que iluminan los rótulos de los comercios en nada se parecen a los movedizos faros de los coches. La imagen segura de un mundo domesticado.

Finalmente Branko apaga el motor y el bote alcanza la orilla. De repente, los bajos rozan terreno pedregoso: han llegado a la pequeña playa municipal, justo enfrente del hotel, lejos del embarcadero. Kunicki adivina el porqué. Al lado de la rampa, en el límite mismo de la playa, ve un coche de policía, dos hombres con camisas blancas que evidentemente los están esperando.

—Me parece que quieren hablar contigo —dice Branko mientras amarra el bote. Kunicki por poco se desmaya, tiene miedo de lo que quizá esté a punto de oír. Que han encontrado sus cuerpos. Eso es lo que le da miedo. Se acerca a ellos, las rodillas le tiemblan.

Gracias a Dios, se trata de un simple interrogatorio. No, no hay ninguna novedad. Pero ha pasado tanto tiempo que el asunto se ha vuelto serio. Lo llevan a la comisaría de Vis por la misma carretera, la única que hay en la isla. Ha oscurecido ya del todo, pero por lo visto conocen bien el camino, pues no aminoran la marcha ni siquiera en las curvas cerradas. No tardan en dejar atrás el lugar fatídico.

En la comisaría lo esperan personas nuevas. Un traductor alto y apuesto que habla un polaco que, seamos sinceros, deja bastante que desear –lo han traído expresamente desde Split–, y un oficial. Indiferentes, le hacen preguntas de rutina. Empieza a darse cuenta de que se ha convertido en sospechoso.

Lo devuelven al hotel. Baja del coche y hace ademán de entrar. Pero solo lo finge. Aguarda en un oscuro pasillo a que se marchen, a que cese el ruido del motor, y luego sale a la calle. Se encamina hacia donde se concentran más luces, al bulevar junto al embarcadero donde están todos los bares y restaurantes. Pero es tarde y a pesar de ser viernes ya no hay aglomeraciones; debe de ser la una o las dos de la madrugada. Entre los escasos clientes en las mesas busca con la vista a Branko, pero no lo ve, no divisa su conocida camiseta con una concha. Hay unos italianos, toda una familia, están acabando de cenar, también ve a dos personas mayores, sorben algo con una pajita mientras observan a la ruidosa familia italiana. Dos mujeres rubias, en actitud de íntima complicidad, los hombros tocándose, absortas en su conversación. Hay algunos lugareños, pescadores, otra pareja. Nadie le presta atención, qué alivio... Camina por el límite de la sombra, casi tocando el agua, percibe el olor a pescado y la cálida y salada brisa del mar. Le entran ganas de dar media vuelta y subir por una de las empinadas callejuelas en dirección a la casa de Branko, pero no se atreve, ya deben de estar dormidos. Así que se sienta en una pequeña mesa al borde de una terraza. El camarero lo ignora.

Observa a los hombres que llegan a la mesa de al lado. Se sientan y acercan otra silla. Son cinco. Antes de que venga

46

el camarero, antes de pedir bebidas, reina entre ellos una intangible complicidad.

De distintas edades, dos lucen una barba tupida, pero toda diferencia pasa inadvertida una vez formado el círculo que, queriéndolo o no, han creado. Hablan, aunque no importa lo que dicen: podría pensarse que se preparan para cantar a coro, que prueban la voz. El círculo se llena de risas: los chistes, aun los más trillados, son pertinentes, incluso deseables. Una risa que susurra, vibrante, conquista el espacio y acalla a las turistas de la mesa vecina, dos mujeres de mediana edad, consternadas. Atrae miradas curiosas.

Preparan al público. La entrada del camarero con una bandeja de bebidas se convierte en una obertura, y el joven camarero en un maestro de ceremonias que, inconsciente de su papel, anuncia un baile o una ópera. Al verlo se animan, una mano le indica dónde ponerlas: aquí. Breves momentos de silencio, y los bordes de cristal alcanzan sus labios. Algunos de ellos, los más impacientes, no consiguen evitar cerrar los ojos, igual que en la iglesia cuando el cura, solemne, deposita en la lengua extendida una oblea blanca. El mundo está listo para dar un vuelco: solo en apariencia el suelo sigue bajo los pies y el techo sobre la cabeza, el cuerpo ya no pertenece exclusivamente a cada uno, sino que forma parte de una cadena viva, el eslabón de un círculo que ha cobrado vida. Ahora igual, vasos viajando hasta los labios, casi no se percibe el instante mismo de vaciarlos, es un momento de máxima concentración, de efímera seriedad. Estarán a partir de ahora aferrados a ellos: a los vasos. Los cuerpos sentados a la mesa empezarán a dibujar sus círculos, las coronillas marcarán en el aire los suyos, al principio pequeños, mayores después. Se superpondrán, dibujando nuevos arcos. Al final se levantarán las manos, primero probarán su fuerza en el aire, gesticulando para ilustrar las palabras, luego caerán sobre los hombros de los compañeros, sobre nucas y espaldas, propinando golpecitos de apoyo. En esencia, gestos de amor. La confraternización de manos y espaldas no resulta inoportuna, es un baile.

Kunicki lo contempla con envidia. Le gustaría salir de la sombra y unirse al grupo. Desconoce esa intensidad. Él pertenece al norte, donde los hombres se comportan con mayor timidez. Pero en el sur, donde el sol y el vino dan al cuerpo espontaneidad sin retraimiento, ese baile cobra absoluta realidad. Solo al cabo de una hora se desploma el primer cuerpo sobre el respaldo de la silla.

La cálida brisa nocturna lo empuja hacia las mesas posándole su pata en la espalda, insistiéndole: «Venga, hombre, ven.» Quisiera unirse a ellos, vayan a donde vayan. Quisiera que lo llevaran con ellos.

Regresa a su hotelito por el costado no iluminado del bulevar, cuidándose mucho de no cruzar el límite de la sombra. Antes de entrar en la estrecha y asfixiante escalera, toma una bocanada de aire y se queda quieto un rato. Luego sube la escalera, tanteando los peldaños en la oscuridad, y enseguida cae desplomado en la cama, sin quitarse la ropa, boca abajo, con los brazos extendidos hacia los lados, como si alguien le hubiera pegado un tiro en la espalda y él contemplase esa bala durante unos instantes y luego se muriera.

Se levanta a las pocas horas, dos o tres, pues todavía está oscuro. Y baja a tientas hasta el coche. La alarma chasquea, el coche, lleno de añoranza, parpadea con guiños cómplices. Kunicki descarga el equipaje, todo, sin orden ni concierto. Sube los bártulos escaleras arriba y los arroja al suelo de la cocina y de la habitación. Dos maletas y un sinfín de hatillos, bolsas, cestas, también la de las provisiones para el viaje, un juego de aletas en su saco de plástico, las caretas de buceo, el parasol, las esterillas de playa y la caja de vino que compraron en la isla, así como el *ajvar,* ese condimento de pimientos rojos que tanto les había gustado, y unos tarros de aceitunas.

Enciende las luces y se sienta en medio de todo este desorden. Después coge el bolso de ella y vacía suavemente su contenido sobre la mesa de la cocina. Se sienta y posa la mirada en el patético montoncito de objetos como si se tratase de un complicado juego de palillos chinos y le tocara a él hacer la siguiente jugada: extraer uno sin mover ningún otro. Tras vacilar un instante elige la barra de labios y desenrosca la tapa. De color rojo oscuro, casi nueva, apenas la había usado. Se la lleva a la nariz. Huele bien, es difícil decir a qué. Se arma de valor, va cogiendo uno a uno los demás objetos y los deposita por separado sobre la mesa. El pasaporte: viejo, con tapas azules, en la foto está bastante más joven, lleva una melena larga y suelta, con flequillo. Su firma en la última página aparece borrosa, por eso a menudo la retienen en las fronteras. El pequeño bloc de notas negro, con cierre de goma. Lo abre y lo hojea: unos apuntes, el dibujo de una chaqueta, una columna de cifras, la tarjeta de un bistró del balneario de Polanica, un número de teléfono al dorso, un mechón de pelo, oscuro, ni mechón siquiera, tan solo unas docenas de cabellos sueltos. Lo deja a un lado. Ya lo examinará más adelante. El estuche de maquillaje hecho de tela exótica hindú, en el interior: un perfilador de ojos verde oscuro, una polvera (sin apenas polvos), un rímel verde con cepillo en espiral, un sacapuntas de plástico, brillo de labios, unas pinzas, una cadenita ennegrecida rota. También encuentra una entrada del museo de Trogir con una palabra extranjera escrita al dorso; acerca a los ojos el pedazo de papel y lee con dificultad: καιρός, debe de leerse K-A-I-R-Ó-S, pero no está seguro, la palabra no le dice nada. Y mucha arena en el fondo.

El móvil, casi descargado. Comprueba el registro de llamadas recientes; se repite su propio número, pero también hay otros, dos o tres, no le dicen nada. «Mensajes recibidos», solo uno, de él, cuando se perdieron en Trogir: *Estoy junto a la fuente de la plaza principal.* «Mensajes enviados»: vacío.

Vuelve al menú principal, en pantalla la iluminada aparece un dibujo, al cabo de unos instantes se apaga.

Un paquete de pañuelos de papel, abierto. Un lápiz, dos bolígrafos, uno es un Bic naranja, el otro lleva escrito «Hotel Mercure». Calderilla, céntimos de zloty y de euro. Un monedero, con billetes croatas, poca cosa, y diez zlotys polacos. La tarjeta Visa. Un paquete de pósits naranja, manchado. Un alfiler de cobre con un grabado antiguo, parece roto. Dos caramelos Kopiko. La cámara de fotos, digital, en su estuche negro. Un clavo. Un clip blanco. Un envoltorio de chicle, dorado. Migas. Arena.

Coloca todo esto cuidadosamente sobre la encimera negra mate, cada cosa equidistante de la siguiente. Se acerca al grifo, bebe agua. Vuelve a la mesa y enciende un cigarrillo. Después saca fotos con la cámara de ella, objeto a objeto. Los fotografía despacio, con solemnidad, el zoom al máximo, el flash puesto. Solo lamenta que esta pequeña cámara no pueda fotografiarse a sí misma. También ella es una prueba en todo este asunto. A continuación va a la entrada, donde están las bolsas y las maletas, y toma una instantánea de cada una de ellas. Sin embargo, no se detiene ahí, deshace las maletas y se pone a fotografiar cada prenda, cada par de zapatos, cada tubo de crema y el libro. Los juguetes del niño. Incluso saca de una bolsa de plástico la ropa sucia y a ese montoncito informe también le hace una foto.

Encuentra una botellita de rakia, se la bebe de un trago, sin soltar la cámara, y toma una instantánea de la botella vacía.

Ya se ha hecho de día cuando conduce en dirección a Vis. Lleva los bocadillos, resecos, que ella había preparado para el camino. Con el calor, la mantequilla se ha derretido, empapando las rebanadas de pan con una fina y reluciente capa de grasa, el queso está duro y medio transparente, parece plástico. Se come un par al abandonar Komiža, se limpia las manos en el pantalón. Conduce despacio, con cuidado, mirando a los lados, a todo lo que ve al pasar, consciente de que lleva alcohol en la sangre. Pero se siente fuerte e infalible como una máquina. No mira hacia atrás, aunque sabe que allí, a sus espaldas, el mar crece metro a metro. La limpidez del aire permitiría seguramente divisar la costa italiana desde lo alto. De momento se para en el arcén y examina con la mirada todo lo que hay a su alrededor, cada pedacito de papel, cada desperdicio. También tiene los prismáticos de Branko, los usa para observar las laderas. Ve los pedregosos declives cubiertos por un fino colchón grisáceo de hierba reseca, ve los inmortales arbustos de zarzamoras oscurecidos por el sol, aferrándose a las piedras con sus largos brotes. Miserables olivos asilvestrados de tronco retorcido, pequeñas tapias de piedra vestigio de viñedos abandonados.

Al cabo de más o menos una hora, despacio, como un coche patrulla de la policía, empieza a adentrarse en Vis. Pasa junto a un supermercado, hace la compra, vino sobre todo, y en un momento se planta en la ciudad.

El ferry ya ha atracado en el muelle. Es inmenso, enorme como un edificio, un bloque flotante. *Poseidón.* Su portalón ya está abierto, ya hay formada una cola de coches y gente medio dormida para alimentar sus fauces. Enseguida empezará el embarque. Kunicki se detiene junto a la barandilla y observa el grupo de personas que están comprando billetes. Algunas cargan con mochilas, entre ellas una preciosa muchacha tocada con un turbante multicolor; la mira, no puede quitarle los ojos de encima. Junto a esta beldad, un muchacho alto de tipo escandinavo. Hay mujeres con niños, supone que del lugar, sin equipaje, un hombre trajeado, con un maletín. También una pareja: ella, acurrucada contra el pecho de él, tiene los ojos cerrados, como si quisiera completar el sueño de una noche demasiado corta. Y varios coches, uno cargado hasta los topes, con matrícula alemana, dos italianos... Y unas furgonetas locales que van a buscar pan, verduras, el correo. La isla debe subsistir. Kunicki, con disimulo, echa un vistazo al interior de los coches.

Por fin la cola se mueve, el ferry engulle a personas y vehículos, nadie protesta, avanzan como borregos. Todavía llegan unos moteros franceses, son los cinco últimos, y también desaparecen dócilmente en las fauces del *Poseidón*.

Kunicki espera a que el portalón se cierre con su chirrido metálico. El taquillero cierra de golpe la ventanilla y sale a fumarse un cigarrillo. Los dos son testigos de cómo el ferry, con un escándalo repentino, se aleja de la orilla.

Le dice que está buscando a una mujer con un niño, saca del bolsillo el pasaporte de ella y se lo planta delante de las narices.

El taquillero se inclina para examinar la foto del pasaporte. Dice en croata algo así como:

–La policía ya ha preguntado por ella. Nadie la ha visto por aquí. –Da una calada y añade–: No es una isla grande, alguien se acordaría.

De pronto le da una palmada en el hombro, como si se conocieran de toda la vida.

–¿Un café? ¿Te apetece? –Y señala con la cabeza el cafetín del puerto que abre en ese justo momento.

Pues sí, un café, ¿por qué no?

Kunicki toma asiento en una mesita y el otro viene enseguida con sendos expresos dobles. Beben en silencio.

–No te preocupes –dice el taquillero–. Aquí es imposible perderse. Aquí estamos todos siempre a la vista, como expuestos en la palma de una mano abierta –dice, y le muestra la palma de la mano, surcada por varias líneas gruesas. Después le trae un panecillo con carne y lechuga. Finalmente se va, dejando a Kunicki con el café a medio tomar. Cuando desaparece, un breve sollozo lo sacude; es como un bocado de pan, así que se lo traga. No sabe a nada.

No logra evitar la sensación de estar expuesto en la palma de una mano. Para ser visto. ¿Por quién? ¿Quién querrá observar a todo el mundo, esa isla en medio del mar, esos hilos de caminos asfaltados que van de un puerto a otro puerto, a varios miles de personas derretidas por el sol, turistas y lugareños, en constante movimiento? En su cabeza centellean imágenes como captadas por satélite, al parecer se puede leer en ellas lo que pone en una caja de cerillas. ¿Será eso posible? ¿También será visible desde ahí arriba su incipiente calvicie? Un cielo inmenso, templado, poblado por incansables satélites armados con ojos escrutadores.

Regresa al coche atravesando un pequeño cementerio junto a la iglesia. Todas las tumbas miran al mar, como en un anfiteatro, de manera que los muertos observan el ritmo del puerto, lento, repetitivo. Probablemente les alegra el blanco ferry, a lo mejor incluso lo toman por un arcángel que escolta las almas en su aéreo viaje.

Kunicki nota que algunos apellidos se repiten. La gente y los gatos de aquí deben de parecerse: crecen en entornos endogámicos, se mueven en ambientes formados por contadas familias, rara vez salen de ellos. Se detiene una sola vez: al ver una lápida pequeña con apenas dos filas de letras:

Zorka 9-02-21 – 17-02-54
Srečan 29-01-54 – 17-07-54

Durante un rato busca en esas fechas un orden algebraico, parecen una clave. Madre e hijo. Una tragedia encerrada entre dos fechas, desarrollada por etapas. Una carrera de relevos.

Aquí se acaba la ciudad. Está cansado, el calor ha alcanzado su cénit y el sudor le inunda los ojos. Subiendo de nuevo en coche al interior de la isla, constata que el sol pertinaz hace de ella el lugar más inhóspito de la tierra. El calor emite el tictac de una bomba de relojería.

En la comisaría le ofrecen una cerveza bien fresca, como si quisieran ocultar su impotencia bajo la blanca espuma. «No los ha visto nadie», dice un funcionario fornido y, cortésmente, dirige hacia él el ventilador.

–¿Qué hago? –pregunta al policía desde la puerta.

–Debería irse a descansar –responde el policía.

Pero Kunicki se queda en la comisaría y, todo oídos, escucha cada conversación telefónica, cada chasquido de los walkie-talkie, cargado siempre de algún significado oculto, hasta que viene a buscarlo Branko y se lo lleva a comer. Casi no hablan. Después pide que lo dejen en el hotel, se siente débil y se tumba en la cama sin quitarse la ropa. Huele su propio sudor; el repulsivo olor del miedo.

Vestido, permanece tumbado boca arriba entre las cosas que había sacado de las bolsas. Con vista atenta calibra sus constelaciones, sus interrelaciones, las direcciones que señalan y las figuras que forman. Tal vez sea un presagio. Hay en todo ello un mensaje para él, en torno a su mujer y su hijo, pero sobre todo acerca de él mismo. Desconoce esta escritura y estos signos, seguro que no son obra de mano humana. La relación que los une resulta evidente, el mero hecho de que los esté mirando reviste importancia, y el verlos encierra un gran misterio, misterio es que pueda mirar y ver, misterio es que exista.

EN TODAS PARTES Y EN NINGUNA

Cuando salgo de viaje desaparezco del mapa. Nadie sabe dónde me encuentro. ¿En el punto del que partí o en aquel al que me dirijo? ¿Existe un «entre»? ¿No seré como ese día perdido cuando volamos al este o esa noche recuperada cuando lo hacemos hacia el oeste? ¿Estoy sujeta a la misma ley de la que tan orgullosa está la física cuántica: que una partícula puede existir en dos lugares al mismo tiempo? ¿O a otra que todavía ignoramos: que se puede no existir doblemente en un mismo lugar?

Creo que abundan las personas como yo. Desaparecidas, ausentes. Aparecen súbitamente en la terminal de un aeropuerto y empiezan a existir cuando el personal de tierra les sella el pasaporte o cuando un amable recepcionista de hotel les entrega la llave de su habitación. Seguramente ya han descubierto su volubilidad y su dependencia de los lugares, de las horas del día, de la lengua o de la ciudad y su atmósfera. Precisamente lo volátil, lo móvil, lo ilusorio equivale a lo civilizado. Los bárbaros no viajan, simplemente van directos a su objetivo o hacen incursiones de conquista.

Es de la misma opinión la mujer que me ofrece un té de hierbas de su termo cuando las dos estamos esperando el autobús que nos llevará de la estación de tren al aeropuerto; tiene las manos cubiertas de complicados dibujos pintados con henna que cada día que pasa se vuelven más ilegibles. Cuando subimos, me da una conferencia sobre el tiempo. Dice que los pueblos sedentarios, agrarios, prefieren los placeres del tiempo circular en que todo suceso vuelve necesariamente a su inicio, un retorno en bucle al embrión para repetir el proceso de crecimiento y muerte. En cambio, los nómadas, los mercaderes, al emprender viaje, se vieron obligados a inventar otro tipo de tiempo, más acorde con el hecho de viajar. Es un tiempo lineal, más útil, porque permite medir el proceso de ir acercándose al destino y llevar la cuenta del beneficio. Cada momento es diferente y nunca se repetirá, por lo que anima a correr riesgos y tomarlo todo a manos llenas, a no desperdiciar ningún instante. Pero, en el fondo, fue un descubrimiento amargo: cuando el cambio en el tiempo es irreversible, la pérdida y el duelo se convierten en algo cotidiano. Por eso sus labios no paran de pronunciar palabras como «vano» y «agotado».

–Esfuerzo vano, fondos agotados. –La mujer se ríe y coloca las pintadas manos sobre la cabeza. Dice que la única manera de sobrevivir en ese tiempo prolongado, lineal, consiste en mantenerse distante, es un baile cuyo paso consiste en acercarse y alejarse, un paso hacia delante, otro para atrás, una vez a la izquierda, otra a la derecha: resulta fácil de recordar. Y cuanto más grande es el mundo, mayor distancia puede uno alcanzar bailando de este modo: emigrar más allá de siete mares, de dos lenguas y de toda una religión.

Yo, sin embargo, tengo una opinión distinta respecto al tiempo. El de todos los viajeros forma uno solo, muchos tiempos en uno, una multiplicidad. Es un tiempo insular, archipiélagos del orden en un océano de caos, es el tiempo que fabrican los relojes de las estaciones de tren, diferente en cada sitio, convencional, un tiempo marcado por un meridiano, por lo tanto no debe ser tomado demasiado en serio. Las horas desaparecen en los aviones en vuelo, el amanecer dura un instante y ya le pisan los talones la tarde y la noche. El frenético tiempo de las grandes urbes a las que se acude solo por un momento para dejarse someter por la esclavitud de una de sus veladas frente al tiempo perezoso de los prados deshabitados vistos desde un avión.

También creo que el mundo se encuentra en el interior, en un surco del cerebro, en la glándula pineal, en la garganta; ahí es donde está ese globo terráqueo. En realidad se podría carraspear y escupirlo.

AEROPUERTOS

Hoy tenemos grandes aeropuertos donde nos aglomeramos esperando que cumplan su promesa de tránsito a nuestro siguiente vuelo; forman un orden de conexiones y horarios al servicio del tráfico aéreo. Pero aun no teniendo viaje alguno a la vista, merece la pena conocerlos de cerca.

En tiempos se los construía en las afueras de las ciudades,

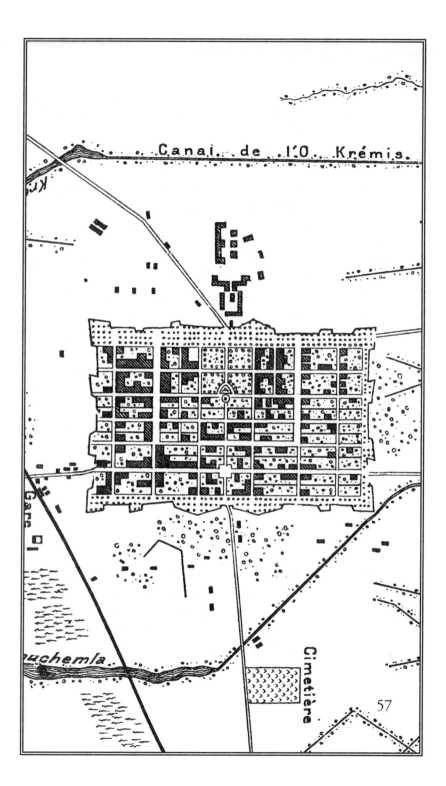

Canai. de .l'O. Krémis.

Kr

Gare D

uchemla

Cimetière

57

como sus anexos, como las estaciones. Hoy, sin embargo, se han emancipado hasta el punto de adquirir identidad propia. No tardará en llegar el día en que se diga que son las ciudades las que se han unido a los aeropuertos, entendidos como puestos de trabajo y dormitorios. A fin de cuentas es bien sabido que la verdadera vida no es otra cosa que movimiento.

¿Qué pueden envidiar los aeropuertos de hoy a las ciudades? Albergan interesantes exposiciones de arte, centros de convenciones, festivales y eventos de todo tipo. Tienen jardines y paseos, organizan actividades educativas. En Schiphol pueden admirarse excelentes copias de Rembrandt, y en un aeropuerto asiático hay un museo de la religión, muy bien concebido. Además, hay en ellos buenos hoteles, así como una gran variedad de bares y restaurantes. Hay pequeños comercios, supermercados y centros comerciales donde no solo puede aprovisionarse uno para el viaje, sino también comprar souvenirs evitando así la pérdida de tiempo que supondría hacerlo una vez llegados a nuestro destino. Hay gimnasios, salones de masaje, tanto clásico como oriental, peluqueros y asesores financieros, sucursales de bancos y de telefonía móvil. Al final, una vez satisfechas las necesidades del cuerpo, podemos buscar apoyo espiritual en numerosas capillas y lugares de meditación. En algunos aeropuertos los viajeros pueden acudir a conferencias y encuentros con escritores. Todavía guardo en algún rincón de mi mochila el programa de un par de charlas: «Historia y fundamentos de la psicología del viaje», «El desarrollo de la anatomía en el siglo XVII».

Todo está bien organizado; cintas transportadoras facilitan a los viajeros el paso de una terminal a otra, para que más tarde puedan trasladarse de un aeropuerto a otro (¡algunos a dieciséis horas de vuelo!), mientras un discreto servicio vela por el orden y el perfecto funcionamiento del enorme mecanismo.

Han pasado a ser algo más que aeropuertos, han alcanzado una nueva categoría, la de ciudades-Estado con ubicación fija, pero ciudadanía cambiante. Repúblicas aeroportuarias, miembros de la Unión de Aeropuertos del Mundo, todavía sin representación en la ONU, aunque no tardarán en tenerla. Un ejemplo de un régimen en el que importa menos la política interior que las relaciones con otros aeropuertos miembros de la Unión, dado que solo ellos justifican su razón de ser. Un ejemplo de régimen extrovertido con la constitución escrita en cada billete y la tarjeta de embarque como único documento de identidad de sus ciudadanos.

El número de sus habitantes, nunca fijo, no cesa de fluctuar. Curiosamente, su población aumenta durante los períodos de niebla o tormenta. Los ciudadanos, para sentirse a gusto en cualquier sitio, no deben llamar la atención. En ocasiones, al pasar junto a nuestros hermanos y hermanas de viaje, al movernos sobre la cinta transportadora, podemos sentirnos como especímenes conservados en formol que se observan mutuamente a través del cristal de los tarros. Personas recortadas de un cromo, de una foto impresa en una guía. Por únicas señas, el asiento en el avión, un 7D o, pongamos por caso, un 16A. Larguísimas cintas transportadoras nos llevan en direcciones opuestas: unos con gorro de piel y zamarra, otros en camisa hawaiana y bermudas, ojos empañados por la nieve frente a pieles tostadas por el sol; unos calados por la humedad del norte y el olor a tierra reblandecida y hojas pudriéndose, otros con arena del desierto en los recovecos de las sandalias. Unos bronceados, morenos; otros de un blanco deslumbrante, fluorescentes. Hay quienes se afeitan la cabeza y quienes nunca se cortan el pelo. Altos y fornidos, como ese hombre de ahí, y menudos y frágiles, como esa mujer que apenas le llega a la cintura.

Tienen música propia. Una sinfonía para motores de avión, unos cuantos sonidos sencillos suspendidos en un espacio carente de ritmo, un coro ortodoxo a dos motores, oscuro, en tonalidad menor, infrarrojo, infranegro, un largo basado en un solo acorde que aburre incluso a sí mismo. Un réquiem que arranca con el poderoso introito del despegue y acaba con el amén del descenso y aterrizaje.

VIAJE A LAS RAÍCES

Habría que demandar a los albergues por edadismo, discriminación por razón de edad. Por motivos que se me escapan tan solo aceptan a los jóvenes, cada albergue establece su límite, pero una cosa es segura: un cuarentón no entrará. ¿Por qué semejante trato de favor hacia la juventud? ¿Acaso no le bastan los privilegios con que la propia biología la colma?

Esos mochileros, por ejemplo, que son aplastante mayoría entre los ocupantes de los albergues; fuertes, altos, tanto ellos como ellas, de piel clara y saludable, que rara vez fuman o consumen alguna porquería, a lo más un porro de cuando en cuando. Viajan en medios de transporte ecológicos: por tierra; se mueven en trenes nocturnos, en abarrotados autobuses de larga distancia. En algunos países aún consiguen hacer autostop. Por la noche llegan a esos albergues y durante la cena se hacen unos a otros las Tres Preguntas Viajeras: ¿De dónde eres? ¿De dónde vienes? ¿Adónde vas? La primera marca el eje vertical, las dos restantes, los ejes horizontales. Gracias a esta configuración logran crear una especie de sistema de coordenadas, y una vez situados todos en el mapa, se duermen apaciblemente.

El mochilero con quien coincidí en un tren viajaba, como la mayoría de ellos, en busca de sus raíces. Era un viaje bastante complicado. Su abuela materna era una judía rusa, el abuelo, polaco de Vilna (abandonaron Rusia con el ejército del general Anders y después de la guerra se instalaron en Canadá); mientras que, por parte de padre, el abuelo era español y la abuela, india americana de una tribu cuyo nombre no recuerdo.

Apenas comenzaba su viaje, y se le veía bastante agobiado por todo ello.

COSMÉTICOS DE VIAJE

No hay perfumería que se precie que hoy en día no ofrezca a sus clientes una línea específica de productos de viaje. Algunas cadenas les destinan estanterías enteras. Se puede uno proveer allí de todo lo necesario en un viaje: champús, tubos de jabón para lavar la ropa interior en el cuarto de baño del hotel, cepillos de dientes plegables, cremas de protección solar, repelentes de mosquitos en espray, toallitas limpiadoras de zapatos (disponible toda la paleta de colores), productos de higiene íntima, cremas para los pies, cremas para las manos... Todos tienen en común el tamaño: son miniaturas, tubitos y tarritos, botellitas del tamaño de un pulgar; el kit de costura más pequeño contiene tres agujas, cinco minicarretes de hilo de diferentes colores, de tres metros cada uno, dos botones blancos de emergencia y un imperdible. Será especialmente útil una laca de pelo cuyo minúsculo pulverizador cabe en la mano.

Todo parece indicar que la industria cosmética entiende el fenómeno del viaje como reproducción a menor escala de la vida sedentaria, como una miniatura de la misma, divertida y un tanto infantiloide.

LA MANO DI GIOVANNI BATTISTA

Hay demasiado mundo. Cabría reducirlo antes que ampliarlo o expandirlo. Debería ser encerrado de nuevo, enlatado en un panóptico portátil, y permitirnos echarle un vistazo solo los sábados por la tarde, una vez concluido el trabajo cotidiano, la ropa interior limpia y preparada, las camisas tiesas sobre el respaldo de las sillas, los suelos ya fregados y el bizcocho recién horneado enfriándose sobre el alféizar de la ventana. Mirarlo por un agujero, como en el Fotoplastikon de Varsovia, y admirarse ante cada detalle.

Temo que, lamentablemente, sea ya demasiado tarde para ello.

Por lo visto debemos aprender a vivir eligiendo. A ser como el viajero al que conocí en un tren nocturno. Decía que cada tanto necesitaba visitar el Louvre para detenerse ante el único cuadro, en su opinión, digno de ser visto. Plantarse ante al cuadro de Juan el Bautista y seguir con la mirada su dedo levantado.

EL ORIGINAL Y LA COPIA

Un hombre me dijo en la cafetería de un museo que nada igualaba la satisfacción de contemplar la obra original. Sostenía, asimismo, que cuantas más copias circularan por el mundo, más se afirmaba el poder del original, un poder en ocasiones rayano en el de una reliquia. Pues lo importante era lo único, ese objeto sobre el cual se cernía la amenaza de destrucción. Para confirmar sus palabras un grupo de turistas, con adoración reverencial, estaba frente a una pintura de Leonardo da Vinci. Solo esporádicamente, cuando alguien no soportaba más tanta tensión acumulada, se oía el chasquido de una cámara de fotos que sonaba como un «amén» pronunciado en el nuevo lenguaje digital.

Existen trenes diseñados para garantizar el sueño de los pasajeros. Se componen exclusivamente de coches cama y de un bar, ni siquiera un vagón restaurante, con un bar es suficiente. Un tren así, por ejemplo, cubre el trayecto entre Szczecin y Breslavia. Sale a las 22.30 y llega a las 7.00, y eso que el recorrido tampoco es tan largo, apenas 340 kilómetros, y se podría cubrir en cinco horas. Sin embargo, no siempre se trata de llegar antes; la empresa vela por la comodidad de los pasajeros. El tren se queda parado durante largos ratos en medio de ninguna parte, sumido en la niebla nocturna: un tranquilo hotel sobre ruedas. No merece la pena correr en plena noche.

Hay asimismo otro tren bastante bueno, de Berlín a París. Y de Budapest a Belgrado. Y también de Bucarest a Zúrich.

Creo que han sido inventados para quienes tienen miedo a volar. Entrañan algo vergonzante, mejor no ser usuario confeso. Lo cierto es que tampoco se anuncian mucho. Son trenes para una clientela fija, para ese desdichado porcentaje de la humanidad que es presa del pánico con cada despegue y aterrizaje. Para esa gente de manos sudorosas que manosea un pañuelo tras otro y aquella que se aferra con desesperación a la manga de las azafatas.

Este tipo de tren permanece humildemente quieto en un ramal secundario, sin dejarse ver a primera vista. (Por ejemplo el que va de Hamburgo a Cracovia espera en Altona tapado por vallas publicitarias y toda clase de anuncios.) Los que lo usan por primera vez deambulan por la estación durante un buen rato antes de encontrarlo. Se lleva a cabo un discreto embarque. En los bolsillos laterales de los equipajes descansan pijamas y zapatillas de dormir, estuches de maquillaje y tapones para los oídos. La ropa se cuelga cuidadosamente en los ganchos previstos para este fin y en los minúsculos lavabos encerrados en armarios se colocan los artículos de higiene dental. El revisor no tardará en recoger la comanda del desayuno. ¿Café o té?, un sucedáneo de libertad ferroviaria. Si se hubieran comprado un billete de avión barato estarían en el lugar de destino en una hora, habrían ahorrado dinero. Pasarían la noche entre los brazos del añorado amante, cenarían en uno de los restaurantes de la rue Tal-y-Tal donde se sirven ostras. Un concierto de Mozart por la noche. Un paseo por la ribera. En cambio, tienen que entregarse por completo al tiempo de un viaje sobre raíles, recorrer personalmente cada kilómetro, atravesar cada puente, viaducto y túnel, siguiendo la secular costumbre de sus antepasados. Nada se puede omitir, esquivar. Ni un milímetro del camino se librará del contacto de la rueda, por un instante formará parte de su tangente y siempre se tratará de una configuración irrepetible: de ruedas y raíles, de tiempo y lugar, única en todo el cosmos.

Apenas el tren para cobardes arranca, casi sin aviso, rumbo a la noche, el bar se llena. Acuden a él hombres trajeados a tomarse un par de tragos rápidos o una cerveza para dormir mejor; gais elegantemente vestidos cuyos ojos lanzan miradas de destellos como castañuelas; hinchas de algún club que han perdido a su grupo que se fue en avión, inseguros como ovejas separadas del rebaño; amigas cuarentonas que, tras dejar en casa a sus aburridos maridos, han emprendido un viaje en busca de aventuras.

Empiezan a faltar asientos libres y los pasajeros se comportan como si estuvieran en un gran banquete, con el tiempo los amables camareros hacen las presentaciones: «Este señor viaja con nosotros todas las semanas», «El que jura que no se va a acostar caerá el primero», «El pasajero que va a ver a su esposa una vez por semana debe de quererla mucho», «La señora "Nunca-más-volveré-a-subirme-a-este-tren"».

En mitad de la noche, cuando el tren discurre lentamente por las llanuras belgas o brandemburguesas, cuando la niebla nocturna se vuelve espesa y lo borra todo, en el bar se presenta el segundo turno: pasajeros agotados por el insomnio que no se avergüenzan de deambular en zapatillas. Se unen a los demás como si se pusieran en manos del destino: que sea lo que tenga que ser.

No obstante, opino que solo lo mejor puede ocurrir. Coinciden en un lugar en movimiento, que avanza por un espacio negro; la noche los lleva. No conocer a nadie y no ser reconocidos por nadie. Salir de la propia vida para, después, regresar a ella sanos y salvos.

EL PISO ABANDONADO

El piso no entiende lo que pasa. El piso cree que el dueño ha muerto. Desde que se cerró la puerta y chirrió la llave en la cerradura, todos los sonidos llegan amortiguados, desprovistos de sombra y contorno, como manchas desdibujadas. El espacio, falto de uso, se vuelve sólido, no lo importunan las corrientes de aire ni los corrimientos de cortina, y en esa quietud empiezan a cristalizar, inseguras, formas de ensayo, esas que durante un momento quedan suspendidas entre el suelo y el techo de la entrada.

Por supuesto no aparece aquí nada nuevo, ¿cómo podría? No son más que imitaciones de formas conocidas, marañas burbujeantes que solo por un instante conservan sus contornos. Son episodios únicos, meros gestos, como por ejemplo esa huella de un pie sobre la mullida alfombra que aparece y desaparece sin parar, siempre en el mismo sitio. O esa mano que finge escribir en el aire encima de la mesa, un movimiento incomprensible porque se lleva a cabo sin pluma, sin papel, sin escritura, sin el resto del cuerpo siquiera.

No se trata de ninguna amiga. La conocí en el aeropuerto de Estocolmo, el único del mundo con suelos de madera; un hermoso parqué de roble oscuro, de pequeños tablones cuidadosamente ensamblados, pulido; tirando por lo bajo: varias hectáreas de bosque septentrional.

Sentada a mi lado, con las piernas estiradas y apoyadas sobre una mochila negra. No leía ni escuchaba música, miraba al frente con las manos entrelazadas sobre el regazo. Me gustó su tranquilidad, su entrega absoluta a la espera. Cuando la miré con más atrevimiento, paseaba su mirada por el pulido suelo. Pretendiendo entablar conversación, balbucí algo acerca del malbaratamiento del bosque en aras de pavimentar un aeropuerto.

Respondió:

—Se dice que al construir un aeropuerto hay que sacrificar un ser vivo. Para conjurar las catástrofes.

Las azafatas del mostrador de la puerta de embarque lidiaban con un problema. Resultó –según nos informaron por megafonía– que nuestro avión sufría *overbooking*. Por un extraño error, la lista de pasajeros contenía demasiados nombres. El nuevo *fatum* es hoy el error informático. Dos personas dispuestas a volar al día siguiente recibirían doscientos euros cada una, una noche en el hotel del aeropuerto y un vale para la cena.

La gente empezó a lanzar miradas nerviosas a su alrededor. Alguien dijo: «¡Echémoslo a suertes!» Se oyó una risa, pero acto seguido se hizo un incómodo silencio. Nadie quería quedarse. Cosa comprensible: no vivimos en el vacío, tenemos compromisos; mañana hay que ir al dentista y hemos invitado a cenar a unos amigos.

Fijé la mirada en mis zapatos. No tenía prisa. Nunca

debo llegar a tiempo a ningún sitio concreto. Que sea el tiempo el que me vigile, no yo al tiempo. Y otra cosa: existen diversas maneras de ganarse la vida, aquí apareció una nueva dimensión del trabajo, que puede que tenga futuro y nos salvará del paro y de la sobreproducción de basura. Echarse a un lado, ganarse el jornal durmiendo en un hotel, tomar café por la mañana y desayunar en el bufé libre disfrutando de la abundancia de yogures. ¿Por qué no? Me levanté y me dirigí hacia las azafatas, que estaban con los nervios a flor de piel. Entonces me siguió la mujer que se sentaba a mi lado.

–¿Por qué no? –preguntó.

Por desgracia, nuestro equipaje se marchó sin nosotras. Un autobús vacío nos trasladó al hotel, nos dieron agradables habitaciones individuales contiguas. No teníamos equipaje que deshacer, llevábamos solo un cepillo de dientes y una muda limpia: el habitual kit de supervivencia. También una crema facial y un absorbente librote. Un bloc de notas. Y el tiempo suficiente para apuntarlo todo, para describir a esa mujer:

Alta, bien hecha, un poco ancha de caderas, manos finas. Una coleta recoge su melena rizada que revolotea indomable cual aureola sobre su cabeza. Completamente blanca. De rostro, sin embargo, joven, luminoso, cubierto de pecas. Debe de ser sueca, las suecas no se tiñen el pelo.

Quedamos en vernos por la noche abajo, en el bar, después de una larga ducha y un poco de zapeo por los canales de televisión.

Pedimos vino blanco y, tras intercambiar las cortesías de rigor y hacernos las Tres Preguntas Viajeras, fuimos al grano. Empecé a contarle cosas de mis peregrinaciones, pero enseguida advertí que me escuchaba solo por educación. Perdí ímpetu al darme cuenta de que ella tenía una historia mucho más interesante que contar.

Recogía pruebas, incluso había recibido para ello una subvención de la UE, pero como no alcanzaba para sufragar sus viajes, se vio obligada a recurrir a su padre, que entretanto falleció. Apartó de la frente un ricito de pelo gris (en aquel momento comprendí que no tenía más de cuarenta y cinco años) y pedimos una ensalada, en el precio del vale solo entraba la niçoise.

Entornaba los ojos al hablar, lo que confería a sus palabras un tinte de ironía, seguramente por eso durante los primeros minutos no sabía si hablaba en serio. A lo que íbamos: dijo que el mundo solo a primera vista era tan diverso. Adondequiera que uno fuera, vería diferentes pueblos, culturas exóticas, ciudades construidas con distintos materiales que obedecían a proyectos de lo más variados. Tejados diferentes, ventanas diferentes, patios diferentes. Ensartó un trozo de feta en el tenedor y trazó con él círculos en el aire.

–Pero no te dejes engañar por esa diversidad superficial, es una apariencia de cara a la galería. En todas partes pasa lo mismo: los animales. Lo que el ser humano les hace a los animales –dijo.

Con la parsimonia de quien repite de memoria una conferencia archisabida, empezó a enumerar: perros atados con cadenas demasiado cortas asfixiándose de calor, poniendo en el agua que no llega toda esperanza de salvación, cachorros enganchados a cadenas de medio metro que en su segundo mes de vida todavía no saben caminar; ovejas pariendo en los campos en pleno invierno, en la nieve, mientras los granjeros se limitan a alquilar grandes vehículos que se llevan los corderitos congelados; bogavantes mantenidos en los acuarios de los restaurantes para que el dedo del cliente los condene a ser cocidos hasta la muerte; perros criados en las trastiendas de otros restaurantes, pues es sabido que su carne hace aumentar la virilidad; gallinas enjauladas clasificadas por el número de huevos que ponen, atosigadas por la química en su corta vida; perros obligados a pelear; monos inoculados de microbios malignos; conejos en cuya piel se prueban los cosméticos; abrigos de piel confeccionados con fetos de oveja... Todo ello dicho con tono indiferente al tiempo que se metía aceitunas en la boca.

Protesté. No, no quería escucharlo.

Entonces extrajo del bolso de tela que había colgado en el respaldo de su silla un fajo de hojas encuadernado con tapas de plástico –fotocopias en blanco y negro– y me lo pasó por encima de la mesa. Ojeé a regañadientes las ennegrecidas páginas: un texto a dos columnas, como en una enciclopedia o en la Biblia. Letra menuda, notas al pie. *Informes de la infamia* y la dirección de su página web. Me bastó un vistazo para saber que no iba a leerlo. Sin embargo, guardé cuidadosamente las hojas en mi mochila.

–Es a lo que me dedico –dijo.

Más tarde, cuando apurábamos la segunda botella de vino, me contó cómo había enfermado de mal de altura durante una expedición al Tíbet que a punto estuvo de costarle la vida. La curó una lugareña tocando el tambor y dándole a beber infusiones de hierbas.

Nos acostamos tarde; aquella noche se soltaron nuestras lenguas, añorantes de frases largas y de historias, lubricadas por el vino.

A la mañana siguiente, cuando desayunábamos en el hotel, Aleksandra –así es como se llamaba aquella mujer airada– se inclinó sobre mis cruasanes y dijo:

–El verdadero Dios es un animal. Está en los animales, tan cerca que no somos capaces de verlo. Se sacrifica por nosotros todos los días, muere una y otra vez, nos alimenta con su cuerpo, nos viste con su piel, permite que lo usemos en nuestros ensayos clínicos en busca de medicinas que nos permitirán vivir más y mejor. Así nos muestra su afecto, nos entrega su amistad y su amor.

Mirando fijamente sus labios, me quedé de una pieza, conmocionada no tanto por su revelación como por el tono en que la pronunció: lleno de calma. Y por la indiferencia del cuchillo que untaba con una fina capa de mantequilla el esponjoso interior del cruasán.

–La prueba está en Gante.

Con un tirón sacó una postal de su bolso de trapo y la arrojó sobre mi plato.

La tomé entre mis manos e intenté dar con el sentido a lo prolijo de los detalles; hubiera necesitado una lupa para distinguirlos.

–Todo el mundo puede verlo –dijo Aleksandra–. En el centro de la ciudad se levanta la catedral y allí, en el altar, cuelga un hermoso gran retablo. Se ve en él un campo, una verde llanura fuera de la ciudad, y en ese prado aparece una sencilla tarima. Mira, aquí –y la indicó con la punta del cuchillo–, aquí está el Animal en forma de cordero, enaltecido.

En efecto, he reconocido la pintura. La había visto muchas veces en reproducciones. *La adoración del cordero místico.*

–Su verdadera identidad ha sido revelada, su luminosa figura atrae la mirada, nos hace humillar la cabeza ante su divina majestad –dijo mientras señalaba el cordero con el cuchillo–. Y vemos que por doquier fluye la procesión hacia él, toda esa gente va a rendirle homenaje, desea contemplar a ese Dios, el más humilde y el más envilecido. Mira, aquí caminan, solemnes, soberanos que gobiernan países, emperadores y reyes, iglesias, parlamentos, partidos políticos, gremios de artesanos; y también madres con hijos, ancianos, adolescentes...

–¿Por qué lo haces?

La respuesta es obvia: para escribir un exhaustivo libro donde no se omitirá crimen alguno, desde los albores del mundo. Constituirá la gran confesión de la humanidad. Ya tenía una recopilación de citas extraídas de la literatura griega antigua.

Describir es como usar: desgasta. Los colores se difuminan, los bordes se desdibujan y, finalmente, lo descrito empieza a diluirse, a desvanecerse. Sobre todo los lugares. Las guías de viaje han causado un daño enorme; han sido una invasión, una epidemia. Las Baedeker han destruido la mayor parte del planeta para siempre; editadas en muchas lenguas y en millones de ejemplares, debilitaron los lugares, les clavaron alfileres, les pusieron nombre y borraron sus contornos.

También yo, en mi ingenua mocedad, me puse a describir lugares. Después, cada vez que volvía a ellos, cuando intentaba tomar una gran bocanada de aire y me disponía a quedar maravillada ante su intensa presencia, cuando, aguzando el oído, de nuevo intentaba escucharlos susurrar, sufría un shock. La verdad es terrible: describir significa destruir.

Por eso nunca se debe bajar la guardia. Mejor evitar los topónimos; dar vueltas y revueltas, proporcionar direcciones con suma prudencia para que nadie sienta la tentación de peregrinar. ¿Qué habría de encontrar? Un lugar muerto, polvoriento, un corazón de manzana reseco.

En *The Clinical Syndromes,* que ya he mencionado antes, hallamos el Síndrome Parisiense, que afecta sobre todo a turistas japoneses de visita en París. Se caracteriza por el shock y una serie de síntomas vegetativos, tales como respiración entrecortada, taquicardias, sudoración de manos y excitación. A veces se producen alucinaciones. Se administra entonces tranquilizantes y se recomienda volver a casa. Dichos trastornos se explican con la divergencia entre las expectativas de los peregrinos y la realidad: el París al que llegan no se parece en nada a la ciudad que han conocido a través de las guías, las películas y la televisión.

No existe libro que envejezca tan deprisa como una guía; una bendición, por otra parte, para el negocio de las guías. Pese a que se escribieron hace mucho tiempo, me he mantenido siempre fiel a dos de estas guías en mis viajes. Porque surgieron de una pasión verdadera, del anhelo de describir el mundo.

La primera fue escrita en Polonia a principios del siglo XVIII, cuando en Europa la Razón recién despertada llevaba a cabo intentos parecidos, coronados tal vez con mayor éxito, pero sin duda faltos de encanto. Es su autor un cura católico, Benedykt Chmielowski, nacido en algún remoto lugar de Volinia. Es el Flavio Josefo de una provincia sumida en la niebla, el Heródoto de los confines del mundo. Sospecho que sufría del mismo síndrome que yo, pero, a diferencia de mí, nunca salió de su casa.

En el capítulo de kilométrico título «De otros hombres raros y singulares del mundo, esto es: Anacephalos, alias Sin Cabeza, Cynocephalos, alias poseedores de Cabeza de Perro, y de gentes de formas extrañas», escribe:

«... hállase el Pueblo llamado Blemij que Isidorus denomina Lemnios, y estos, siendo sus figuras y simetrías como las nuestras, ni asomo de testa poseen, sino la faz a medio pecho. [...] A su vez Plinio, que atesora gran sapiencia de toda cosa natural, abunda en la opinión acerca de los *Acephalos,* alias gentes sin cabeza, y así mismo sitúalos en Etiopía o séase en el Estado de los Negros. Confiéreles grande seriedad a tales Autores en su *Momentum* San Agustín, *oculatus Testis* [es decir, testigo ocular], quien (siendo Obispo de Hipona Africana, por lo que hallábase no muy lejos) peregrinaba por aquel País sembrando la *semina* de la Santa Fe Cristiana, como claramente dice en su Sermón dirigido *in Eremo* [en el desierto] a la Hermandad Agustiniana por él fundada. [...] "Obispo era de Hipona, y con varios siervos de Cristo viajé a Etiopía para predicar el santo Evangelio de Jesucristo; y vimos allí numerosos varones y féminas sin cabeza, mas con enormes ojos en el pecho, siendo el resto de sus miembros parecidos a los nuestros." [...] Solinus, el Autor tantas veces mencionado, escribe que en los montes indios hállanse personas con cabeza de perro y voz de perro, alias ladrido. Marcus Polus, quien exploró India, afirma que en la Insula Angaman hay gentes con cabeza y dientes de perro; lo mismo atestigua Odoricus Aelianus lib. 10, sitúa a esas gentes en desiertos y Bosques Egipcios. Plinio llama *Cynanalogos* a estos monstruos humanos, Aulus Gellius e Isidonus los llaman Cynosephalos, es decir, cabezas de perro. [...] El príncipe Mikołay Radziwiłł en sus *Peregrinaciones,* Epístola 3, atestigua que tuvo consigo a dos Cynocephalos, es decir, personas con cabeza de perro, y llevábalos a Europa.

»*Tandem oritur questio* [Por último surge la pregunta]: ¿Alcanzar pueden la salvación semejantes monstruos seres humanos? La responde desde su Cátedra el Oraculum de Hipona, San Agustín: que el hombre, nazca donde nazca, mientras sea hombre verdadero, un ser pensante con pensante alma, aunque se diferencie de nosotros en figura, color, voz y porte, no hay que dudar que desciende del primer Padre humano, Adán, de manera que es *capax* de ser salvado.»

Mi segunda guía es *Moby Dick,* de Melville.

Y si de vez en cuando se tiene acceso a la Wikipedia, es más que suficiente.

WIKIPEDIA

Me parece el proyecto cognitivo más honrado del ser humano. Nos recuerda que todo conocimiento del mundo procede directamente de su cabeza, como Atenea de la de Zeus. La gente aporta a Wikipedia lo que sabe por sí misma. Si el proyecto sale bien, la enciclopedia, que se renueva cada día, será la mayor maravilla del mundo. Contendrá todo lo que sabemos, cada objeto, definición, acontecimiento y problema que ha ocupado nuestro cerebro; vamos a citar fuentes y proporcionar links. De esta manera empezaremos a tejer nuestra versión del mundo, a arrebujar el globo terráqueo con nuestro propio relato. Lo contendrá todo. ¡A trabajar! Que cada cual escriba aunque sea una sola frase sobre lo que mejor conoce.

A veces, sin embargo, dudo de su éxito. Pues solo puede caber allí aquello que sabemos expresar con palabras, las que existen. En este sentido, la enciclopedia nunca será completa.

Así que, en aras del equilibrio, deberíamos contar con un segundo compendio de conocimiento, aquello que no sabemos, lo oculto, el revés, el forro, lo imposible de inventariar en una tabla de contenido, uno que ninguno de los buscadores pueda encontrar; debido a su inmensidad, las palabras no sirven de apoyo a nuestras pisadas, que caen en el vacío que las separa, en esos abismos siderales entre los conceptos. Con cada paso perdemos pie y caemos.

Solo el movimiento hacia dentro se me antoja posible.

Materia y antimateria.

Información y antiinformación.

CIUDADANOS DEL MUNDO, ¡A TOMAR LA PLUMA!

Jasmine, una amable musulmana con la que hablé toda una tarde, me contó su proyecto: quería animar a todos los habitantes de su país a que escribieran libros. Según ella, se necesitaba muy poco para escribir un libro: tan solo algo de tiempo libre después del trabajo, ni siquiera un ordenador era imprescindible. Cabía la posibilidad de que un valiente acabara escribiendo un bestseller, momento en que su esfuerzo se veía premiado con el ascenso social. Era la mejor manera de salir de la pobreza, dijo. Bastaría con que todos nos leyéramos unos a otros, suspiró. Fundó un foro en internet. Al parecer contaba ya con varios cientos de seguidores inscritos.

Me gusta mucho pensar que la lectura de libros pueda abordarse como una obligación moral de hermanos y hermanas hacia el prójimo.

PSICOLOGÍA DEL VIAJE. LECTIO BREVIS I

A lo largo del último año y medio, mes arriba, mes abajo, me he topado en los aeropuertos con parejas de científicos que, inmersos en el bullicio propio del viaje, entre anuncios de salida y llamadas para embarcar, organizan pequeñas charlas. Un hombre me explicó que se trataba de un proyecto de información global (o tal vez restringido a la UE). Así que me detuve al ver en la sala de espera una pantalla y un grupo de curiosos.

–Señoras y señores –empezó una mujer joven, ajustándose el fular multicolor con movimientos nerviosos, mientras su colega, un hombre que vestía americana de tweed con parches de piel en los codos, preparaba la pantalla que pendía de la pared–. La psicología del viaje estudia a personas en tránsito, en movimiento, y de esta manera se sitúa en el polo opuesto de la psicología tradicional, que siempre ha contemplado al ser humano en un contexto inmóvil, de estabilidad y quietud, por ejemplo, bajo el prisma de su constitución biológica, sus relaciones familiares, su posición social, etcétera. La psicología del viaje no sitúa estos factores en el centro de su interés, sino en un segundo plano.

»Si queremos describir al ser humano de manera convincente solo podemos hacerlo situándolo entre un "de dónde" y un "adónde", en movimiento. El hecho de que aparezcan tantas descripciones nada convincentes de la persona estable, invariable, parece poner en tela de juicio la existencia del yo entendido de manera no relacional. Esto hace que en la psicología del viaje surjan algunas ideas supremacistas según las cuales no podría existir otra psicología que la del viaje.

Nuestro pequeño grupo de oyentes empezó a dar señales de inquietud. Pasaba junto a nosotros otro grupo, de hombres altos y bullangueros cuyas bufandas los identificaban con los colores de su club deportivo: unos hinchas. Al mismo tiempo, no dejaba de acercarse gente intrigada por la pantalla de la pared y las dos filas de sillas. Se sentaban un rato antes de dirigirse a sus respectivas puertas de embarque o interrumpiendo sus cansinas visitas a las tiendas del aeropuerto. En muchos de sus rostros se dibujaba el cansancio y el desajuste horario; saltaba a la vista que de buena gana se echarían una siestecita, pero no debían de saber que a la vuelta de la esquina tenían una confortable sala de espera equipada con sillones aptos para dormir. Algunos viajeros se detuvieron cuando la mujer empezó a hablar. Una pareja muy joven, fundida en un abrazo, la escuchaba con suma atención al tiempo que se hacía tiernas caricias en la espalda.

Tras una breve pausa la mujer retomó el asunto:

—Un concepto importante de la psicología del viaje es el deseo, que es lo que confiere movimiento y dirección al ser humano y despierta en él la aspiración a alcanzar algo. El deseo en sí mismo está vacío, ya que tan solo señala la dirección, no el objetivo; el objetivo, siempre difuso, fantasmagórico; cuanto más cercano, más enigmático. Por inalcanzable, incapaz de satisfacer el deseo. La preposición «hacia» es lo que mejor define este proceso. Hacia qué.

En ese momento la mujer alzó la vista por encima de las gafas recorriendo su auditorio con mirada escrutadora, como a la espera de algún gesto que le confirmara que se dirigía a

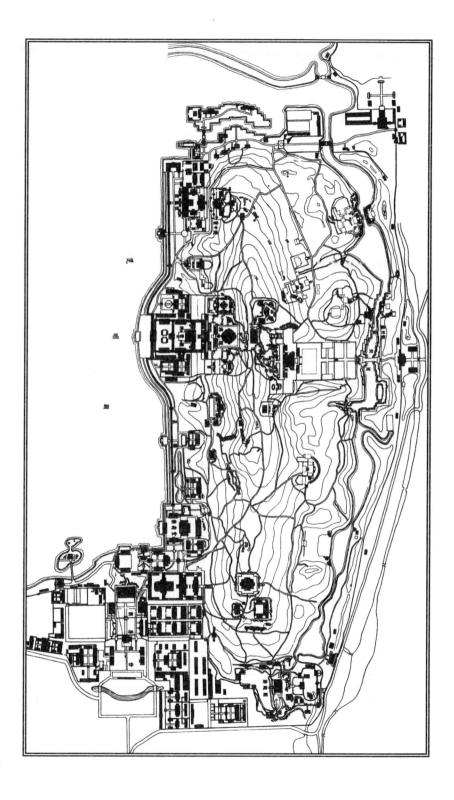

las personas adecuadas. Esto disgustó a un matrimonio con dos niños en un cochecito, pues tras intercambiar sendas miradas, empujaron su equipaje y se fueron a contemplar un falso Rembrandt.

–La psicología del viaje no niega su relación con el psicoanálisis... –continuó, y yo sentí pena por aquellos dos jóvenes conferenciantes. Hablaban a personas traídas por la casualidad que no parecían interesadas. Fui a buscarme un café de máquina, le eché varios terrones de azúcar para acabar de espabilarme, y cuando volví, ya estaba hablando el hombre.

–... concepto fundamental –decía– es la constelacionalidad, que a la vez es el primer postulado de la psicología del viaje: en la vida, al contrario que en la ciencia (y eso que también en la ciencia se maquillan cosas en aras de un orden), no existe ningún *primum* filosófico. Lo que significa que no se puede construir una línea argumental consecuente de relatos de causa y efecto a partir de acontecimientos cuya sucesión se produce casuísticamente, alumbrando el anterior al posterior. Esto no pasaría de ser una aproximación, como nos lo parece una cuadrícula de meridianos y paralelos: una aproximación a la superficie de un globo. Al contrario: a fin de reflejar nuestra experiencia lo mejor posible, deberíamos más bien ensamblar piezas de peso similar disponiéndolas concéntricamente sobre una misma superficie para crear así un todo. La constelación, y no la secuencia, es la portadora de la verdad. Por eso la psicología del viaje describe al ser humano en situaciones equivalentes, sin intentar conferir a su vida una secuencialidad, ni aproximada siquiera. La vida humana se compone de situaciones. Existe, cómo no, cierta tendencia a repetir comportamientos. Esta repetibilidad, sin embargo, no presupone que debamos otorgar a la vida la apariencia de un todo consecuente.

El hombre miró a los oyentes por encima de sus gafas con cierta inquietud, seguramente para comprobar si de verdad lo escuchaban. Lo hacíamos sin perder detalle.

78

En ese momento pasó corriendo a nuestro lado un grupo de viajeros con niños; por lo visto llegaban tarde a su vuelo de conexión. Perdimos por un momento la concentración, nos quedamos un rato mirando sus rostros rubicundos y acalorados, sus sombreros de caña, tambores y máscaras de recuerdo, sus collares de conchas. El hombre carraspeó un par de veces para llamarnos al orden, llenó de aire los pulmones, pero al mirarnos de nuevo lo expulsó y guardó silencio. Descartó unas cuantas páginas de sus notas y, finalmente, habló:

–La historia. Voy a decir unas palabras sobre la historia de nuestra disciplina. Esta se desarrolló después de la guerra (en los años cincuenta del pasado siglo) a partir de la psicología de la aviación, la cual, a su vez, nació con el aumento del número de vuelos. En un principio estudiaba problemas específicos relacionados con el tráfico de pasajeros, tales como la actuación de grupos de trabajo en situaciones de emergencia, la dinámica psicológica del vuelo; después amplió su campo de interés a la organización de aeropuertos y hoteles, a asumir como propia la novedad de un lugar, a los aspectos interculturales del viaje. Con el paso del tiempo se ramificó en especialidades independientes, tales como la psicogeografía, la psicotopología. Surgieron asimismo subcampos clínicos...

Dejé de escuchar, la conferencia era demasiado larga. Debieran servir este tipo de conocimiento en dosis más pequeñas.

Me fijé en cambio en un hombre mal vestido, todo arrugado, sin duda en mitad de un largo viaje. Había encontrado un paraguas negro que examinaba a conciencia. Pero resultó que el paraguas era inservible. Tenía rotas las varillas y ya no se podía abrir el disco negro. Entonces, ante mi asombro, el hombre se puso a separar meticulosamente el revestimiento desplegable de las varillas y las puntas, tarea que le llevó un tiempo. Trabajó concentrado, impávido en medio de una multitud de viajeros que pasaba por su lado. Concluido su empeño, plegó la tela, se la guardó en el bolsillo y se perdió en el torrente humano.

Así que también yo di media vuelta y seguí mi camino.

MOMENTO Y LUGAR ADECUADOS

No son pocos los que creen que el sistema de coordenadas del mundo determina un punto perfecto donde el tiempo y el espacio alcanzan un acuerdo. Debe de ser por eso por lo que se marchan de casa, creen que moviéndose, aunque sea de modo caótico, aumentarán las probabilidades de dar con ese punto. Hallarse en el momento y lugar adecuados, aprovechar la oportunidad, agarrar por el flequillo el instante, y entonces el código de la cerradura se desactivará, la combinación de cifras del premio gordo quedará al descubierto, la verdad, revelada. No pasarlo por alto, surfear sobre la casualidad, las coincidencias, los giros del destino. No se necesita nada más, basta con comparecer en esa configuración única de tiempo y espacio. Ahí se puede encontrar un gran amor, la felicidad, un décimo premiado de la lotería o la explicación de un misterio que todo el mundo lleva años buscando en vano, o la muerte. Algunas mañanas da la impresión de que tal momento está al caer, tal vez sea hoy mismo.

MANUAL DE INSTRUCCIONES

Me soñé hojeando una revista estadounidense con fotografías de embalses y piscinas. Lo veía todo, hasta el último detalle. Las letras *a, b* y *c* describían con precisión cada uno de los componentes de esquemas y planos. Empecé a leer con sumo interés el artículo titulado «Cómo construir un océano. Manual de instrucciones».

FESTÍN DEL MIÉRCOLES DE CENIZA

–Llamadme Eryk –decía siempre en vez de saludar cuando entraba en el pequeño bar caldeado a esas alturas del año tan solo por la leña de la chimenea, y todos le dedicaban una sonrisa amistosa, llegando algunos incluso a tentarlo con un alentador gesto que no significaba otra cosa que «ven a sentarte con nosotros». Porque en el fondo era un buen compañero y, pese a sus rarezas, lo querían.

Y eso que al principio, antes de beber lo suficiente, se mostraba taciturno, sentado en su rincón lejos del calor de la chimenea. Se lo podía permitir: de complexión robusta y resistente al frío, se bastaba para calentarse.

–La isla –empezaba suspirando aparentemente para sus adentros, pero de manera que los demás lo oyeran, provocativamente, al tiempo que pedía su primera gran cerveza–. Qué estado de la mente tan miserable. El culo del mundo.

Nadie parecía entenderlo, pero todos lo acompañaban con carcajada cómplice.

–Ey, Eryk, ¿para cuándo lo de ir a cazar ballenas? –le gritaban con los rostros encendidos por el fuego y el alcohol.

En respuesta, Eryk maldecía barrocamente, poesía pura, nadie sabía maldecir así, era parte de un ritual repetido todas las noches. Los días transcurrían como llevados por un transbordador de cable, de una a otra orilla, pasando siempre junto a las mismas boyas rojas cuyo cometido consistía en quebrar el monopolio de la inconmensurabilidad del agua y hacerla medible, creando así la ilusión de controlarla.

Tras unas cuantas cervezas, Eryk se sentía ya preparado para sentarse con los demás, cosa que por lo general hacía, aunque últimamente el malhumor lo ganaba a medida que iba bebiendo. Exhibía muecas sarcásticas. Ya no contaba historias de alta mar; quien lo conociera lo suficiente sabía que jamás repetía ninguna, o que al menos estas diferían significativamente en los detalles. Ahora, sin embargo, las más de las veces no contaba nada, se limitaba a chinchar a los demás. Eryk el malicioso.

Algunas noches, no obstante, se mostraba tan exaltado e insoportable que Hendrik, el propietario del pequeño bar, se veía obligado a intervenir.

—¡Daos todos por enrolados! —gritaba Eryk señalando con el dedo a cada individuo—. Hasta el último. ¡Oh, Dios! ¡Navegar con una tripulación tan pagana que tienen escasa huella de madres humanas en ellos! ¡Oh, vida!, en una hora como esta, con el alma abatida y agarrada al conocimiento, como están obligadas a nutrirse las cosas salvajes y sin educación.

Hendrik el apaciguador lo apartaba y le daba amistosos golpecitos en la espalda mientras la clientela más joven se mofaba de aquella manera de hablar tan estrafalaria.

—Déjalo ya, Eryk. No querrás buscarte problemas, ¿verdad? —lo tranquilizaban los mayores, los que lo conocían bien, pero Eryk no se dejaba calmar.

—No me hables de blasfemia, hombre; golpearía al sol si me insultara.

Ante semejante panorama solo quedaba rezar por que no insultara a ningún forastero, ya que la gente del lugar no se ofendía con Eryk. ¿Qué se le podía pedir cuando ya veía el bar como velado por una cortina de plástico lechosa? Su mirada ausente indicaba que Eryk navegaba ahora por los mares interiores, que la vela de trinquete ya se había izado y que lo único que se podía hacer era llevarlo a casa piadosamente.

—Escuche, pues, hombre duro de corazón —balbuceaba Eryk clavando el dedo en el pecho del amigo—, porque también le estoy hablando a usted.

–Venga, Eryk, vamos. Ya basta.

–Os habéis enrolado, ¿eh? ¿Los nombres puestos en el papel? Bueno, bueno, lo que está firmado, firmado está; y lo que ha de ser, será; y luego, también, a lo mejor no será, después de todo... –balbucía y desde la puerta regresaba al mostrador exigiendo el último trago, «el del estribo», como decía, aunque nadie entendiera lo que significaba.

Así de pesado se ponía hasta que alguien encontraba el momento oportuno para cogerlo de la solapa del uniforme y sentarlo a esperar al taxi.

Sin embargo, no siempre se mostraba tan belicoso. Por lo general, se iba antes porque todavía le quedaban cuatro kilómetros por recorrer y, como afirmaba, ese trayecto hasta casa se le hacía odioso. El camino que bordeaba la carretera resultaba monótono. A ambos lados, no había sino viejos pastos cubiertos de malas hierbas y pinos de montaña enanos que hacían daño a la vista. A veces, cuando la noche era clara, divisaba a lo lejos la silueta del molino de viento tiempo atrás abandonado y que solo servía ya como decorado para las fotos que se hacían los turistas.

La calefacción se encendía alrededor de una hora antes de su llegada –así lo tenía programado para ahorrar electricidad–, de manera que en la oscuridad de las dos estancias todavía se agazapaban marañas de un frío húmedo, impregnado de sal marina.

Comía siempre un mismo plato, era lo único que aún no había aborrecido. Patatas cortadas en rodajas, salteadas con tajadas de panceta y cebolla en una olla de hierro colado. Todo ello cubierto de mejorana y pimienta, y bien salado. Un plato ideal: las proporciones de sustancias nutricionales perfectamente equilibradas: grasas, carbohidratos, almidón, proteínas y vitamina C. Después de cenar encendía la tele, y tanto le repugnaba que acababa por abrir una botella de vodka que apuraba hasta el fondo, hasta que por fin se iba a dormir.

Qué sitio más horrible, esta isla. Metida en el norte como en un cajón oscuro, ventosa y húmeda. Por alguna extraña razón la gente seguía viviendo allí y no tenía ninguna intención de trasladarse a las ciudades cálidas y luminosas. Continuaba viviendo en las pequeñas casas plantadas a lo largo de la carretera, la cual, asfaltada por segunda vez, se elevaba condenándolas a encogerse eternamente.

Se puede caminar a lo largo de la carretera por el arcén en dirección al pequeño puerto, compuesto de varios edificios cochambrosos, una garita de plástico donde venden billetes para el ferry y un miserable paseo marítimo, desierto a estas alturas del año. Quizá en verano lleguen aquí algunos yates de turistas excéntricos, cansados del bullicio de las aguas del sur, de las rivieras, costas azules y tórridas playas. O por casualidad vendrán a parar a este triste lugar personas como nosotros, inquietas, siempre sedientas de nuevas aventuras, con las mochilas repletas de baratas sopas chinas de sobre. ¿Y qué verán? El confín del mundo donde el tiempo, expulsado de la costa desierta, decepcionado, regresa a tierra firme y obliga, inmisericorde, a este lugar a permanecer invariable. ¿En qué se diferencia aquí 1946 de 1976, y este a su vez del año 2000?

Eryk encalló aquí hace años, después de vivir un sinnúmero de aventuras y desventuras. Hace mucho más tiempo, sin embargo, huyó de su país, uno de esos países grises, achatados y comunistas, y como joven migrante se enroló en un barco ballenero. En aquel entonces, manejaba apenas cuatro palabras inglesas comprendidas entre «yes» y «no», las justas para el rudo intercambio marinero de sencillos gruñidos. «Toma», «tira», «corta». «Rápido» y «fuerte». «Coge» y «ata». «Mierda» y «joder». Suficiente para comenzar. Por lo demás le bastó con cambiar su nombre por uno simple y consabido: Eryk. Deshacerse de aquel cadáver chirriante que nadie sabía pronunciar

84

correctamente. Y con tirar al mar la carpeta con los papeles, certificaciones escolares, diplomas, certificados de cursillos y de vacunaciones. De nada le habrían servido, como mucho, para avergonzar a otros marineros que tenían por toda biografía cuatro travesías largas y aventuras en tugurios portuarios.

La vida en un barco no está bañada por el agua salada ni tampoco por la dulce lluvia de los mares del norte, ni siquiera por el sol, sino por la adrenalina. No hay tiempo para pensar ni meditar sobre la leche derramada. Eryk procedía de un país remoto y poco marino. Rara vez tenía acceso al mar, solo ocasionalmente. Los puertos lo abrumaban. Prefería ciudades situadas a orillas de algún río seguro, esposado por puentes. Eryk no añoraba su país y se encontraba mucho más a gusto allí, en el norte. Creía que navegaría unos cuantos años, ganaría dinero, y luego construiría una casa de madera, se casaría con una Emma o una Ingrid de pelo de color lino y engendraría hijos, cuya educación consistiría en fabricar anzuelos y limpiar truchas marinas. Un día escribiría sus memorias, cuando sus aventuras constituyeran un paquete lo suficientemente atractivo.

No se explicaba cómo era posible que los años hubiesen pasado por su vida campo a través, livianos y efímeros, sin dejar huella. Como mucho, habían marcado su cuerpo, sobre todo el hígado. Pero esto lo notaría más adelante. Al principio, después de la primera travesía, fue a dar con sus huesos en la cárcel durante más de tres años, cuando un mal capitán implicó a toda su tripulación en el contrabando de un contenedor de tabaco y de un gran alijo de cocaína. Pero incluso en la cárcel de un país remoto, Eryk seguía sometido al poder de la mar y las ballenas. La biblioteca de la prisión guardaba un solo ejemplar de un libro en inglés abandonado hacía años seguramente por otro recluso. Se trataba de una edición antigua, de principios de siglo, de páginas frágiles y amarillentas, marcada por numerosas huellas de la vida cotidiana.

De esta manera Eryk se aseguró durante más de tres años (no era una sentencia demasiado severa, teniendo en cuenta la ley que regía a solo cien millas náuticas de allí: muerte por ahorcamiento) un aprendizaje gratuito de la lengua, inglés avanzado, un curso literario-ballenero, psicológico-viajero, con un único manual. Un buen método, no permitía distracciones. Al cabo de cinco meses, ya podía recitar de memoria las aventuras de Ismael y hablar como Ahab, cosa que disfrutaba especialmente, pues era la manera de expresarse más natural para Eryk, la que le sentaba como un cómodo traje, daba igual lo extraño y anticuado que fuera. Y qué golpe de suerte que un libro así fuera a caer en semejante lugar en manos de semejante persona. Es un fenómeno que los psicólogos del viaje denominan sincronicidad: prueba de que el mundo no carece de sentido. Prueba de que este magnífico caos irradia en todas direcciones hilos de significados, redes de lógicas extrañas que, para los creyentes, no son sino las huellas dactilares de los dedos de Dios. Eso es lo que pensaba Eryk.

Así que, al cabo de poco tiempo, encarcelado en una lejana y exótica prisión, cuando durante las bochornosas noches del trópico resultaba difícil respirar, y la inquietud y la añoranza hostigaban la mente, Eryk se sumía en la lectura del libro, se convertía en un marcapáginas, y experimentaba una especial felicidad. Sin esa novela no habría soportado el encierro. Los compañeros de celda, contrabandistas como él, eran a menudo testigos de su lectura en voz alta, y no tardaron en rendirse al encanto de las aventuras de los balleneros. No habría tenido nada de raro que al salir en libertad intentasen estudiar más a fondo la historia de la caza de las ballenas y escribieran disertaciones sobre arpones y demás aparejos de los veleros. Y que los más inteligentes alcanzaran un grado superior de iniciación: la especialización en psicología clínica referente a toda clase de perseverancia. Así que a veces ocurría que los tres compañeros de celda, el marinero de las Azores, el marinero portugués y Eryk, conversasen en su jerga particular. E incluso que la utilizasen para hablar mal de sus menudos vigilantes de ojos rasgados:

–¡Por Júpiter! ¡Qué individuo está hecho el viejo! –exclamaba el marinero de las Azores cuando uno de ellos colaba en su celda un tabaco humedecido.

–Por mi vida que soy de la misma opinión; así que dales la bendición.

Estaban a gusto así, porque cada preso nuevo al principio no entendía casi nada, de manera que se convertía en el forastero que necesitaban para tener un sucedáneo de vida social.

Cada uno tenía sus fragmentos favoritos, los leían ritualmente por las noches y los demás remataban las frases a coro.

Pero sus conversaciones mantenidas en una lengua cada vez más depurada versaban principalmente sobre el mar, el viaje, zarpar desde la orilla y entregarse al agua, la cual –como acabarían definiendo tras una discusión digna de filósofos presocráticos– era el elemento más importante del globo terráqueo. Trazaban ya las rutas que los conducirían hasta casa, se preparaban para las vistas que contemplarían por el camino, redactaban mentalmente el texto de los telegramas a sus familias. ¿Cómo se ganarían la vida? Discutían qué idea era la mejor, pero, a decir verdad, siempre daban vueltas en torno a un mismo tema, ya contagiados (aunque no eran conscientes de ello), infectados, perturbados por la mera existencia de algo tan raro como una ballena blanca. Se sabía que algunos países seguían cazando ballenas y aunque ese trabajo ya no era tan romántico como lo describía Ismael, sería difícil encontrar uno mejor. Al parecer los japoneses buscaban gente. Cómo se van a comparar el arenque y el bacalao con la ballena... Sería como equiparar la artesanía y el arte.

Treinta y ocho meses era tiempo suficiente para ultimar los detalles de su vida futura, para, minuciosamente, punto por punto, discutirlos con los compañeros. Las disputas no eran serias.

–El diablo se lleve a la marina mercante. No me hable esa jerga. ¿Ve esta pierna? Se la arranco de la popa si me vuelve a hablar de la marina mercante. Pero ¡colas de ballena!, hombre; ¿por qué se empeña en ir a pescar ballenas, eh? –rugía Eryk.

–¿Qué habrás visto tú de este mundo? –contestaba a gritos el marinero portugués.

–He recorrido el Mar del Norte a lo largo y ancho, y el Báltico tampoco tiene secretos para mí. Conozco las corrientes del Atlántico como mis propias venas...

–Está demasiado seguro de sí mismo, amigo mío.

Algo había que decir.

Diez años, eso duró el viaje a casa de Eryk, y seguro que en eso su pericia era mayor que la de sus camaradas. Regresó por rutas indirectas, mares periféricos, atravesando los estrechos más angostos y las bahías más amplias. En las desembocaduras de los ríos ya lamía las aguas abiertas de los mares, a punto estaba de enrolarse en un barco rumbo a casa cuando repentinamente surgía una nueva oportunidad, la mayoría de las veces en dirección contraria, y si reflexionaba un rato, solía concluir que la verdad estaba en la más antigua de las sentencias: la Tierra es redonda, no nos aferremos pues a las direcciones. Hasta cierto punto era comprensible: para quien no pertenece a parte alguna cada movimiento es un regreso, porque nada atrae tanto como el vacío.

Durante varios años trabajó bajo las banderas de Panamá, Australia e Indonesia. En un carguero chileno transportó coches japoneses a Estados Unidos. En un petrolero sudafricano sobrevivió a un naufragio en la costa de Liberia. Llevó trabajadores de Java a Singapur. Enfermó de hepatitis y lo ingresaron en un hospital de El Cairo. Cuando en Marsella le rompieron un brazo en una pelea de borrachos, dejó el alcohol varios meses para acabar emborrachándose hasta perder el conocimiento en Málaga y romperse el otro.

No vamos a entrar en detalles. No son de nuestro interés las peripecias de Eryk en las rutas marinas. Preferimos estar a su lado cuando arriba por fin a la orilla de aquella odiosa isla y consigue un trabajo en un pequeño y rudimentario transbordador que circula entre los islotes. Realizando ese trabajo humillante, tal y como él lo calificaba, Eryk adelgazó, parecía más pálido. El moreno intenso abandonó su tez para siempre, dejando unas cuantas manchas oscuras. Las sienes encanecieron y las arrugas volvieron más penetrante y perspicaz su mirada. Tras esa iniciación, que hirió dolorosamente su orgullo, le fue confiado un trabajo de mayor responsabilidad. Ahora su transbordador unía la isla con tierra firme, no lo sujetaba ningún cable y su ancha cubierta podía cargar dieciséis turismos. El trabajo le garantizaba un sueldo fijo, un seguro de salud y una vida tranquila en esa isla septentrional.

Se levantaba todas las mañanas, se lavaba con agua fría y peinaba su barba gris con los dedos. Después se ponía el uniforme verde oscuro de la compañía Transbordadores del Norte Unidos y se encaminaba al puerto, donde había atracado la noche anterior. Al cabo de poco rato, alguno de los hombres del servicio de tierra, Robert o Adam, abría la puerta de embarque y los primeros coches empezaban a formar cola para subir por la rampa de hierro al ferry de Eryk. Había lugar para todos, también ocurría a veces que el ferry anduviera vacío, puro, liviano, reflexivo. Entonces Eryk se quedaba sentado en su cabina y, desde lo alto de aquel nido de cigüeña acristalado, contemplaba la otra orilla, que veía muy cercana. ¿No habría sido mejor construir un puente en vez de marear al personal obligándole a ir de un lado para otro de esa manera?

La cuestión residía en el estado de ánimo. Cada día podía elegir entre dos. El primero, agobiante y engorroso, que él era peor que los demás, que carecía de aquello que todo el mundo poseía, que en cierto modo era un descarriado que no sabía siquiera qué demonios le estaba pasando. Se sentía solo, aislado, como un niño castigado a permanecer en su habitación, observando por la ventana los juegos de sus compañeros felices. Que en las caóticas peregrinaciones de la humanidad por tierra y mar el destino le había reservado para colmo un papel insignificante y, que una vez instalado en la isla, resultaba que en este episodio no pasaba de ser un extra.

El segundo estado, por el contrario, fortalecía en su fuero interno el convencimiento de que precisamente él era mejor, único, excepcional. Que solo él sentía y entendía la verdad, que solo él había sido agraciado con una existencia excepcional. Y conseguía permanecer en ese estado de bienestar durante largas horas, e incluso días, tiempo en el que experimentaba, digamos, algo parecido a la felicidad. No era sino un estado pasajero, como la borrachera. Con la resaca resurgía el pensamiento terrorífico de que, para volver a considerarse a sí mismo una persona digna de respeto, siempre se veía obligado a recurrir a una de estas dos formas de autoengaño, y lo peor, que un día la verdad acabaría por salir a la luz para decirle que no era nadie.

Permanecía en su cabina acristalada y observaba el embarque en el primer ferry de la mañana. Veía a los viejos amigos de su pequeña ciudad. Por ejemplo, la familia R. en su Opel de color gris: el padre trabajaba en el puerto, la madre, en la biblioteca, y los hijos, chico y chica, iban al colegio. O esos cuatro adolescentes, alumnos de la escuela secundaria; al otro lado los recogería un autobús. Y allí estaba Eliza, maestra en la guardería infantil, con su hijita, a la que, por supuesto, se llevaba al trabajo. El padre de la pequeña desapareció repentinamente un par de años atrás y desde entonces no volvió a dar señales de vida. Eryk sospechaba que andaría cazando ballenas en alguna parte. O el viejo S., que tenía algún problema en los riñones y dos veces por semana debía acudir al hospital para someterse a diálisis. Él y su mujer intentaron vender su pequeña casita de madera y mudarse a un sitio más cercano al hospital, pero por alguna razón no lo consiguieron. El camión de la tienda Alimentación Orgánica iba a tierra firme a buscar mercancías. Un coche negro desconocido, seguramente unos invitados del director de cine. La furgoneta amarilla de los hermanos Alfred y Albrecht, solterones empedernidos que criaban ovejas. Dos ciclistas entumecidos por el frío. La camioneta del taller de automóviles, que probablemente iba a buscar piezas de recambio. Edwin saludó a Eryk haciendo señas con la mano. Se lo podía reconocer en cualquier isla del mundo, pues vestía camisas a cuadros forradas de piel artificial. Eryk los conocía a todos, incluso a los que veía por primera vez: sabía para qué habían ido a la isla, y el conocer el objetivo de su viaje le proporcionaba suficiente información sobre los viajeros.

Existían tres motivos para acudir a la isla. El primero, simplemente ser uno de sus habitantes; el segundo, estar invitado en casa del director, y el tercero, el molino: para usarlo como decorado para hacerse fotos.

El ferry tardaba veinte minutos. Durante ese lapso, algunos pasajeros se bajaban del coche para fumar un pitillo, pese a que estaba prohibido. Otros permanecían apoyados contra la barandilla y, sin más, dejaban caer la vista en el agua hasta que su oscilante mirada recalaba finalmente en la otra orilla. Al cabo de un instante, excitados por el olor a tierra y por sus importantísimos cometidos y obligaciones, se perderían de vista por las callejuelas junto al mar, desaparecerían como esa novena ola que se adentra más que ninguna, es absorbida por la arena y nunca regresa al mar. Otros ocuparían su lugar. El veterinario en su elegante pickup; se ganaba la vida esterilizando y castrando gatos. Una excursión de escolares que estudiaría la fauna y la flora de la isla en el marco de la asignatura de ciencias naturales. Una camioneta cargada de plátanos y kiwis. Un equipo de televisión que grabaría una entrevista al director. La familia G., que volvía de visitar a la abuela. Dos nuevos amantes de la bicicleta que sustituirían a los dos anteriores.

Durante el desembarque y el nuevo embarque, que se prolongaban durante una hora escasa, Eryk se fumaba unos cuantos pitillos e intentaba no sucumbir a la desesperación. Después el ferry regresaba a la isla. Y así, ocho veces, con una pausa de dos horas para comer, que Eryk pasaba siempre en el mismo bar, uno de los tres que había, donde pedía el menú del día. Después del trabajo compraba patatas, cebolla y panceta. Tabaco y alcohol. Intentaba no beber antes de mediodía, pero en la sexta travesía andaba ya achispado.

La línea recta: qué humillante. Cómo destroza la mente. Qué pérfida geometría la que idiotiza, ida y vuelta: una parodia del viaje. Partir y acto seguido regresar. Tomar velocidad y acto seguido frenar.

Lo mismo sucedió con el matrimonio de Eryk, breve y tormentoso. Maria, divorciada, trabajaba en una tienda y tenía un hijo que estaba interno en la escuela secundaria de la ciudad donde estudiaba. Eryk se mudó a su pequeña y acogedora casita con una tele enorme. La mujer, de buen tipo, contornos algo generosos y piel clara, llevaba leggings ceñidos. No tardó en aprender a preparar las patatas con panceta y empezó a añadirles mejorana y nuez moscada. Él a su vez, en sus días libres, se entregaba con ardor a cortar leña para la chimenea. La cosa duró año y medio; acabaron por asquearle el incesante ruido del televisor, la fuerte iluminación, el trapo junto a la alfombrilla donde debía dejar sus embarradas botas y la nuez moscada. Cuando se emborrachó unas cuantas veces y soltó discursos a sus marineros con el dedo levantado, ella lo echó de casa y se mudó poco después a tierra firme, para estar cerca de su hijo.

*

Primero de marzo, es Miércoles de Ceniza. Al abrir los ojos, Eryk vio un amanecer gris y la aguanieve dejando borrosas huellas sobre los cristales. Pensó en su antiguo nombre. Casi lo había olvidado. Lo pronunció en voz alta y sonó como si lo llamara un desconocido. Sintió en su cabeza la familiar opresión de la resaca.

No hay que perder de vista que los chinos tienen dos nombres: el dado por la familia que se usa para llamar al niño, regañarlo y hacerlo obedecer, pero que también permite cariñosos diminutivos. Mas cuando el niño entra en la edad adulta, adopta un segundo nombre: exterior, mundano, un nombre-persona. Se lo pone uno como una guerrera con charreteras, una casulla, un uniforme a rayas de prisionero, un traje para un cóctel oficial. Es un nombre de uso cotidiano, fácil de recordar. A partir de este momento, dará fe de su portador. Mejor que sea universal, reconocible por todo el mundo. ¡Abajo el localismo de nuestros nombres! Abajo los Oldrzich, los Sung Yin, los Kazimierz y los Jyrek; abajo los Blažen, los Liu y las Milica. ¡Vivan los Michael, las Judith, las Anna, los Jan, los Samuel y los Eryk!

Pero hoy, a la llamada con su antiguo nombre, respondió Eryk: Aquí estoy.

Nadie lo conoce, así que tampoco yo lo voy a decir.

El hombre conocido como Eryk se puso su uniforme verde con el logo de Transbordadores del Norte Unidos, se peinó la barba con los dedos, apagó la calefacción de su enana casita y enfiló la carretera. Luego, esperando en su pecera a que acabase el embarque y por fin saliese el sol, apuró una lata de cerveza y encendió el primer cigarrillo. Saludó por señas desde lo alto a Eliza y a su hijita, amigablemente, como si quisiera compensarles el hecho de que hoy no llegarían a la guardería.

Cuando el ferry zarpó del muelle y ya se encontraba a medio camino entre los dos embarcaderos, tras un instante de duda, puso rumbo a mar abierto.

No todo el mundo se percató enseguida de lo que ocurría. Algunos pasajeros, acostumbrados a la rutina de la línea recta, miraban con indiferencia la orilla que se alejaba, entumecidos, lo que sin duda confirmaría las teorías dipsomaníacas de Eryk de que viajar en ferrys enderezaba las circunvoluciones cerebrales. Otros se dieron cuenta solo al cabo de un buen rato.

–¡Eryk!, ¿qué demonios haces? ¡Da media vuelta ahora mismo! –gritó Alfred, y lo secundó Eliza con su voz aguda y chillona:

–La gente va a llegar tarde al trabajo...

Alfred intentó subir a donde estaba Eryk, pero este, previsor, había cerrado con llave la puerta de su cabina.

Veía desde lo alto cómo todo el mundo al unísono recurría a sus teléfonos móviles; llamaban a alguna parte, dirigían su indignación al espacio vacío al tiempo que gesticulaban nerviosamente. Se imaginaba lo que decían. Que llegarían tarde al trabajo, que quién les iba pagar la indemnización por los perjuicios morales sufridos, que ya estaba bien de emplear a borrachos como Eryk, que sabían desde siempre que la cosa acabaría así, que faltaba trabajo para los del país y se lo ofrecían a unos inmigrantes cualesquiera; por muy bien que aprendieran la lengua, siempre habría...

A Eryk le daba igual. Constató, gozoso, que al cabo de un rato se calmaron, ocuparon sus asientos y se pusieron a contemplar el cielo que se aclaraba por momentos y lanzaba al mar hermosos haces de luz que se abrían camino entre las nubes. Solo le preocupaba una cosa: el abrigo azul chillón de la hija de Eliza, mal augurio (lo sabe cualquier lobo de mar) a bordo de un barco. Sin embargo, pestañeó y se olvidó del asunto. Puso rumbo al océano y bajó a ver a sus pasajeros con una caja de Coca-Cola y otra de barritas de chocolate que había preparado para la ocasión tiempo atrás. Por lo visto les sentó muy bien aquel tentempié, ya que los niños se callaron, con la mirada clavada en la orilla de la isla que se alejaba, y los adultos empezaron a mostrar un creciente interés por el viaje.

–¿Qué rumbo has fijado? –le preguntó con tono de conocimiento de causa el más joven de los hermanos T. y soltó un eructo de Coca-Cola.

–¿Cuánto tiempo tardaremos en salir a mar abierto? –quiso saber Eliza, maestra en la guardería.

–¿Se ha asegurado usted de llevar combustible de reserva? –se interesó el viejo S., el del problema con el riñón.

O eso al menos era lo que a Eryk le parecía oír, que decían eso y no otra cosa, Intentaba no mirarlos ni preocuparse. Ya había clavado la vista en la línea del horizonte que cortó sus pupilas por la mitad: la más oscura, de agua; la más clara, de cielo. Los demás, por cierto, también se mostraban tranquilos. Se calaron los gorros, se apretaron más las bufandas. Podría decirse que navegaron en silencio hasta que lo rompió bruscamente el rugido del motor de un helicóptero y los gañidos de unas lanchas motoras de la policía.

* * *

–Hay cosas que acontecen por sí mismas, hay viajes que empiezan y acaban en sueños, como también hay viajeros que responden a la balbuciente llamada de su propia inquietud. Y ahora tienen ante ustedes a uno de ellos... –Así arrancó su alocución ante un tribunal el abogado de Eryk en su efímero juicio. Lamentablemente, aquel emotivo discurso de defensa no surtió el efecto deseado y nuestro protagonista volvió por un tiempo a la cárcel; espero que le resultara provechoso. Porque de todos modos no existe para él otra vida que la que oscila como las olas, tomada en préstamo a la mar y a sus insondables pleamar y bajamar.

Pero dejemos atrás esta historia.

Ahora bien, si una vez terminada alguien quisiera preguntarme, disipar sus dudas respecto a la verdad y nada más que la verdad, si tras agarrarme del brazo me sacudiese, impaciente, y exclamase: «Te ruego que me digas, según tus convicciones más sinceras: ¿esa historia es auténticamente verdadera en su sustancia? Perdóname si parece que insisto mucho», le perdonaría y le contestaría: «Así me salve Dios, y por mi honor, que la historia que les he contado, señoras y señores, es verdadera en sustancia y en sus principales puntos. Sé que es verdadera: ha ocurrido en esta esfera: yo misma estuve en la cubierta de aquel ferry.»

EXPEDICIONES AL POLO

Me acuerdo de lo que un día se acordó Borges que había leído en alguna parte: que al parecer los curas de Dinamarca, en los tiempos en que se construía el imperio danés, proclamaron en las iglesias que todo aquel que participara en una expedición al Polo Norte allanaría el camino de salvación de su alma. Constatada la falta de voluntarios, admitieron que tal expedición resultaba larga y difícil, no apta para todo el mundo, sino solo para los más intrépidos. Pero el número de voluntarios no aumentó. Entonces, para salir airosos del apuro, los curas rectificaron la proclama: en realidad, cualquier viaje podía ser considerado una expedición al Polo Norte, incluso una pequeña excursión, incluso un trayecto de landó.

Hoy, sin duda, incluso un viaje en metro.

PSICOLOGÍA DE LA ISLA

Según la psicología del viaje, la isla representa el estado primigenio, el más temprano, anterior a la socialización, cuando el ego, ya suficientemente individualizado como para alcanzar cierto grado de autoconciencia, no había aún entablado relaciones plenas, satisfactorias, con el entorno. El de la isla es un estado mantenido dentro de las propias fronteras, al que no trastornan las influencias externas; en cierto modo recuerda al autismo y al narcisismo. Toda necesidad es autosatisfecha. Solo el «yo» aparece como real; el «tú» y el «ellos» no pasan de ser fantasmagorías borrosas, holandeses errantes vislumbrados en la lejanía para, acto seguido, desaparecer en el horizonte. En realidad no se alcanza a discernir si no habrán sido la ilusión óptica de un ojo acostumbrado a la línea recta que divide perfectamente el campo de visión en un arriba y un abajo.

LIMPIAR EL MAPA

Borro de mis mapas todo lo que me hiere. Los lugares donde tropecé, caí, fui golpeada, humillada, ofendida, ya no aparecen, han dejado de existir.

De este modo borré unas cuantas grandes urbes y toda una provincia. Quizá llegue el día en que borre un país entero. Los mapas, comprensivos, lo aceptan, porque añoran esos espacios en blanco que evocan su feliz infancia.

A veces, cuando tengo que comparecer en algún lugar inexistente (intento no guardar rencor), me convierto en un ojo que transita como un fantasma por una ciudad fantasma. Si me concentrara más, sin dificultad podría hundir la mano en los hormigones más impenetrables, atravesar las calles más concurridas, pasar entre los coches en incesante caravana, inmune, sin sufrir daño alguno y sin hacer ruido.

No lo he hecho; he aceptado siempre las reglas de juego de los habitantes de esas ciudades. Y he intentado no revelarles que, borrados, permanecían, los pobres, en lugares ilusorios. Me he limitado a sonreírles y a asentir a todo lo que decían. Nunca he querido introducir desorden en sus cabezas haciéndoles ver que no existen.

EN POS DE LA NOCHE

Me resulta difícil dormir bien cuando paso una sola noche en un sitio. La gran ciudad se enfría poco a poco, se calma. Me refiero al hotel de una compañía aérea, incluido en el precio del billete, en el que encallé. Tenía que esperar hasta el día siguiente.

En la mesilla de noche había un paquete azul de preservativos. Y también una Biblia y enseñanzas de Buda. Lamentablemente, el enchufe de la tetera no era compatible con la toma de corriente: qué remedio, prescindí del té. A lo mejor era ya hora de tomar café. Mi cuerpo no tenía ni idea de qué significaba la hora que marcaba el radiodespertador junto a la cama, y eso que los números son internacionales, aunque árabes. El resplandor amarillento al otro lado de la ventana ¿indicaba que rompía el alba o la caída del crepúsculo que, condensándose, se tornaba en noche? Era difícil determinar si era el este o el oeste esa parte del mundo por la que no tardaría en salir el sol o tal vez acababa de ponerse. Me concentré para calcular las horas de vuelo, recurriendo a una imagen que había visto en internet: el globo terráqueo con la línea de la noche desplazándose de este a oeste, cual enorme boca que engulle sistemáticamente el mundo.

La plaza de enfrente del hotel aparecía desierta, entre los puestos cerrados de un mercadillo peleaban unos perros callejeros. Debo estar en mitad de la noche, deduje finalmente, y sin té ni baño me metí en la cama. Según mi propio tiempo, el que llevo en el móvil, era poco más de mediodía. Por eso no fui tan ingenua como para confiar en que iba a dormirme.

Arrebujarse en el edredón, encender la tele, bajar el volumen al mínimo, que susurre, que refulja, que gimotee. Sostener el mando a distancia como un arma y disparar al centro de la pantalla. Cada disparo mata un canal, pero enseguida nace otro. Mi juego, sin embargo, consistía en perseguir la noche, en escoger tan solo aquellos canales que emitían desde lugares donde reinara la noche. Imaginar el globo terráqueo con la oscura cicatriz en su suave curvatura, prueba de un crimen antiguo; costurón producto de la temeraria separación de dos gemelos siameses: luz y oscuridad.

La noche no termina nunca, extiende siempre su poder sobre alguna parte del mundo. Se la puede seguir con un mando a distancia, se puede buscar emisoras que trabajan en las zonas de sombra, en la cóncava parte oscura de la palma de la mano que sostiene la Tierra, para, hora tras hora, desplazarse hacia el oeste, país tras país. Y entonces se descubrirá un fenómeno bien interesante.

El primer disparo en la plana e irreflexiva frente del televisor dio con el canal 348 Holy God. Vi una escena de muerte en la cruz; una película rodada en los sesenta. La Virgen María lucía unas cejas muy finas, depiladas, y María Magdalena debió de ponerse un corsé bajo su ruda vestimenta de un azul tan pálido que era casi blanco: se adivinaba que una mano inexperta había coloreado la película en blanco y negro. Sus pechos grandes, cónicos, turgentes, de formas poco naturales, su cintura de avispa. Cuando los feos soldados se repartían los ropajes entre carcajadas, aparecieron imágenes de todos los cataclismos posibles que daban la impresión de haber sido tomadas tal cual de documentales de la naturaleza e insertadas en la película con un clic. Nubes acumulándose a ritmo vertiginoso, relámpagos partiendo el ciclo, un embudo apuntando a la tierra: un tornado; el dedo de Dios dibujaría entonces florituras sobre la superficie terrestre. Después olas enfurecidas estrellándose contra la orilla, aparecían algunos veleros, pobres imitaciones de cartón piedra que unas aguas violentísimas hacían añicos. Volcanes en erupción, una eyaculación apoteósica que habría sido capaz de inseminar el cielo, pero ante la absoluta imposibilidad de hacerlo, la lava, impotente, se deslizaba por las laderas. Así, el ardiente éxtasis no pasaba de ser una simple polución nocturna.

Suficiente. Volví a disparar. Canal 350 Blue Line TV: una mujer masturbándose. Las puntas de sus dedos desaparecían entre sus delgados muslos. La mujer conversaba con alguien en italiano, hablaba a un micrófono prendido a su oreja, y aquella lengüecilla alargada lamía cada una de las palabras italianas que salían de su boca, cada *si, si* y *prego*.

354, Sex Satellite 1. Esta vez eran dos muchachas aburridas las que se masturbaban, debían de estar acabando su turno, ya que no lograban ocultar el cansancio. Una de ellas fijaba con un mando a distancia la posición de la cámara que las grababa; en este sentido eran del todo autosuficientes. De vez en cuando aún aparecía en sus rostros una mueca como si se llamaran al orden para volver a ponerse en situación —ojos entornados y boca entreabierta—, pero no tardaba en desaparecer. La expresión de sus caras volvía a ser de cansancio y desconcentración. Nadie las llamaba por teléfono, pese a lo incitador de los reclamos en árabe.

Y, de repente, el cirílico: el Génesis en alfabeto cirílico. Seguro que eran palabras solemnes las que aparecían en la parte inferior de la pantalla. Las ilustraban imágenes de montañas, mares, nubes, plantas y animales. En el 358 mostraban las mejores escenas de una estrella porno de nombre

Rocco. Me detuve en él un rato porque divisé gotas de sudor en su rostro. Mientras ejecutaba movimientos de frotación sobre unas nalgas anónimas, el hombre se puso la mano en la cadera y podría ser confundido con alguien que, perseverante, practicaba pasos de samba o salsa, uno, dos, uno dos.

En 288 Omán TV leían versículos del Corán. Al menos eso supuse. La hermosa escritura árabe, para mí del todo incomprensible, se deslizaba suavemente por la pantalla. Me habría gustado tomarla en la mano, tocarla, antes de preguntarme qué podía significar. Desenredar aquella intricada maraña, alisar aquella escritura y convertirla en una tranquilizadora línea recta.

Otro disparo y vi sermonear a un predicador de piel oscura a quien su público respondía con un entusiasta Aleluya.

La noche había silenciado la agresiva estridencia de canales con programas informativos, meteorológicos, de cine, dejando a un lado el ruido cotidiano del mundo y sustituyéndolo por el alivio del simple sistema de coordenadas: sexo y religión. Cuerpo y Dios. Fisiología y teología.

COMPRESAS

El envoltorio de cada una de las compresas que compré en una farmacia ofrecía informaciones breves y divertidas:

La palabra «letológica» describe la incapacidad de evocar la palabra buscada.

Ropografía: término que denota el apego del artista pintor a detalles y bagatelas.

Riparografía: pintura de restos mortales y monstruosidades.

Leonardo da Vinci inventó las tijeras.

En el baño, donde abrí el paquete que contenía tan singulares enseñanzas, me vino a la mente, como una revelación, la idea de que se trataba de una segunda parte de la gran enciclopedia *in statu nascendi* en la cual no iba a faltar nada. Así que volví al mismo sitio y encontré en sus estantes la peculiar empresa que había optado por unir lo imprescindible con lo útil. ¿Qué sentido tiene imprimir flores o fresas en el papel cuando este fue creado para ser portador de ideas? Envolver cosas en papel es malgastarlo, debería prohibirse. Ya puestos a envolver algo, que sean novelas y poemas, y siempre de manera que continente y contenido guarden nexo de unión.

Desde que cumple los treinta, el ser humano empieza a encogerse poco a poco.

Todos los años mueren más personas coceadas por un burro que en accidentes aéreos.

Si te encuentras en el fondo de un pozo, podrás ver las estrellas incluso de día.

¿Sabes que cumples años el mismo día que nueve millones de personas en todo el mundo?

Zanzíbar e Inglaterra libraron en 1896 la guerra más breve de la historia. Duró tan solo treinta y ocho minutos.

Si el eje de la Tierra estuviese inclinado un insignificante grado más, el planeta sería inhabitable, pues los territorios a lo largo del ecuador serían demasiado calurosos, y los de alrededor de los polos, demasiado fríos.

Debido a la rotación de la Tierra, cualquier objeto lanzado hacia el oeste llegará más lejos que uno lanzado hacia el este.

Un cuerpo humano medio contiene suficiente azufre como para matar a un perro.

Araquibutirofobia significa miedo a que la mantequilla de cacahuete se pegue al paladar.

Pero la que me causó mayor impresión fue esta:
El músculo más fuerte del cuerpo humano es la lengua.

RELIQUIAS. PEREGRINATIO AD LOCA SANCTA

En 1677, en la catedral de San Vito de Praga se podía ver: los pechos de santa Ana, intactos, guardados en un tarro de cristal de Bohemia, la cabeza del mártir san Esteban y la de Juan el Bautista. En la iglesia de Santa Teresa, las monjas enseñaban al público interesado a una hermana muerta treinta años atrás, muy bien conservada, que permanecía sentada detrás de una reja. En la de los jesuitas, a su vez, la cabeza de santa Úrsula y el sombrero y un dedo de san Javier.

Cien años antes, un polaco llegó a Malta y desde La Valeta escribió que un cura del lugar que le había hecho de guía por la ciudad le había enseñado: *«palmam dextram integram* (la mano derecha entera) de san Juan Baptista, fresquita, como del cuerpo recién cercenada, y, retirando el cristal, permitiome besarla con mis indignos labios, distinción mayor no cabe alcanzar en vida de este pecador, ni más grande bendición del Señor. Asimismo, permitiome besar un trocito de la nariz del santo y la pierna toda de san Lázaro Quadriduani y de santa Magdalena los dedos y una parte de la cabeza de santa Úrsula (antojóseme extraña tal cosa, pues también en Colonia, en el Rin, la había visto entera y posado en ella mis indignos labios)».

DANZA DEL VIENTRE

El camarero se apresuró a servir el café de sobremesa y se retiró al fondo de la sala, detrás de la barra; también él quería contemplarla.

Bajamos instintivamente la voz, porque las luces se estaban apagando suavemente y entre las mesas apareció la joven a la que había visto minutos antes fumando en la calle. Se plantó entre los comensales y sacudió su negra melena. Tenía los ojos cargados de maquillaje; su sostén, bordado con lentejuelas sobre los pechos, despedía llamativos destellos de todos los colores; habría gustado a los niños, a cualquier niña. Las pulseras de sus antebrazos tintineaban al entrechocar. Una larga falda le caía desde las caderas hasta los pies desnudos. La muchacha era muy bonita, sus dientes brillaban con un blanco irreal, sus ojos lanzaban atrevidas miradas bajo las cuales era imposible permanecer quieto, incitaban a moverse, levantarse, encender un cigarrillo. La mujer bailaba al ritmo de los tambores, y sus caderas presumían con orgullo, retando a duelo a cualquiera que osase dudar de su poder.

Un hombre recogió por fin el guante e, intrépido, arrancó a bailar; era un turista, sus bermudas no casaban con las lentejuelas de ella, pero lo intentó, movía con entusiasmo las caderas mientras sus compañeros de mesa pateaban el suelo y silbaban, excitados. Salieron también a bailar dos chicas jóvenes; en vaqueros, flacas como un látigo.

Aquel baile ejecutado en un bar barato era sagrado. Así lo percibíamos, yo y la mujer que me acompañaba.

Cuando se encendieron las luces, nos descubrimos, avergonzadas, secándonos con un pañuelo las lágrimas que nos anegaban los ojos. Los hombres, enardecidos, se burlaban de nosotras. Pero yo estaba segura de que la emoción de las mujeres al contemplar aquella danza era un camino más corto para aprehenderla que la excitación de los hombres.

MERIDIANOS

Una mujer llamada Ingibjörg viajaba a lo largo del meridiano cero. Oriunda de Islandia, empezó su viaje en las islas Shetland. Se quejaba de la imposibilidad, obvia, de moverse en línea recta, puesto que dependía por completo de las carreteras y de las rutas que cubrían los barcos de crucero y el ferrocarril. Aun así, intentaba no apartarse de su propia norma: seguir hacia el sur, maniobrando alrededor de esa línea, en zigzag.

Lo contaba con tanto entusiasmo y de modo tan ameno que no me atreví a preguntarle por qué lo hacía. De todos modos, es sabido lo que se suele contestar en semejantes casos: ¿y por qué no?

Mientras la mujer hablaba, los ojos de mi imaginación vieron la imagen de una gota deslizándose por la superficie de una esfera.

Y, sin embargo, la idea me sigue inquietando. Al fin y al cabo, el meridiano no existe.

UNUS MUNDUS

Tengo una amiga, poeta, a la que, lamentablemente, la poesía nunca le ha dado para vivir. ¿Quién se gana la vida con versos? Así que empezó a trabajar para una agencia de viajes, y como dominaba el inglés, la contrataron como guía de grupos de turistas estadounidenses. Su éxito era impresionante y la recomendaban a los visitantes más exigentes. Los recogía en Madrid, volaba con ellos hasta Málaga, donde subían a un ferry que los llevaba a Túnez. Eran por lo general grupos pequeños, de unas diez personas.

Disfrutaba de tales encargos, solía recibir dos al mes. Le gustaba recuperar las siempre insuficientes horas de sueño en los mejores hoteles. Para hacer de guía, debía prepararse por su cuenta, de manera que leía mucho. También escribía a escondidas. A veces, cuando acudía a su mente una idea especialmente seductora, o una frase, o una asociación, sabía que debía apuntarla enseguida, porque, si no, se esfumaría para siempre. Con la edad, la memoria falla, se abren en ella agujeros. Se levantaba, iba al baño y tomaba notas sentada en la taza del váter. Otras veces escribía en la mano, solo unas pocas letras, mnemotécnica.

No era especialista en los países árabes ni en su cultura, pero encontraba consuelo al decirse que sus turistas tampoco eran unos expertos. Había terminado una carrera de letras: literatura y lingüística.

–No nos engañemos –solía decir–, el mundo es uno.

La especialización no era necesaria, bastaba con la imaginación. A veces, cuando se producían interrupciones en uno u otro viaje, cuando había que quedarse esperando durante horas en una mísera sombra, en medio de la nada, porque acababa de romperse una correa del jeep, tenía que ingeniárselas para entretener a sus clientes. Entonces empezaba a contar historias. Es lo que esperaban de ella. Tomaba prestadas unas de Borges y las embellecía un poco, las dramatizaba. Otras procedían de *Las mil y una noches,* y también añadía algo de su propia cosecha. Decía que hacía falta encontrar alguna historia no llevada aún a la gran pantalla, y resultó que había bastantes. Les daba tintes de colorido árabe, demorándose en los detalles de los trajes, las comidas, el pelaje de los camellos. Era evidente que no le prestaban demasiada atención, porque al confundir más de una vez algún que otro hecho histórico, nadie la corrigió, así que acabó por restar importancia a los hechos.

HARÉN (RELATO DE MENCHU)

Un harén nunca podrá ser explicado con palabras. Descartadas estas por imposibles, tal vez debamos recurrir a la imagen del panal de una colmena, el intrincado orden de los intestinos, las interioridades de un cuerpo, los vericuetos de una oreja; espirales, callejones sin salida, apéndices vermiformes, blandos y redondos túneles que vienen a desembocar justo en la puerta de la cámara secreta.

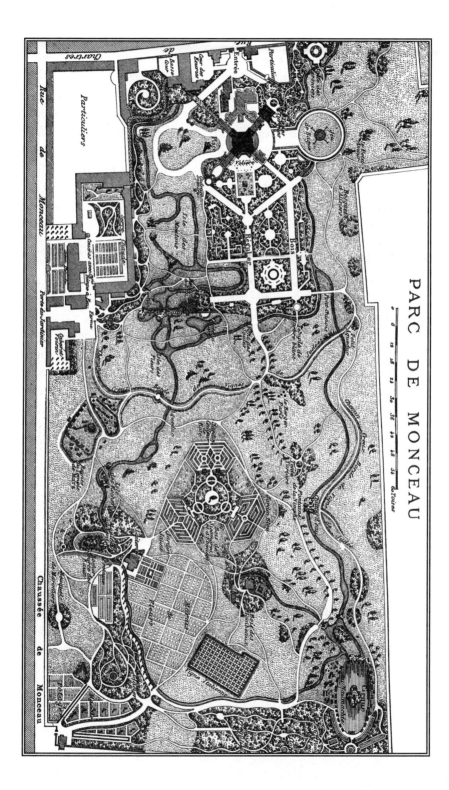

PARC DE MONCEAU

El centro está escondido en lo más profundo, como en un hormiguero, son las estancias de la madre del sultán, forradas con el nácar de las alfombras, perfumadas con inciensos de mirra, refrescadas por un curso de agua que hace de los alféizares lechos de arroyo. A su lado, las habitaciones de los hijos adolescentes; también ellos todavía son mujeres, inmersos en el elemento femenino, y lo serán hasta que la espada parta su saco amniótico de nácar. Más allá se abren patios interiores con su complicada jerarquía de cubículos para las concubinas: las menos deseadas se elevan hacia lo alto, como si sus cuerpos olvidados por el hombre experimentaran un misterioso proceso de angelización; las más mayores viven bajo el mismísimo tejado: no tardarán sus almas en volar a los cielos, y sus cuerpos, antaño seductores, quedarán secos como el jengibre.

Es entre esa abundancia de pasillos, atrios, alcobas secretas, claustros y patios donde el joven amo y señor tiene sus habitaciones, cada una con su real baño, donde, rodeado de augustos lujos, se entrega, sin que nadie lo perturbe, a su regia defecación.

Por las mañanas abandona los regazos maternos y sale al mundo, cual niño grande que apenas acaba, acaso demasiado tarde, de aprender a andar. Vestido con caftán de gala, interpreta su papel, para, al anochecer, regresar con alivio a su cuerpo, a sus propios intestinos, a las suaves vaginas de sus concubinas.

Vuelve de las estancias de los ancianos desde donde rige los destinos de su desértico país: recibe embajadas y hace política en su minúsculo reino en declive, una política vana. Las noticias son estremecedoras. El sanguinario enfrentamiento de tres grandes potencias no deja lugar a dudas; como en la ruleta, hay que apostar por un color y pronunciarse a favor de una de las partes. Imposible saber qué debe tomar en consideración ante tamaña disyuntiva: ¿el lugar de sus estudios universitarios?, ¿el apego a su cultura?, ¿la sonoridad de su lengua? Una incertidumbre que, por demás, alimentan las visitas; recibe todas las mañanas. Se trata de hombres de negocios, mercaderes, cónsules, turbios asesores. Se sientan ante él sobre cojines bordados, se enjugan el sudor de la frente, que, permanentemente cubierta por el casco de corcho, conserva un blanco sorprendente, color que recuerda a los rizomas subterráneos: estigma del origen diabólico de tales gentes. Otros, tocados con turbantes, atusan sus luengas barbas, no siendo conscientes de que semejante gesto solo puede asociarse con mentira y engaño. Todos tienen asuntos que dirimir con él, ofrecen sus servicios como negociadores, le instan a tomar la única decisión correcta. Todo ello le levanta dolor de cabeza. El reino es diminuto: apenas medio centenar de asentamientos en los oasis de un pedregoso desierto; toda su riqueza natural se reduce a unas minas de sal a cielo abierto. Sin salida al mar, carece de puertos, cabos estratégicos y estrechos. Las habitantes de ese pequeño país cultivan garbanzos, sésamo y azafrán. Sus maridos guían las caravanas de viajeros y mercaderes a través del desierto, hacia el sur.

No sintió nunca atracción por la política, se le escapa lo que pueda tener esta de fascinante, así como las razones por las que su gran padre le dedicó toda su vida. No cabe duda de que él en nada recuerda a su padre, quien a lo largo de décadas construyó ese pequeño país combatiendo a los nómadas. Entre sus numerosos hermanos, ha sido designado heredero solo porque su madre, persona ambiciosa, es la mayor de las viudas. Le aseguró el poder que ella misma no podía ostentar por haber nacido mujer. Su hermano, serio competidor, tuvo un desgraciado accidente: lo mató una picadura de escorpión. Las hermanas no cuentan, ni siquiera las conoce realmente. Cuando mira a las mujeres, nunca pierde de vista que cualquiera podría ser hermana suya, cosa que, curiosamente, lo llena de paz.

En ese sombrío grupo de hombres barbudos que forman el consejo de ancianos, no tiene amigos. Callan en cuanto lo ven aparecer en la sala de reuniones, así que siempre piensa que conspiran contra él. Seguramente es así. Tras el saludo ritual, tratan los asuntos pendientes lanzándole miradas que apenas ocultan el desdén y la antipatía, pero que exigen siempre su aprobación. En algunas ocasiones –por desgracia, cada vez más frecuentes– le parece que en esas fugaces miradas anida un odio del todo tangible, afilado como un cuchillo, que en el fondo no esperan el pronunciamiento final de un «sí» o un «no», sino que quieren comprobar si debiera ocupar por más tiempo ese lugar en el centro de la sala, mantener su privilegiada posición y si esta vez podrá emitir sonido alguno.

¿Qué esperan de él? Se siente incapaz de seguir sus exclamaciones, que le llegan solapadas y llenas de pasión, la lógica de sus argumentos. Le llama más la atención el hermoso turbante color azafrán de uno de ellos, que es ministro de reservas de agua dulce, o el aspecto malvado en sumo grado de otro: difícil no notar la enfermiza palidez de su rostro enmarcado por una pobladísima barba gris. Debe de estar enfermo y no tardará en morir.

«Morir»: la palabra infunde en el joven soberano una sensación de insuperable asco; está mal que haya pensado en ello, ahora nota cómo la saliva le inunda la boca y la garganta sufre leves contracciones: pérfido reverso del orgasmo. Hay que huir de aquí.

Por eso ya sabe lo que va a hacer, si bien guarda el secreto ante su madre.

Acude a verlo al anochecer, aunque ni siquiera ella está exenta de anunciar previamente su visita ante los guardias de confianza, dos eunucos negros como el ébano: Gog y Magog. Visita a su hijo mientras este se solaza en brazos de sus pequeños amigos, se sienta a sus pies sobre un cojín primorosamente tejido, hace tintinear sus pulseras. Con cada movimiento libera oleadas del especiado aroma de los aceites que impregnan su viejo cuerpo. Afirma estar al corriente de todo y le ayudará en su viaje si se compromete a llevarla con él. ¿Se da cuenta de que, dejándola aquí, la condenaría a muerte?

–Contamos con familiares leales en el desierto, seguro que nos darán refugio. Ya he mandado un mensajero con la noticia. Allí nos quedaremos hasta que se calmen los ánimos; entonces, disfrazados, tras coger lo que nos pertenece, el oro y las joyas, nos dirigiremos al sur, hacia los puertos, y desapareceremos de aquí para siempre. Nos instalaremos en Europa, pero no muy lejos, para que en días despejados podamos divisar la costa africana. Cuidaré de tus hijos, hijo mío –prosigue, probablemente creyendo aún en el éxito de la huida, pero ya no en lo que se refiere a los nietos, seguro que no.

¿Qué puede responder? Acaricia las sedosas cabecitas y dice que sí.

Sin embargo, en la colmena no hay secretos, las noticias se propagan hexagonalmente por el panal, las chimeneas, los retretes, por los corredores y los patios. Los propaga el aire caliente de los braseros de hierro colado en que se quema carbón vegetal para hacer más llevadero el frío del invierno. A veces, el viento que sopla desde el interior, el de la montaña, es tan gélido que una fina capa de hielo cubre la orina en los orinales de mayólica. Las noticias recorren las plantas de las concubinas, y todas, incluso las angelizadas de los pisos más altos, empaquetan sus exiguas pertenencias. Murmuran y se pelean por el lugar que ocuparán en la caravana.

En los días siguientes se hace notorio que la vida ha vuelto a palacio; tamaña agitación tiempo ha que no se veía. Por eso sorprende a nuestro soberano que nada adviertan Turbante Escarlata y Barba Rala.

Cree que son más tontos de lo que pensaba.

Ellos a su vez piensan exactamente lo mismo: que su soberano resulta ser más necio de lo imaginado hasta la fecha. Mucho menos habrá de apenarles. Y es que desde el oeste viene un poderoso ejército, por tierra y por mar, susurran. Dícese que son ingente multitud. Dícese que al mundo han declarado una guerra santa y que es su afán el de la conquista. Y lo que más les importa es Jerusalén, donde descansan los restos de su profeta. Nadie puede con ellos, son insaciables y capaces de cualquier vileza. Saquean las casas, violan a las mujeres, incendian los poblados, profanan las mezquitas. Erráticos y codiciosos, rompen todos los acuerdos y pactos. No hay duda: no se trata de ninguna tumba, les entregaríamos otras, que se las lleven, las tenemos en demasía. Si les interesan los cementerios, adelante, que se los lleven. Pero ahora sabemos que es tan solo un pretexto; quieren lo vivo, no lo muerto. Dícese también que en cuanto sus barcos atraquen en nuestras costas, ellos, emblanquecidos por el sol de su larga travesía y por la fina capa plateada con que la sal marina ha cubierto su piel, tocarán zafarrancho de combate en su ronca y atronadora lengua –ya que no saben hablar como los seres humanos ni tampoco leer la humana escritura– y correrán hacia nuestras ciudades para echar abajo las puertas de nuestras casas, romper en mil pedazos los cántaros de aceite, saquear nuestras despensas y alargar la mano, ¡qué horror!, bajo los zaragüelles de nuestras mujeres. No saben responder a ninguno de nuestros saludos, tienen la mirada perdida y los iris claros de sus ojos como apagados, incapaces de pensar. Hay quien sitúa en el fondo del mar el nacimiento de esta tribu, criada por olas y peces de plata, y es cierto, recuerdan a trozos de madera escupidos a la orilla, su piel ha adquirido el color de unos huesos con los que el mar ha jugado demasiado tiempo. Pero otros afirman que no es verdad: ¿cómo habría podido su soberano, hombre de barba roja, ahogarse en las profundidades del río Selef?

Así susurran, agitados, luego refunfuñan. Este soberano

nos ha fallado; su padre sí era bueno, habría dispuesto inmediatamente mil jinetes para el combate, fortificado las murallas, acumulado reservas de agua y grano en previsión de un asedio. Este, en cambio..., y alguien escupe al pronunciar su nombre y calla, horrorizado por lo que de su boca podría salir.

Se produce un prolongado silencio. Uno se atusa la barba, otro hunde la mirada en el complicado dibujo del suelo: un laberinto compuesto por pedazos de cerámica multicolor. El de más allá acaricia con el dedo la vaina de su daga, primorosamente incrustada de turquesas. Su dedo se desliza con ternura por las suaves protuberancias, ida y vuelta, ida y vuelta. Nada van a decidir hoy los valientes asesores y ministros. Apostados están ya afuera los fornidos guardias del ejército de palacio.

De noche, en silencio, brotan ideas en sus cabezas, crecen como plantas, maduran en un abrir y cerrar de ojos, no tardarán en florecer y dar fruto. Por la mañana parte a caballo un mensajero con una humilde petición al sultán, suplicándole que se haga cargo de ese pequeño país del que casi nadie se acuerda. El consejo de ancianos se ha rebelado y, por el bien de todos los justos y devotos de Alá, anuncia que depone a su inepto soberano —la imagen de la espada cayendo con ímpetu cristaliza— y ruega apoyo armado para defenderse del infiel que desde el oeste viene en gran número, tan grande como el de granos de arena del desierto.

Esa misma noche, la madre saca a su hijo de debajo de pieles y alfombras, y de los cuerpos de los niños con los que comparte cama el joven soberano; está profundamente dormido, ella lo sacude y le ordena vestirse.

—Todo está preparado, los camellos esperan, dos de tus corceles han sido ensillados, han enrollado las tiendas y las han amarrado a las cabalgaduras.

El hijo gime y plañe: ¿cómo vivir en el desierto sin platos y ensaladeras, sin estufas de carbón y sin alfombras donde acostarse con sus pequeñines? Y sin su retrete, sin la vista a la plaza y sus fuentes de agua cristalina desde las ventanas.

–Te matarán –susurra la madre, frunce el ceño y en su frente aparece una arruga vertical, afilada como un cuchillo. Su susurro resulta auténticamente reptil, es el silbido de una serpiente sabia junto al pozo–. ¡Levántate!

El sonido de pasos atropellados llega de detrás de varias paredes: las mujeres ya han hecho el equipaje: las más jóvenes, más grande; las mayores, más chico, para no dar motivos de queja. Un tímido hatillo, no más, solo los pañuelos, pendientes y pulseras de mayor valía. Aguardan acuclilladas en la puerta, ante la cortina, a que las vengan a buscar, y cuando la espera se prolonga demasiado, miran, impacientes, por la ventana, donde, hacia el este, sobre el desierto, aparece ya el resplandor rosa. No ven la inmensidad del desierto cuyas ásperas lenguas lamen la escalinata de palacio, porque sus ventanas dan a un claustro interior.

–El mástil sobre el cual tus antepasados plantaban la tienda era el eje del mundo, su centro. Allí donde plantes la tuya, allí estará tu reino –dice la madre empujándolo hacia la salida. Nunca antes hubiera osado tocarlo de esta manera, pero ahora con este gesto le da a entender que en las últimas horas ha dejado de ser el soberano de su pequeño país de azafrán–. ¿Qué esposas te vas a llevar? –pregunta, pero él no se da prisa en contestar, se limita a atraer hacia sí el grupito de sus pequeñines, niños y niñas, angelitos con cuyos delgados cuerpecitos desnudos se tapa por las noches; el mayor de los niños no tendrá más de diez años, la niña más pequeña, cuatro.

¿Esposas? Ninguna, ni vieja ni joven; buenas eran para palacio. Nunca las ha necesitado, se acostaba con ellas por la misma razón por la que todas las mañanas debía mirar las jetas barbudas de sus asesores. Penetrar sus generosas caderas, sus carnosos recovecos, nunca le proporcionó mayor placer. Lo que más le asqueaba eran sus sobacos peludos y la protuberancia de sus pechos. Por eso siempre se cuidó muy mucho de que en esos miserables receptáculos no cayera ni una gota de su valioso semen, de que no se desperdiciara una sola gota de vida.

Se había persuadido, en cambio, de que gracias a retener sus fluidos, gracias a los cuerpos delgados de los niños de los que sacaba fuerza mientras dormía, gracias al dulce aliento que echaban sobre su rostro, alcanzaría la inmortalidad.

–Nos llevaremos a los niños, mis pequeñines, mi docena de angelitos, que se vistan, ayúdales –dice a la madre.

–¡Estúpido! –silba ella–, ¿quieres llevarte a los niños? No sobreviviremos con ellos en el desierto ni un par de días. ¿No oyes acercarse murmullos y cuchicheos? No hay tiempo que perder. Allí donde lleguemos te harás con otros, incluso en mayor número. Deja a estos, nada les pasará.

Pero viendo su determinación, llora de rabia y se planta en la puerta con los brazos extendidos. El hijo se le acerca; se desafían con la mirada. Los niños los rodean en semicírculo, algunos se aferran al caftán de su amo. Los miran con tranquilidad e indiferencia.

–O yo, o ellos –dice la madre, imprudente, y cuando ve desde fuera estas palabras que acaban de salir de su boca, intenta aún recogerlas de vuelta con la lengua, pero ya no las alcanza.

En ese momento su hijo le asesta un violento puñetazo en el vientre, ese lugar que había sido años atrás su primera morada, una cámara blanda forrada de rojo y escarlata. En el puño sostiene una daga. La mujer se inclina hacia delante y la arruga de su frente derrama oscuridad sobre su rostro.

No hay tiempo que perder. Gog y Magog cargan sobre los camellos a los niños, los más pequeños en cestos, como pajarillos. Amarran los objetos de valor, recubren los rollos de telas preciosas con tosco lino, para disimularlos, y al despuntar por el horizonte el más pequeño retazo de sol, ya están en camino. Al principio, el desierto los obsequia con una gran riqueza de sombras alargadas que saltan de duna en duna dejando un rastro que tan solo un ojo experto sabrá distinguir. Con el paso del tiempo esa sombra irá menguando hasta desaparecer por completo cuando la caravana alcance por fin la anhelada inmortalidad.

OTRO RELATO DE MENCHU

Érase una tribu nómada que llevaba siglos viviendo en el desierto entre asentamientos cristianos y musulmanes, de manera que aprendió mucho. En épocas de hambruna, sequía u otras amenazas, sus miembros se veían obligados a pedir refugio a sus vecinos sedentarios. Antes, sin embargo, enviaban a un oteador que, desde los matorrales, espiaba las costumbres del asentamiento y por los sonidos, los olores y la vestimenta determinaba si aquel poblado era musulmán o cristiano. Traía la noticia a los suyos, estos sacaban de sus alforjas los accesorios apropiados para el caso y entraban en los oasis, presentándose como hermanos en la fe. Nunca les negaron ayuda.

Menchu juró que era verdad.

CLEOPATRAS

Me hallaba viajando en un autobús junto a una veintena de mujeres de negro rigurosamente tapadas. Se les apreciaban tan solo los ojos por una estrecha ranura: caí rendida ante el esmero y la belleza de su maquillaje. Eran ojos de Cleopatras. Bebían agua mineral ayudándose con gracia de una pajita; la pajita desaparecía en los pliegues de la negra tela hasta dar con sus hipotéticos labios. En aquel autobús de línea acababan de poner una película para amenizar el viaje: era Lara Croft. Fascinadas, mirábamos a esa muchacha de relucientes muslos y ágiles brazos que tumbaba a soldados armados hasta los dientes.

UN CUARTO DE HORA MUY LARGO

En el avión entre las 8.45 y las 9 horas. Para mí que aquello se prolongó durante una hora o más.

ASNO APULEYO

Me confió esta historia un criador de burros.

El negocio de los borriquitos puede presentarse así: como inversión es más bien costoso, tarda mucho en dar réditos, exige bastante trabajo. Fuera de temporada, cuando no hay turistas, se necesitan fondos para alimentarlos, cuidar de su pelaje y mantenerlos limpios. Este de color marrón oscuro es un macho, padre de toda una familia. Se llama Apuleyo, nombre que le puso una turista. Ese de ahí se llama Jean-Jacques, pese a ser una hembra. Y el más clarito es Jean-Paul. Tengo algunos más al otro lado de la casa. Ahora, en temporada baja, trabajan solo dos. A primera hora de la mañana, cuando empieza a haber movimiento, los llevo al lugar adonde no tardan en llegar los autocares.

Los peores son los norteamericanos, porque casi todos tienen sobrepeso. A menudo resultan demasiado pesados incluso para Apuleyo. Pesan el doble que otra gente. El burro es un animal inteligente, enseguida calibra el peso, y lo más probable es que se ponga nervioso con solo verlos bajar del autocar, sofocados, con grandes manchas de sudor sobre la camiseta y llevando pantalones hasta la rodilla. Tengo la im-

117

presión de que el olor le basta para distinguirlos, y después surgen problemas incluso cuando el tamaño no se sale de lo normal. Empieza a cocear, rebuzna a voz en cuello, se escaquea descaradamente de trabajar.

–Aun así, mis animales son buenos, así los he educado. Queremos que los clientes se lleven un buen recuerdo. Sin ser cristiano, entiendo que para ellos sea el punto culminante de la excursión. Vienen aquí para, a lomos de mis burros, visitar el lugar donde un tal Juan bautizó a su profeta con el agua del río. ¿Cómo saben que fue precisamente aquí? Por lo visto, así está escrito en su libro.

REPRESENTANTES DE LOS MEDIOS

Por la mañana se produjo un atentado. Un muerto y varios heridos. Se habían llevado ya el cuerpo. La policía cercó el lugar con una cinta rojiblanca de plástico tras la cual se veían enormes manchas de sangre en el suelo; alrededor de ellas revoloteaban las moscas. Una mancha opalescente de gasolina se desparramaba junto a una motocicleta tumbada; al lado, una red de fruta, mandarinas desperdigadas, sucias, chamuscadas; un poco más allá, unos trapos, una sandalia, una gorra con visera de color indeterminado, parte de un teléfono móvil: allí donde antes había pantalla, se abría ahora un agujero.

Bastantes personas se habían congregado junto a la cinta; contemplaban con espanto la escena. Hablaban poco, a media voz.

La policía demoraba el momento de limpiar el lugar porque esperaba a un periodista de un importante canal de televisión que debía emitir desde allí su crónica. Al parecer quería filmar sobre todo las manchas de sangre. Al parecer ya estaba de camino.

118

Una noche, cuando ya me había acostado después de todo un día de caminar, contemplar y escuchar, me acordé de Aleksandra y sus informes. De pronto la eché de menos. Imaginé que se encontraba en la misma ciudad, durmiendo con su bolso junto a la cama, nimbada por su melena de plata. Aleksandra Apóstol la Justa. Encontré su dirección en la mochila y apunté para ella otra Infamia de la que me acababa de enterar.

Cuando Atatürk llevaba a cabo sus valientes reformas en los años veinte del pasado siglo, Estambul era una ciudad llena de perros callejeros semisalvajes. Surgió incluso una nueva raza: un perro de tamaño mediano, pelo corto, pelaje claro, blanco o crema, o una combinación de manchas de los dos colores. Los perros vivían en los muelles del puerto, entre cafés y restaurantes, en calles y plazas. Por la noche se internaban en la ciudad para cazar; se mordían, escarbaban en la basura. Indeseados, volvieron a los viejos comportamientos naturales: unirse en manadas, elegir líderes como los lobos y los chacales.

Sin embargo, Atatürk anhelaba convertir Turquía en un país civilizado. En pocos días, destacamentos especiales cazaron miles de perros y los llevaron a los numerosos islotes cercanos, sin gente y sin vegetación. Y allí los soltaron. Privados de agua dulce y de comida, durante tres o cuatro semanas se estuvieron devorando unos a otros, y los habitantes de Estambul, sobre todo los propietarios de casas con balcones que daban al Bósforo y los clientes de restaurantes de pescado situados en el paseo marítimo, oían sus aullidos, pronto sustituidos por oleadas de un hedor insoportable.

Durante la noche me venían a la cabeza más y más pruebas de culpabilidad, incluso me descubrí empapada en sudor. Por ejemplo, un cachorro que había muerto congelado porque tenía por casa una bañera de hojalata volcada.

KALI-YUGA

El mundo se está volviendo cada vez más oscuro, convinieron los dos hombres que iban a mi lado a bordo de un avión; por lo que entendí, volaban a Montreal, donde iba a celebrarse un congreso de oceanografía y geofísica. Por lo visto, desde los años sesenta, la intensidad de la radiación solar ha disminuido un cuatro por ciento. La luz se va apagando a un ritmo medio de 1,4 % por década. El fenómeno no resulta lo bastante intenso como para ser detectado a simple vista, pero lo descubrieron los radiómetros. Demostraron, por ejemplo, que la cantidad de radiación solar que llegaba a la Unión Soviética entre 1960 y 1987 disminuyó nada menos que una quinta parte.

¿Cuál es la causa del oscurecimiento? No se sabe a ciencia cierta. Se atribuye a cosas como la contaminación del aire, el hollín, los aerosoles...

Me dormí y vi una imagen aterradora: una nube inmensa emergiendo en el horizonte, prueba de la sempiterna gran guerra librada en la lejanía, despiadada y cruel, destructora del mundo. Pero que no cunda el pánico, nosotros estamos –todavía– en una isla feliz: entre el celeste del cielo y el azul del mar. Bajo los pies, arena caliente y bultos convexos de conchas.

Pero esto es Bikini. Dentro de nada todo morirá, quedará calcinado, desaparecerá, o, en el mejor de los casos, sufrirá una mutación monstruosa. Aquellos que sobrevivan engendrarán niños monstruos, gemelos siameses unidos por la cabeza, un cerebro para un cuerpo duplicado, dos corazones en un pecho. Aparecerán sentidos nuevos para detectar la carencia, degustar la ausencia, ser capaces de una particular precognición. Saber lo que no sucederá. Oler lo que no existe.

El resplandor rojo oscuro crece, el cielo tira a marrón, el mundo se vuelve cada vez más oscuro.

COLECCIONES DE MODELOS DE CERA

Mi peregrinación es siempre en pos de otro peregrino. En esta ocasión, de cera.

Viena, Josephinum, colección de figuras de cera anatómicas, recién renovada. En un día lluvioso de verano, recaló allí, además de mí, otro viajero, un hombre de mediana edad, pelo cano, gafas de montura de alambre, interesado tan solo en un único modelo; tras dedicarle un cuarto de hora, desapareció con inescrutable sonrisa en los labios. Yo, en cambio, tenía planeado quedarme mucho más rato. Me había provisto de un bloc de notas y una cámara de fotos, en el bolsillo llevaba incluso caramelos con cafeína y una barrita de chocolate.

Poco a poco, no queriendo perderme ninguno de los objetos expuestos, avanzaba a pasos cortos a lo largo de las vitrinas acristaladas.

Modelo 59. Un hombre de dos metros, desollado. Su cuerpo está primorosamente entretejido de músculos y tendones, como un encaje. El primer vistazo produce un gran impacto, debido seguramente a un reflejo condicionado: la vista de un cuerpo despellejado resulta de por sí dolorosa, pica y escuece, como la carne viva que, en nuestra infancia, asomaba de una rodilla pelada. El modelo tiene un brazo echado hacia atrás, y la mano derecha, levantada por encima de la cabeza, protege los ojos del sol con la gracia de una escultura de la Antigüedad, como si mirara a contraluz, hacia la lejanía. Conocemos el gesto por la pintura: así se otea el

121

futuro. El modelo 59 podría exhibirse en el cercano museo de arte; en realidad, no sé por qué lo condenaron al vergonzante Museo de Anatomía. Debería exponerse en la mejor galería de arte, porque es obra de arte por partida doble: por su impecable ejecución en cera (sin duda alguna, logro mayor del arte naturalista) y también por la concepción misma. ¿Quién es el autor del diseño?

Modelo 60. También presenta músculos y tendones, pero nuestra atención se centra sobre todo en la suave cinta de los intestinos, perfectamente proporcionados. En su lisa superficie se reflejan las ventanas del museo. Solo al cabo de un rato descubro, asombrada, que es una mujer, ya que luce un perverso colgajo: fijaron a su bajo vientre un trozo de piel de conejo gris, con una raja alargada que resaltaron con no poca grosería. Por lo visto, el autor del modelo pretendía aclarar al visitante poco ducho en materia de anatomía que estaba ante unos intestinos de mujer. De ahí el sello peludo, la marca registrada de un sexo, el logo femenino. El modelo 60 presenta los sistemas cardiovascular y linfático como aureola de los intestinos. La mayoría de los vasos sanguíneos se apoya en los músculos, pero parte de ellos se exhibe, temerariamente, como una red suspendida en el aire, y solo entonces se abarca en todo su esplendor el milagro fractal de esos hilos rojos.

Más adelante hay brazos, piernas, estómagos y corazones. Cada modelo está cuidadosamente colocado sobre un retazo de seda que desprende un suave brillo perlado. Los riñones emergen de la vejiga cual dos anémonas. «Extremidad inferior y sus vasos sanguíneos», reza la inscripción en tres idiomas. Una red de vasos linfáticos del bajo vientre, ganglios, estrellitas, broches con los que una mano desconocida ornamentó la monotonía muscular. Los vasos linfáticos bien podrían servir de modelo a los joyeros.

En preeminente lugar de esta colección de cera yace el modelo 244, el más bello, el mismo que tanto interesó al hombre de gafas de montura metálica y que enseguida captará mi atención durante media hora.

Es una mujer yacente, casi entera; su cuerpo ha sido intervenido en un único sitio: el vientre abierto muestra a peregrinos como nosotros el aparato reproductor, alojado bajo el diafragma, la matriz con los ovarios por cofia. También aquí estamparon el peludo sello de sexo. Innecesariamente. Al fin y al a cabo, no cabe duda de que es una mujer. Cubrieron con sumo cuidado el monte de Venus con una imitación de pelo y más abajo abrieron muy minuciosamente la entrada de la vagina, casi indetectable, solo para los más persistentes, que no vacilarán en acuclillarse junto a los pequeños pies de dedos rosáceos, como hizo el hombre de las gafas. Y me digo: qué bien que se haya largado, ahora me toca a mí.

La mujer tiene el pelo rubio, suelto, los ojos entornados y la boca entreabierta, se le ve la punta de los dientes. Rodeando el cuello, un collar de perlas. Me impresiona la inocencia absoluta de sus pulmones, tersos y sedosos, justo debajo de las perlas; nunca habrán dado siquiera una calada a un cigarrillo. Bien pudieran ser los pulmones de un ángel. El corazón, partido transversalmente, revela su naturaleza dual, dos cámaras, forradas de aterciopelado tejido rojo, hechas para un monótono vaivén. El hígado arropa al estómago como unos labios carnosos y sanguinolentos, también están a la vista los riñones y los uréteres, que recuerdan a la raíz de una mandrágora apoyada sobre el útero. La matriz es un músculo grato de ver, grácil y bien formado, resulta difícil de imaginar como causa de la histeria en un deambulatorio recorrido por el cuerpo, como se creía en tiempos. No cabe duda: los órganos están empaquetados en el cuerpo con minuciosidad, listos para un largo viaje. Asimismo, la vagina, el corte longitudinal desvela su secreto, un túnel corto como un callejón sin salida sin utilidad aparente, pues no constituye entrada alguna al interior del cuerpo. Aboca a una cámara ciega.

Me senté en un duro banco al lado de una ventana, frente a aquella silenciosa multitud de modelos de cera y, agotada, me dejé llevar por un acceso de emoción. ¿Qué músculo me atenazaba la garganta? ¿Cuál sería su nombre? ¿Quién inventó el cuerpo humano, y, por lo tanto, ostenta su eterno *copyright*?

VIAJES DEL DOCTOR BLAU I

De perilla gris y pelo entrecano, viaja a un congreso dedicado a la conservación de especímenes médicos, principalmente a la plastinación de tejidos humanos. Se arrellana en su butaca, se pone unos auriculares y escucha una cantata de Bach.

La muchacha de las fotografías que ha revelado y lleva ahora consigo luce un peinado divertido: corte recto en la nuca y mechones más largos delante; le caen sobre los hombros desnudos tapándole la cara con coquetería, dejando ver tan solo la línea color arcilla de la boca pintada sobre la lisa superficie del rostro. Eso le chiflaba a Blau, esa boca, al igual que su cuerpo: menudo, compacto, de pechos pequeños y pezones punteando la aterciopelada superficie de su caja torácica. Cadera estrecha y muslos bastante macizos. Sentía debilidad por las piernas fornidas. «Fuerza en los muslos» podría llamarse su particular hexagrama 65. La mujer de muslos fuertes es como un cascanueces –piensa el doctor Blau–, meterse entre ellos entraña el peligro de ser destrozado. Meterse entre ellos equivale a desactivar una bomba.

Esto lo excita. Él mismo es menudo y flaco. Pone en riesgo su vida.

Mientras le hacía estas fotos fue presa de la excitación. Como también él estaba desnudo, su estado resultaba cada vez más visible, incluso evidente. No se avergonzó por ello,

124

dado que tenía la cara oculta tras la cámara; era un minotauro mecánico con rostro-cámara, una lente monocular fijada en un tallo que, con el zoom, avanzaba y retrocedía cual trompeta mecánica.

No dejó de advertir la muchacha el estado del doctor, lo que le infundió seguridad en sí misma. Alzó los brazos, entrelazó las manos sobre la nuca, dejando así al descubierto sus indefensas axilas, las posibilidades ciegas, aún por desarrollar, de su entrepierna. Al elevarse, los pechos aparecieron casi planos, como de chico. Blau se le acercó de rodillas con la cámara pegada al rostro y le hizo una foto desde abajo. Temblaba. Le pareció que el mechón de vello negro –convertido por el afeitado en una línea cuyo efecto óptico adelgazaba aún más las caderas y atraía como un signo de admiración– estaba a punto de rajarle el objetivo. Su erección ya era significativa, la muchacha tomó un sorbo de vino blanco, una retsina griega al parecer, y se sentó en el suelo, cruzando las piernas ocultó aquel lugar que tanto había emocionado al doctor. Él adivinó qué significaba aquel movimiento: el anuncio de la horizontalidad que le aguardaba esa noche.

Pero no era eso lo que él buscaba. Retrocedió hasta la ventana, su escuálida nalga desnuda tocó durante unos instantes el frío alféizar mientras seguía fotografiando. Fue inmortalizado un nuevo desnudo, posaba sentada esta vez. La muchacha, joven como un corderito, sonrió orgullosa ante la disposición del cuerpo del doctor, ello significaba que con su magia era capaz de obrar a distancia, ¡cuánto poder! Pocos años antes, siendo todavía una niña, jugaba a ser maga, a mover objetos con la mera fuerza de su voluntad. A veces, hasta le dio la sensación de que una cucharita o un pasador se movían un milímetro. Pero jamás objeto alguno se había sometido a su voluntad de forma tan palmaria, tan teatral.

Sin embargo, solo ahora se veía Blau abocado a una misión verdadera. Imposible evitar lo inevitable: sus cuerpos se buscaban. La muchacha se dejó acariciar y tumbar boca arriba. Con el tacto de sus finos dedos, el doctor desactivó la bomba. El hexámetro de los muslos se abrió a toda posible interpretación. La cámara hizo clic.

Blau posee toda una colección de fotos como esas, por decenas, tal vez por cientos: cuerpos femeninos sobre una pared desnuda. Las paredes difieren porque también difieren los lugares: hoteles, pensiones, su despacho en la Academia de Medicina o su propio piso. Los cuerpos, en el fondo, se parecen, no hay misterio alguno.

Pero no las vaginas. Son como las huellas dactilares, en realidad tales órganos vergonzantes, menospreciados por la policía, bien podrían ser empleados para las identificaciones: son absolutamente irrepetibles. Bellas como orquídeas que atraen insectos con su forma y color. Qué extraña idea la de pensar que ese mecanismo botánico pervivió incluso después de la aparición del *Homo sapiens*. Queda claro: su eficacia estaba probada. Es como si la naturaleza celebrase esa idea en forma de pétalo. Tanto le gustó que la prolongó un poco más allá, sin prever, seguramente, que la psique humana escaparía a su control ocultando aquello que había sido tan bellamente ideado. Lo ocultaría bajo la ropa interior, en medias palabras, en el silencio.

Guarda las fotos en cajas de cartón estampadas, cajas compradas en Ikea cuyo diseño ha ido variando con los años según la moda de cada momento, desde el kitsch chillón de los ochenta, pasando por los sobrios grises y negros de los noventa, hasta hoy: vintage, pop-art, etno. Ello hace innecesario el datarlas, enseguida sabe cuál es cuál. El doctor sueña, sin embargo, con crear una verdadera colección, compuesta no solo de fotografías.

Cada parte del cuerpo merece un sitio en la memoria. Cada cuerpo humano, la perdurabilidad. Es un escándalo que sea tan frágil y delicado. Es un escándalo que se lo deje pudrir bajo tierra o ser pasto de las llamas, que se lo queme como se hace con la basura. Si del doctor Blau dependiera, habría creado el mundo de manera diferente: el alma podría ser mortal, al fin y al cabo, ¿qué provecho sacamos de ella?, no así el cuerpo, este debiera ser inmortal. Nunca sabremos hasta qué punto es diverso el género humano e irrepetible cada individuo, si con tanta ligereza condenamos los cuerpos a la destrucción, barruntaba el doctor. Se comprende que antes fuera así: faltaban tanto los medios como los métodos de conservación. Solo los más ricos podían permitirse el lujo de ser embalsamados. Pero hoy la ciencia de la plastinación avanza a gran velocidad y no cesa de perfeccionar sus métodos. Cualquiera que lo desee puede salvar su cuerpo de la destrucción y compartir con otros su belleza y misterio. He aquí el maravilloso sistema de mis músculos, dirá un corredor campeón del mundo en cien metros lisos. Mirad cómo funciona. He aquí mi cerebro, exclamará el más grande de los ajedrecistas. Mirad esos dos surcos atípicos, llamémoslos «diagonales del alfil». He aquí mi vientre, por él vinieron al mundo mis dos hijos, dirá una madre orgullosa. Así se lo imagina Blau. Es su visión de un mundo justo que no destruya lo sagrado con tanta ligereza. De modo que pone al servicio de esa visión todo su quehacer.

¿Por qué iba ello a suponer un problema? Para nosotros los protestantes, seguro que ninguno. Pero ni siquiera los católicos tienen por qué clamar al cielo: a fin de cuentas, contamos con antiguos archivos, colecciones de reliquias, el mismísimo Jesucristo mostrando su carnoso corazón sangrante podría ser patrón de la plastinación.

*

El suave rumor de los motores confería una profundidad inesperada al coro de voces en los auriculares del doctor. El avión volaba rumbo al oeste, así que la noche no acababa donde debiera, sino que se arrastraba, rezagada. Blau levantaba de vez en cuando la persiana de la ventanilla para comprobar si por alguna parte del horizonte no asomaba ya un resplandor blanco, anuncio de un nuevo día, de nuevas posibilidades. Pero nada ocurría. Se apagaron las pantallas, fin de la película. Cada tanto aparecía un mapa y, sobre él, el icono de un avión que recorría a paso de tortuga una distancia no cuantificada. El mismo mapa parecía haber sido ideado por Zenón el cartógrafo: toda distancia es infinita en sí misma, cada punto abre nuevos espacios imposibles de superar y todo movimiento no es sino ilusión: viajamos sin movernos del sitio.

Un frío inimaginable en el exterior, una inimaginable altura, inimaginable el fenómeno de lanzar una pesada máquina al aire enrarecido. «Wir danken dir, Gott», cantaban los ángeles en los auriculares del doctor Blau.

Lanzó una mirada a la mano de la mujer sentada a su izquierda y le costó Dios y ayuda contener el deseo de acariciarla. La mujer dormía apoyada en el brazo de un hombre. A la derecha de Blau dormitaba un chico algo regordete. Su mano colgaba inerte del asiento y casi tocaba el pantalón del doctor. Se abstuvo también de acariciar esos dedos.

Pegado a su asiento, respiraba el mismo aire que los dos centenares de pasajeros embutidos como él en el alargado espacio del avión. Eso era precisamente por lo que tanto le gustaba viajar: en camino, las personas se ven obligadas a permanecer juntas, cuerpo a cuerpo, una cerca de otra, como si el objetivo del viaje no fuera sino otro viajero.

Pero cada uno de esos seres a cuya presencia estaba condenado todavía durante –consultó el reloj– cuatro horas parecía monádico, liso y brillante; una bola en el juego de la petanca. Por eso el roce era el único modo de contacto que se activaba en los algoritmos instintivos de Blau: tocar con la punta del dedo, con la yema, notar la lisa y fría curvatura. Sus manos ya habían perdido la esperanza de hallar allí una grieta palpable, lo tenían comprobado miles de veces en los cuerpos de las muchachas: no existía rasguño oculto ni un triste resquicio que, levantado por la uña, le invitara a internarse, ni protuberancia, ni secreta palanca, ni botón que, una vez pulsado, liberase algo con un chasquido, ni muelle que accionara el mecanismo capaz de revelar a sus ojos unas interioridades tan anheladas como complejas. ¿Y si la complejidad no fuera tal? Tal vez se trate en realidad de algo simple, apenas el reverso de la superficie, solo que vuelta hacia dentro, una espiral vuelta hacia sí misma. La superficie de esas mónadas oculta secretos insondables, no anuncia en absoluto la deslumbrante riqueza de unas estructuras tan maravillosa e ingeniosamente empaquetadas; ni el viajero más avezado sabría componer así su equipaje: separar –en aras del orden, la seguridad y la estética– los órganos con membranas peritoneales, forrar el espacio con tejido adiposo, amortiguarlos. Así discurría la enardecida mente de Blau, sumida ya en un inquieto duermevela aéreo.

Todo va bien. Blau se siente feliz. ¿Qué más se podría pedir? Está viendo el mundo desde lo alto, su orden hermoso y tranquilo. Un orden antiséptico. Habita conchas y grutas, granos de arena y trayectos de vuelos regulares, la simetría, pues siglos ha que el lado derecho encaja con el izquierdo, y viceversa, la elocuente luz de los paneles de información y la luz en general. El doctor Blau se ha arrebujado en la manta, un ancho pedazo de forro polar propiedad de la compañía aérea, y ha caído profundamente dormido.

*

Blau era todavía un niño cuando su padre –un ingeniero que, como tantos profesionales de los países del Este, pasó años en Dresde trabajando en la reconstrucción de la ciudad destruida por la guerra– lo llevó al Museo de la Higiene. Allí, el pequeño Blau vio al Gläserner Mensch, el hombre de cristal creado por Franz Tschackert con fines didácticos. Un gólem de dos metros, sin piel, compuesto de órganos de vidrio, reproducciones perfectas dispuestas en un cuerpo transparente, sin misterio aparente alguno. Era un particularísimo homenaje a la naturaleza, la autora de tamaña perfección de diseño. Entrañaba ligereza e ingenio, sentido del espacio y gusto, belleza conjugada de simetrías. Una maravillosa maquinaria humana de formas racionales oblongas, y de soluciones ya divertidas (la construcción de la oreja), ya excéntricas (la del ojo).

El hombre de cristal se hizo amigo del pequeño Blau, al menos en su infantil imaginación. A veces lo visitaba en su cuarto, se sentaba cruzando las piernas y se dejaba observar. En ocasiones se reclinaba cortésmente para posibilitar que el chico captase algún detalle, que comprendiese de qué manera un músculo de cristal abrazaba tiernamente un hueso y por dónde desaparecía la sangre. Se convirtió en su amigo íntimo, en su callado compañero de cristal. Parece ser que es corriente que los niños jueguen con amigos imaginarios.

Cobraba vida en los sueños del niño, no con frecuencia, podría decirse: incidentalmente. Ni siquiera en su niñez tuvo Blau predilección por lo vivo, o en todo caso solo hasta cierto punto. Entonces, cuando le ordenaban que apagase la luz, consumían la noche en muda conversación, bajo el edredón. ¿Sobre qué? No lo recuerda. Durante el día, en cambio, se convertía en su ángel de la guarda e, invisible, lo acompañaba en las peleas de colegio, siempre dispuesto, en la imaginación del niño, a atizar un puñetazo en la boca de sus enemigos, a ese compañero de clase que armaba jaleo durante las excursiones en grupo al jardín botánico, aburridas y agotadoras, que consistían sobre todo en aguardar a que el grupo se completara. El grupo: forma de socialización colectiva que a Blau le resultaba especialmente antipática.

El padre le regaló por Navidad una miniatura de plástico que no tenía ni punto de comparación con el original, era más bien la estatuilla de una divinidad que recordaba la existencia de la verdadera.

El pequeño Blau poseía una imaginación espacial portentosa, lo que habría de ayudarle más tarde en sus estudios de anatomía. Gracias a esa imaginación, sometía a control la invisibilidad del Gläserner Mensch. Podía iluminar aquella parte de su cuerpo que consideraba digna de atención y hacer desaparecer aquello que carecía de importancia en un determinado momento. De ahí que la figura de cristal apareciera a veces como un hombre hecho de tendones y músculos, sin piel, sin rostro, un simple plexo de músculos y cuerdas tensadas, hinchadas por el esfuerzo. Sin saber cómo ni cuándo, el pequeño Blau aprendió anatomía. Su padre, hombre de mente científica y exigente, lo miraba con orgullo, vislumbraba el futuro de su hijo, muy concreto: médico, investigador... Para su cumpleaños le regaló unas tablas anatómicas bellamente coloreadas, y como regalo de Pascua recibió un esqueleto humano de tamaño natural.

De joven, durante su época de estudiante universitario y justo después de acabada la carrera, Blau viajó mucho. Visitó por entonces casi todas las colecciones anatómicas accesibles. Cual fan de una banda de rock, persiguió a Von Hagens y su demoníaca exposición hasta lograr conocer al maestro en persona. Aquellos viajes fueron trazando círculos, volvían al punto de partida, hasta que se hizo evidente que su destino no se hallaba lejos, sino ahí mismo, en el interior del cuerpo.

Estudió medicina, que no tardó en aburrirlo. No le interesaban las enfermedades y menos aún su tratamiento. El cuerpo muerto no enferma. Solo se mostraba activo en las clases de anatomía, se presentaba voluntario para participar en las prácticas, que rehuían siempre, despavoridas, sus compañeras. Versó su tesis doctoral sobre historia de la anatomía y se casó con una compañera de curso que, tras especializarse en pediatría, pasaba todo el tiempo en el hospital, lo cual resultaba para él de lo más conveniente. Cuando su mujer se salió con la suya y dio a luz a una niña, Blau, ya por entonces profesor adjunto en la Academia de Medicina, empezó a viajar por congresos y cursos, así que ella se buscó a un ginecólogo a cuya gran casa, con consulta en el sótano, se mudó con la hija. De esta manera consiguieron cubrir un segmento completo de la procreación humana.

Entretanto Blau escribió una magnífica disertación titulada «Preservación de muestras patológicas mediante plastinación con silicona. Una aportación innovadora a la enseñanza de la anatomopatología». Los estudiantes le endosaron el mote de «Formaldehído». Se dedicó a investigar la historia de las muestras anatómicas y de la preservación de tejidos. Visitó decenas de museos en busca de material de trabajo y, finalmente, se instaló en Berlín, donde le ofrecieron un buen puesto en la catalogación de la colección del recién creado Medizinhistorisches Museum.

La vida privada se la organizó de forma conveniente y sin sobresaltos. Se sentía decididamente mejor viviendo solo, satisfacía las necesidades sexuales con sus estudiantes, a las que, prudentemente, invitaba primero a un café. Sabía que esto no estaba permitido, pero partía de la premisa sociobiológica de que la universidad era su territorio natural y ellas a fin de cuentas eran mujeres adultas que sabían lo que hacían. Era bien parecido: apuesto, aseado, bien afeitado (se dejaba perilla de vez en cuando, cómo no, perfectamente recortada), y ellas eran curiosas como urracas. No parecía capaz de mantener una historia de amor; siempre usaba preservativo y sus necesidades no eran excesivas, ya que gran parte de su libido se satisfacía con la sublimación intrínseca. Por eso esa esfera de su vida no planteaba problemas, ni sombras, ni culpa alguna.

Al principio se tomó el trabajo en el museo como un descanso del didactismo de la universidad. Cuando entraba en el atrio del complejo arquitectónico del campus de la Charité, con su cuidado césped, sus árboles fantasiosamente podados, sentía que, en cierto sentido, se hallaba en un lugar atemporal. Se encontraba en pleno corazón de una gran ciudad, y, sin embargo, no llegaba hasta allí ruido ni ajetreo alguno. Estaba relajado, silbaba.

Solía pasar el tiempo libre en los inmensos sótanos del museo, que estaban conectados con los de los otros edificios del hospital. Esos pasadizos, por lo general, estaban abarrotados de librerías, viejas vitrinas polvorientas y armarios blindados que en tiempos guardaron Dios sabe qué y que acabaron por encontrar allí su sitio, vacíos desde Dios sabe cuándo. Sin embargo, algunos de esos pasillos eran transitables, y habiéndose agenciado copia de unas cuantas llaves, Blau aprendió a recorrerlos para moverse por todo el complejo. Peregrinaba a diario de esta manera hasta el bar.

Su trabajo consistía en desempolvar y sacar de los más recónditos rincones de los depósitos del museo tarros con muestras y objetos de exhibición conservados de diversas maneras y en proceder a su experta identificación. Le ayudaba en ello un señor muy viejo, apellidado Kampa, que había superado con creces la edad de jubilación, pero le prorrogaban el contrato de trabajo de año en año porque ya no quedaba nadie que se orientara en aquellos enormes almacenes.

Ordenaban un estante tras otro. El señor Kampa limpiaba primero la parte superior de los tarros, asegurándose de no dañar la etiqueta. Juntos aprendieron a descifrar la hermosa caligrafía antigua, levemente inclinada. Por lo general, la etiqueta lucía el nombre en latín de la parte del cuerpo o de la enfermedad, así como las iniciales, el sexo y la edad del propietario de los órganos que presentaba la muestra. A veces aparecía su profesión. De esta manera supieron que ese tumor de intestino de considerable tamaño había estado en el vientre de una modista, A. W., edad 54. Pero a menudo la información aparecía inexacta y borrosa. En muchos casos, el lacre usado para hermetizar las tapas de las muestras conservadas en alcohol se había resecado dejando penetrar el aire en su interior, el líquido se enturbiaba y envolvía el espécimen en una densa niebla; en tales casos era obligatorio destruir la muestra. Se reunía una comisión compuesta por Blau, Kampa y dos trabajadores de las plantas superiores del museo, y lo ratificaba por escrito, momento en que el señor Kampa llevaba al crematorio del hospital aquellos fragmentos humanos desechados que había extraído del tarro dañado.

Algunas muestras requerían un especial cuidado (cuando el recipiente estaba bastante deteriorado). Entonces Blau se llevaba el espécimen a su pequeño laboratorio y allí, con sumo cuidado, lo sometía a un baño purificador y luego, después de examinarlo a conciencia y tomar muestras (que congelaba), lo colocaba en un recipiente nuevo, el mejor del mercado, sumergiéndolo en una solución acorde con los tiempos que él mismo se encargaba de preparar. De esta manera regalaba a los especímenes, si no ya la inmortalidad, al menos una vida mucho más larga.

Por supuesto no solo se encontraban allí especímenes conservados en tarros. También había cajones llenos de fragmentos de hueso sin clasificar, cálculos renales, fósiles, un armadillo momificado y otros animales, todos en deplorable estado. Una pequeña colección de cabezas maoríes, máscaras de piel humana; dos de ellas, las más terroríficas, acabaron también en el crematorio.

Pese a todo, él y Kampa descubrieron auténticos tesoros

arqueológicos. Por ejemplo, dieron con cuatro especímenes de la célebre colección Ruysch, reunida a caballo de los siglos XVII y XVIII, dispersa y de destino desconocido. Por desgracia uno de ellos, el *Acardius hemisomus,* que hoy podría ser la joya de cualquier colección teratológica, hubo de ser condenado al crematorio debido a una fisura en una de las paredes del recipiente; no se pudo salvar. La comisión, al contemplar el espécimen en avanzado estado de descomposición, se planteó por un momento si en tales casos no debería pensarse en alguna forma de entierro.

Blau se alegró mucho de este descubrimiento, porque gracias a él podía someter a numerosos análisis la célebre mixtura de Frederik Ruysch, anatomista neerlandés de finales del siglo XVII. Resultaba muy efectiva para su época: preservaba el color original del espécimen y evitaba la hinchazón, cosa que por entonces constituía una auténtica pesadilla para la conservación en líquido. Blau descubrió que, además de brandy de Nantes y pimienta negra, la solución contenía extracto de raíz de jengibre. Escribió un artículo y se sumó al viejo debate en torno a los ingredientes de la «mixtura de Ruysch», esa agua estigia donde lo sumergido tendría garantizada la inmortalidad, al menos del cuerpo. Desde entonces, Kampa dio en llamar pepinillos en vinagre a sus colecciones subterráneas.

Junto con Kampa –pues fue él quien una mañana le trajo este espécimen–, descubrieron algo extraordinario en lo que Blau trabajaría durante varios meses para comprender la composición y el funcionamiento exactos del conservante líquido. A saber: un brazo, de hombre, fuerte (la circunferencia del bíceps: 54 centímetros), 47 centímetros de longitud, con corte limpio, sin duda para mostrar el tatuaje: multicolor, la figura de una ballena, dibujada con gran sentido de la proporción, emergiendo de un mar encrespado (blancas crestas captadas con precisión y gracia barroca) y arrojando sus chorros hacia el cielo. La ejecución del dibujo era perfecta, en particular el cielo, que en la parte exterior del brazo aparecía de un intenso azul que se oscurecía paulatinamente al acercarse a la axila. Ese juego cromático se había conservado perfectamente en el líquido traslúcido.

El espécimen carecía de descripción. El tarro recordaba a los que se fabricaban en los Países Bajos en el siglo XVII, es decir, tenía forma cilíndrica, puesto que se desconocía aún cómo trabajar el vidrio para obtener ortoedros. El espécimen, fijado en la tapa de pizarra con crin de caballo, parecía flotar en el líquido. Pero lo que le pareció más extraño era el propio líquido... No era alcohol, aunque, a primera vista, Blau creía que procedía de principios del siglo XVII, y de los Países Bajos. Era una mezcla de agua y formaldehído con una pequeña cantidad de glicerina. La composición parecía muy moderna, igual que la solución Kaiserling III, todavía usada hoy en día. El cierre ya no tenía por qué ser hermético, puesto que la mezcla no se evaporaba como el alcohol. En la cera que mal que bien precintaba la tapa, encontró unas huellas dactilares, hallazgo que lo emocionó sobremanera. Imaginó que aquellas diminutas líneas onduladas, ese laberíntico sello natural, pertenecían a alguien como él.

Se podría decir que se hizo cargo de ese brazo y ese dibujo con amor. En adelante, no intentaría averiguar a quién había pertenecido ni quién pudo enviar aquel brazo tatuado a un viaje a través del tiempo.

Vivieron también un momento de espanto que relataría tiempo después a una estudiante de primero, observando, satisfecho, cómo sus ojos se hacían cada vez más redondos de puro asombro y sus pupilas cobraban color negro mate, lo cual, según los sociobiólogos, era señal de interés erótico.

En unas cajas de madera abandonadas en uno de los pasillos sin salida, encontraron momias disecadas en pésimo estado. De piel completamente ennegrecida, seca y agrietada, el relleno de pasto marino asomaba por las costuras rasgadas.

Los cuerpos, encogidos y resecos, estaban ataviados, por añadidura, con vestimentas que en tiempos debían de ser ricas y multicolores; ahora todos los encajes y gorgueras lucían el mismo color de polvo. Sus adornos, pliegues y volantes habían perdido nitidez, estaban hechos una maraña de materia medio podrida de la que, aquí y allá, asomaba un botón de nácar. La boca, abierta y ensanchada por décadas de sequedad, dejaba ver manojos de hierba.

Encontraron dos momias así, no muy grandes, de apariencia infantil, pero tras un minucioso examen Blau descubrió que, gracias a Dios, se trataba de chimpancés, muy mal trabajados, una chapuza poco profesional; comerciar con este tipo de momias era práctica habitual en los siglos XVIII y XIX. Por supuesto, sus conjeturas se podían corroborar, también se comerciaba con momias humanas que acababan formando parte de colecciones de cierta envergadura. Por lo general, se intentaba conservar aquello distinto y excepcional, personas de otras razas, espectacularmente tullidas, enfermas.

–Rellenar los cadáveres es el método más sencillo de conservarlos –presumía Blau de su erudición ante dos alumnas a las que hacía de guía por la provisional colección subterránea, invitación que ellas aceptaron con entusiasmo y que Kampa desaprobaba. Blau esperaba que al menos una de ellas se dejara convidar a una copa de vino para así aumentar su colección con una foto más–. En realidad, solo se deja la piel –prosiguió–, por lo que no se trata de un cuerpo en el sentido estricto de la palabra. Solo es un fragmento del mismo, su forma exterior, superpuesta sobre un maniquí de heno. La momia es una manera bastante penosa de conservar un cuerpo. Solo crea la apariencia de que lo tenemos entero ante nuestros ojos. En el fondo, un truco evidente. Una ilusión circense, ya que solo conserva forma y envoltura externas. Y, en consecuencia, la destrucción del cuerpo, es decir, la antítesis ideológica de la preservación. Una barbaridad.

Sí, fue un alivio descubrir que no se trataba de momias humanas. Habrían tenido problemas, pues la ley prohíbe taxativamente guardar cuerpos humanos enteros en los museos estatales (siempre y cuando no se trate de momias de la Antigüedad, aunque respecto a esto también empiezan a oírse voces de protesta). Si hubieran sido personas, niños, como pensaban al principio, habrían tenido que afrontar complicados procedimientos burocráticos. Muchas veces había oído hablar de esos incómodos descubrimientos a la hora de catalogar colecciones en Academias de Medicina y universidades.

El emperador José II creó en Viena una colección de estas características. Decidió reunir en su gabinete de curiosidades todo lo raro, cada manifestación de la aberración del mundo, cada olvido en esta materia. Su sucesor, Francisco I, no dudó en disecar a Angelo Soliman, uno de sus cortesanos de piel negra, tras la muerte de este. Su momia, ataviada tan solo con un taparrabos de hierba, haría las delicias de los invitados del monarca.

PRIMERA CARTA DE JOSÉPHINE SOLIMAN A FRANCISCO I, EMPERADOR DE AUSTRIA

Con dolor y gran tribulación, diríjome a Vuestra Majestad con motivo de la infamia que se ha abatido sobre mi padre, que en paz descanse, Angelo Soliman, fidelísimo servidor de vuestro tío paterno, Su Graciosa Majestad Imperial José, y albergando grandísima esperanza de que lo acontecido se deba a un terrible error.

La historia de la vida de mi padre es bien conocida de Vuestra Majestad, sé que Vuestra Majestad lo conocía personalmente, lo apreciaba por su dedicación y lealtad de muchos años, especialmente como fiel servidor y maestro en el juego del ajedrez, al igual que vuestro tío, que en paz descanse, el emperador José, así como numerosos personajes que sentían por él aprecio y respeto. Contaba con magníficos amigos que tenían en alta estima las cualidades de su espíritu y mente, su gran sentido del humor y la bondad de su corazón. Durante muchos años mantuvo relación de amistad con el señor Mozart, a quien vuestro tío tuvo la gentileza de encargar una ópera. Distinguiose asimismo como diplomático, y su prudencia, altas miras y sabiduría merecían unánime reconocimiento.

Me permitiré trazar en esta carta un breve recordatorio de la historia de mi padre para así restituir su persona en la memoria de Vuestra Majestad. Pues nada nos hace más humanos que el hecho de que cada uno de nosotros posea su propia historia, única e irrepetible, que hollemos el tiempo con nuestra huella. Pero aun si nada hacemos por nuestros prójimos, ni por nuestro soberano ni por el Estado, tenemos derecho a un entierro digno, el cual constituye el acto de restituir a las manos del Creador su creación, es decir, el cuerpo humano.

Mi padre nació hacia 1720 en el norte de África, mas los primeros años de su vida hállanse sumidos en enigmática oscuridad. A menudo hizo mención de lo confuso de su recuerdo del tiempo de su primera infancia. Su memoria se remontaba apenas al momento en que, siendo un niño de pocos años, fue vendido como esclavo. Nos habló horrorizado de aquello que quedó grabado para siempre en su memoria. Un largo viaje por mar en la oscura bodega de un barco, escenas del Infierno de Dante que desfilaban ante sus ojos infantiles cuando fue separado de sus padres y parientes más próximos. Sus padres fueron probablemente a parar al Nuevo Mundo, él en cambio, un negrito, una mascota de ébano, pasó de mano en mano como un bichón maltés o un gatito persa. ¿Por qué hablaría de ello tan pocas veces? ¿No habría debido hacer lo contrario: contarlo todo a menudo y en voz bien alta una vez alcanzada su posición? Creo que su silencio se debía a la convicción, una terrible convicción que tal vez se ocultase a sí mismo, de que cuanto antes borrara de su memoria los hechos dolorosos, antes perderían estos su poder, dejarían de perseguirnos y el mundo se volvería un poco mejor. Si la gente no llegase a conocer hasta qué punto un hombre puede ser cruel con otro hombre, conservaría la inocencia. Sin embargo, lo perpetrado con el cuerpo de mi padre tras su muerte demuestra hasta qué punto estaba equivocado.

Tras un sinnúmero de tristes y dramáticas peripecias, la esposa del Príncipe de Liechtenstein, dama de gran corazón, compró su libertad en Córcega y se lo trajo a la corte. Encontrose de tal modo en Viena, donde Su Alteza la Princesa tomó gran afecto al niño e, incluso, tal vez le profesara –me aventuraré a usar esta palabra– amor. Gracias a ella, recibió una educación exquisita. De su origen exótico y lejano apenas guardó noticia en su memoria, nunca le oí referirse, y soy su única hija, a sus raíces. No sentía añoranza alguna. Había puesto todo su corazón en servir al tío de Vuestra Majestad.

No en vano se dio a conocer como político consumado, embajador perspicaz y hombre encantador. Siempre rodeado de amigos. Era querido y respetado. Por añadidura gozó de un extraordinario privilegio: la amistad del emperador José llamado El Segundo, tío paterno de Vuestra Majestad, quien en numerosas ocasiones tuvo la gentileza de confiarle misiones que requerían de gran inteligencia.

En el año de 1768 contrajo matrimonio con la que iba a ser mi madre, Magdalena Christiani, viuda de un general holandés, la felicidad y la armonía conyugal reinaron en sus vidas hasta la muerte de ella. Yo soy el único fruto de aquella unión. Después de muchos años de provechoso trabajo, tomó la decisión de dimitir del servicio al Príncipe de Liechtenstein, su benefactor, pero no cesó su relación con la corte, siempre al servicio del Emperador.

Soy consciente de lo mucho que mi padre debía a la bondad de la que es capaz un corazón humano y al natural deseo de apoyo mutuo. Muchas existencias humanas que habían partido de situación igualmente desdichada que la de mi padre se malograron y desaparecieron en el caos del mundo. Pocos hijos de esclavos negros tuvieron la oportunidad de alcanzar en sus vidas una posición tan elevada y significativa como mi padre. Mas precisamente por eso su caso es tan llamativo: muestra que en cuanto seres creados por la mano de Dios somos hijos Suyos y hermanos entre nosotros.

Tanto yo como numerosos amigos de mi padre, que en paz descanse, que ya han escrito a Vuestra Majestad respecto a este asunto, os rogamos nos devolváis el cuerpo de mi padre y permitáis que le demos cristiana sepultura.

Esperanzada,

Joséphine Soliman von Feuchtersleben

LOS MAORÍES

momificaban las cabezas de los miembros de sus familias muertos y las guardaban en señal de luto. Las fases de la momificación: evaporar, ahumar y engrasar. Sometidas a tales tratamientos, las cabezas se conservaban en buen estado, con su pelo, piel y dientes.

VIAJES DEL DOCTOR BLAU II

Emergía ahora desde el cuerpo del avión y atravesaba interminables túneles siguiendo las flechas e indicaciones luminosas que dividían amablemente a los pasajeros entre los llegados a destino y los que debían continuar viaje. Una torrencial multitud fundida por unos instantes en el gran aeropuerto antes de volver a dispersarse. Un proceso de selección indoloro que lo condujo a una escalera mecánica y, enseguida, a un largo y ancho pasillo donde una cinta transportadora daba fluidez al tráfico. Quienes llevaban prisa sacaban partido a las bondades de la técnica y, una vez en la cinta, penetraban en otra dimensión temporal: caminando con parsimonia, adelantaban a los demás. Pasó junto a una cabina acristalada para fumadores donde los amantes de la nicotina obligados a la abstinencia durante un largo vuelo se entregaban al vicio con el deleite dibujado en sus rostros. Se le antojaron al doctor miembros pertenecientes a distinta especie, una cuyo ecosistema es otro, no el aire sino una mezcla de humo y dióxido de carbono. Los miraba a través del cristal con cierto asombro, como se mira a los seres de un terrario: en el avión parecían sus semejantes, pero aquí su naturaleza biológica se revelaba diferente.

Mostró su pasaporte, y el funcionario le lanzó una breve mirada profesional, cotejando ambos rostros: el de la foto y el del otro lado del cristal. A todas luces, el doctor Blau no despertó dudas, pues fue admitido sin problemas en el territorio nacional de ese Estado extranjero.

Llegó en taxi a la estación de ferrocarril, en cuyas taquillas mostró su billete electrónico. Como aún faltaban más de dos horas para que saliera su tren, entró en un bar que apestaba a grasa rancia y, mientras aguardaba su plato de pescado, se dedicó a observar a la gente.

Nada de particular diferenciaba esta estación de otras. Una gran pantalla sobre el panel de salidas reproducía los habituales anuncios: de champús y tarjetas de crédito. Los archiconocidos logos hacían que ese mundo extraño resultara seguro. Tenía hambre. La comida de plástico del avión no había dejado huella alguna detectable en su cuerpo, como si de algo inmaterial se tratara, hecho tan solo de forma y olor; se dice que una comida así será la servida en el paraíso. Ali-

142

mento para espíritus hambrientos. Pero ahora un buen trozo de pescado frito con crudités y otro de carne blanca dorada en la sartén reponían las fuerzas en el menudo cuerpo del doctor. Pidió vino también, que aquí venía en prácticas botellitas que contenían lo mismo que una copa bien servida.

Se durmió en el tren. No se perdió gran cosa, porque el tren avanzaba despacio por la ciudad, atravesando túneles y suburbios que no se diferenciaban de otros suburbios, con idéntico diseño de los grafitis en viaductos y garajes. Al despertar, vio el mar, una angosta franja clara entre las grúas del puerto y los feos pabellones de los almacenes y astilleros.

«Estimado señor», decía la mujer en su carta, «sus preguntas y la manera de formularlas me inspiran, debo reconocerlo, profunda confianza. Quien sabe por qué pregunta es capaz de contestarse a sí mismo. Tal vez necesite usted esa proverbial pizca capaz de inclinar la balanza.»

Se preguntó a qué pizca se refería. Consultó con suma atención el término en un diccionario. No conocía proverbio alguno que juntase pizca con balanza. Llevaba el apellido de su marido, pero el nombre, Taina, se le antojó de un exotismo que bien pudiera significar que provenía de un país lejano y una lengua igual de exótica en que pizca y balanza casaran a la perfección. «Lo mejor, por supuesto, sería que nos encontráramos. Para entonces habré estudiado su dosier y echado un vistazo a todos sus artículos. Véngase a mi casa, ahí es donde mi marido trabajó hasta el final y su presencia es perceptible aún. No cabe duda de que nos será de ayuda en nuestra conversación.»

Era una pequeña localidad a orillas del mar que se extendía a lo largo de la costa y que estaba rodeada por una sencilla carretera de asfalto. El taxi tomó un desvío que bajaba hacia el mar justo antes de la señal de fin de poblado, y pasaban

143

ahora junto a unas casas de madera que regalaban la vista, ceñidas por balcones y terrazas. La que estaba buscando resultó ser grande y la más elegante de esa calle de grava. La rodeaba una tapia de poca altura tupidamente cubierta por alguna planta trepadora endémica. La verja estaba abierta, pero él le pidió al taxista que lo dejara en la calle y, haciendo rodar su maleta, enfiló la entrada por un camino cubierto de gravilla. Ocupaba el centro del aseado patio un magnífico árbol, sin duda conífero, pero probablemente caducifolio, como un roble cuyas hojas por un motivo u otro se hubieran reducido hasta adquirir un aspecto acicular. Nunca había visto uno igual; su corteza casi blanca recordaba a la piel de un elefante.

Nadie respondió al leve golpeo de sus nudillos, así que, tras permanecer indeciso unos instantes en el porche de madera, osó girar el picaporte. La puerta cedió abriéndole paso a un salón amplio y luminoso. El mar llenaba por completo la ventana de enfrente. Un gran gato rubio apareció junto a sus pantorrillas, maulló y se escabulló al exterior, ignorando por completo al invitado. El doctor, seguro de que no había nadie en la casa, dejó la maleta y salió al porche a esperar a la anfitriona. Estuvo allí alrededor de un cuarto de hora, observando el imponente árbol, y luego empezó a paso lento a dar la vuelta a la casa, rodeada, como todas las demás de la zona, por una terraza de madera en la que (como en cualquier otra parte del mundo) había livianos muebles de jardín salpicados de cojines. En la parte trasera, descubrió un jardín con un césped muy bien cortado y densamente poblado de arbustos en flor. Reconoció en uno de ellos una fragante madreselva y, siguiendo un sendero flanqueado por cantos rodados, descubrió un pasadizo que seguramente bajaba directamente hasta el mar. Tras un momento de duda, lo enfiló.

La arena de la playa parecía casi blanca, fina, limpia, salpicada aquí y allá por pequeñas conchas blancas. Se preguntó el doctor si no debería descalzarse, pues, a su entender, era de mala educación entrar en una playa privada con los zapatos puestos.

Divisó a lo lejos una figura que salía del agua; la veía a contraluz, el sol, aunque ya bajo, aún deslumbraba. La mujer llevaba un bañador de color oscuro. Al alcanzar la orilla, se inclinó para recoger una toalla en la que enseguida se envolvió. Con una punta se frotó el pelo. Luego, con las chanclas en la mano, caminó hacia el atribulado doctor, que no sabía qué hacer. ¿Dar media vuelta y alejarse o, por el contrario, salir a su encuentro? Hubiese preferido conocerla en el silencio de un despacho, de forma más oficial. Pero ya la tenía a su lado. Con la mano tendida para saludarlo, pronunció el apellido del doctor en tono interrogativo. De mediana estatura, frisaría la sesentena y su tez morena se veía cruelmente surcada por arrugas; era evidente que aquella mujer no escatimaba en baños de sol. Si no fuera por ello, sin duda parecería más joven. Mechones de su corta melena rubia se le habían pegado al cuello y a la cara. La toalla en que se había envuelto le llegaba hasta las rodillas, por debajo asomaban unas piernas uniformemente bronceadas y unos pies deformados por sendos juanetes.

–Vamos a casa –dijo.

Lo invitó a tomar asiento en el salón y desapareció durante unos minutos. El doctor se ruborizó de puros nervios, sentía como si la hubiera pillado en el cuarto de baño mientras se cortaba las uñas. El encuentro con su viejo cuerpo casi desnudo, con esos pies y ese pelo mojado lo tenía completamente desconcertado. Pero ella no parecía darle ninguna importancia. Volvió vestida con pantalón claro y camiseta, algo entrada en carnes, los músculos de sus brazos fláccidos, la piel llena de pecas y lunares, alborotaba con la mano su cabellera aún húmeda. No era así como se la había imaginado. Pensaba que la esposa de un hombre como Mole sería diferente. Diferente ¿cómo? Más alta, más recatada, refinada.

En blusa de seda con guirindola de encaje y un camafeo en el cuello. Alguien que no se bañaba en el mar.

Se sentó frente a él, acurrucó las piernas y le acercó un cuenco con bombones. Tomó uno también y retrajo las mejillas al masticarlo. La estudió lanzando una mirada escrutadora, vio sus ojeras, hipotiroidismo o, simplemente, flaccidez del *musculus orbicularis oculi*.

—Así que es usted —dijo ella—. Recuérdeme, por favor, a qué se dedica exactamente.

Se tragó el bombón de golpe, no importaba, cogería otro. Se presentó por segunda vez y habló escuetamente de su trabajo y sus publicaciones. Recordó su *Historia de la conservación*, recién publicada e incluida en el dosier que le había enviado. Elogió a su esposo. Dijo que el profesor Mole había revolucionado el campo de la anatomía. Ella lo escrutaba con sus ojos azules y una sonrisa de satisfacción contenida que tanto podía ser amistosa como irónica. Aparte del nombre, nada tenía de exótica esa mujer. Se le ocurrió que tal vez no era ella, que estaba hablando con una cocinera o una sirvienta. Al concluir se frotó nerviosamente las manos, aunque hubiera preferido contener ese claro síntoma de neurosis; se sentía incómodo con la camisa del viaje; de pronto, como si leyera en su mente, ella se levantó de un salto.

—Le enseñaré su habitación. Acompáñeme, por favor.

Lo condujo escaleras arriba hasta el oscuro primer piso, allí le indicó una puerta. Entró primero y descorrió unas cortinas rojas. Las ventanas daban al mar, la luz anaranjada del sol inundó la estancia.

—Mientras se instala, prepararé algo para comer. Debe de estar cansado, ¿verdad? ¿Cómo ha ido el vuelo?

Respondió breve y convencionalmente.

—Le espero abajo —dijo al salir.

No se explicaba cómo había sucedido: esa mujer más bien bajita, con su pantalón claro y su camiseta estirada, con ges-

146

to apenas perceptible reorganizó todo el espacio y todas las expectativas y elucubraciones del doctor, tal vez con solo un arquear de cejas. Anuló todo el largo y agotador viaje, los discursos que traía preparados, los posibles escenarios. Impuso los suyos. Era ella quien dictaba las normas. El doctor se sometió sin chistar. Resignado, tomó una ducha rápida, se cambió de ropa y bajó.

Sirvió para cenar una ensalada con picatostes de pan integral y verduras al horno. Vegetariana. Menos mal que se había zampado aquel pescado en la estación. Sentada frente a él y acodada en la mesa, desmenuzaba restos de picatoste con la punta de los dedos mientras hablaba de alimentación sana, de lo nocivo de la harina y el azúcar, de las granjas orgánicas de los alrededores donde compraba verduras, leche y el jarabe de arce con que sustituía el azúcar. En cambio, el vino era bueno. Entre el cansancio y la poca costumbre de tomar alcohol, le bastaron al doctor dos copas para sentirse achispado. Componía nuevas frases en su cabeza, pero ella siempre se le adelantaba. Con la botella ya casi vacía, le relató la muerte de su marido. Un choque de lanchas motoras.

–Solo tenía sesenta y siete años. No había nada que hacer con el cuerpo. Completamente destrozado.

Pensó que rompería a llorar, pero ella tomó otro picatoste y se puso a desmenuzarlo sobre los restos de su ensalada.

–No estaba preparado para morir, pero ¿quién lo está? –Se quedó pensativa–. Pero sé que le habría gustado tener un discípulo a su altura, no solo una persona competente sino alguien que sintiese pasión por el trabajo, como le pasaba a él. Era un gran solitario, usted lo sabe. No dejó testamento ni instrucciones. ¿Debo donar sus especímenes a un museo? Ya me han contactado varios. ¿No conocerá usted alguno de confianza? Hay tan malas vibraciones en torno a los plastinados, y eso que hoy en día, para hacer algo, no hace falta descolgar de la soga los cuerpos de los ahorcados –suspiró, enrolló con elegancia una hoja de lechuga y se la llevó a la boca–. Pero sé que querría tener un sucesor. Algunos de sus proyectos apenas están empezados; intento continuarlos yo misma, pero no tengo ni tanta energía ni tanto entusiasmo como él... Soy botánica de carrera, ¿sabe? Hay, por ejemplo, un problema... –empezó y dudó de si debía proseguir–. No importa, tendremos tiempo para hablarlo más adelante.

El doctor asintió con la cabeza, reprimiendo la curiosidad.

–Pero usted, que yo sepa, se ocupa principalmente de especímenes históricos, ¿no es cierto?

Blau esperó a que sus palabras se desvanecieran del todo, subió corriendo la escalera y, emocionado, bajó de nuevo con su portátil.

Apartaron los platos y la pantalla no tardó en despedir su frío brillo. El doctor pensó con inquietud en lo que pudiera tener en el escritorio, no fuera a ser que quedase alguna imagen caliente, pero no, no hacía mucho que lo había limpiado. Esperaba que ella hubiera leído lo referente al currículum que le había enviado, que hubiera hojeado sus libros. Ahora los dos se inclinaban sobre la pantalla.

Al contemplar sus trabajos, le pareció que lo miraba con admiración. Tomó nota mentalmente: dos veces. Grabó en la memoria lo que la había impresionado. Era experta en la materia, planteaba preguntas pertinentes. No esperaba el doctor que tuviera tan sólidos conocimientos. Su piel desprendía el ligero perfume de una de esas lociones corporales que usan las mujeres mayores: agradable, de polvos de arroz, inocente. El dedo índice de su mano derecha, el mismo con el que tocaba la pantalla, estaba adornado por un extraño anillo con una piedra en forma de ojo humano. En la piel de la mano le afloraban manchas oscuras de hígado. El sol había castigado manos y rostro por igual. Se preguntó por la técnica capaz de neutralizar ese efecto en una piel tan fina y arrugada por el sol.

Ocuparon después sendos sillones. Ella trajo de la cocina media botella de oporto y sirvió dos copas.

Él preguntó:

—¿Podré ver el laboratorio?

Tardó en contestarle. Tal vez por el oporto que tenía en la boca como antes el bombón. Finalmente dijo:

—Hay un buen trecho desde aquí.

Se levantó y empezó a recoger la mesa.

—Pero si se cae usted de cansancio.

Después de ayudar a poner los platos en el lavavajillas, subió, aliviado, escaleras arriba, mascullando un «buenas noches» apenas audible. Se sentó en el borde de la cama hecha y acto seguido se tumbó de lado, sin fuerzas para quitarse la ropa. Lo último que oyó fue a ella llamando al gato desde la terraza.

A la mañana siguiente lo hizo todo meticulosamente: se bañó, dobló la ropa sucia en perfectos cuadrados y la metió en una bolsa, deshizo la maleta, colocó sus cosas en los estantes y colgó las camisas en las perchas. Se afeitó, se puso crema hidratante, se frotó las axilas con su desodorante favorito, reforzó su pelo entrecano con un poco de gel. Solo dudó sobre si ponerse o no las sandalias, pero pensó que lo adecuado sería calzar sus zapatos con cordones. Al terminar, bajó en silencio (sin saber el porqué) las escaleras. Ella debía de estar ya levantada, porque en la encimera de la cocina lo esperaban una tostadora y unas rebanadas de pan. Además de un tarro de mermelada, mantequilla y un cuenco con miel. Su desayuno. También una cafetera con café. Se comió las tostadas de pie en la terraza, mirando el mar, supuso que habría vuelto a salir a nadar, así que sin duda regresaría desde allí. Prefería ser el primero en verla, antes de que ella lo viera. Era él quien quería tener la situación bajo control.

Se preguntaba si le enseñaría el laboratorio. Le picaba la

curiosidad. Aun sin explicaciones por su parte, él podría sacar conclusiones de aquello que viera.

La técnica de Mole era un misterio. Aunque el doctor se había formado una idea, tal vez incluso estuviera a punto de desentrañarlo. Había visto especímenes de Mole en Maguncia y también en la Universidad de Florencia con motivo del Congreso Internacional de Preservación de Tejidos. Adivinaba cómo Mole conservaba los cuerpos, pero desconocía la composición de los fijadores, no sabía qué efecto producían en los tejidos. Ni tampoco si era necesario algún tipo de preparación, un tratamiento previo. ¿Cuándo y cómo se aplicaban los productos químicos? ¿Qué sustituía a la sangre? ¿Cómo se plastinaba el tejido interno?

Comoquiera que lo hiciese Mole (y su mujer, de cuya participación ya no le cabía la menor duda), sus especímenes eran perfectos. Los tejidos conservaban su color natural y mantenían cierta plasticidad. Eran blandos, aunque también lo suficientemente duros como para conferir al cuerpo la forma adecuada. Por añadidura, se separaban fácilmente, lo que resultaba una herramienta pedagógica increíble: se los podía separar y unir de nuevo. Posibilidades infinitas de viajar a través de un organismo conservado. Desde el punto de vista de la historia de la preservación, el descubrimiento de Mole se revelaba revolucionario, no tenía parangón. Las plastinaciones de Von Hagens constituían un primer paso en esa dirección, paso que se antojaba hoy en día menos relevante.

Volvió a aparecer envuelta en una toalla, esta vez rosa, pero no venía del mar sino del cuarto de baño. Se sacudió el pelo mojado y se puso junto a la encimera de la cocina donde calentaba la leche para el café en un cazo de metal. Movió el émbolo con rejilla abajo y arriba, despacio, hasta que la espuma de la leche se derramó silbando sobre la candente placa de vitrocerámica.

–¿Ha dormido bien, doctor? ¿Le apetece un café?

Oh sí, café. Aceptó agradecido la taza permitiéndole añadir un poco de espumosa leche. Escuchaba con fingido interés la historia del gato rubio que un buen día, el día de la muerte del anterior gato rubio que tuvieron, llegó a casa sin que se supiera de dónde, se sentó en el sofá como si allí viviera desde siempre y... se quedó. De manera que prácticamente no notaron el cambio.

–La fuerza de la vida. Nuevos individuos ocupan los espacios abandonados, calientes aún –suspiró la mujer.

Pobre Blau, hubiera preferido ir directamente al grano. Charlar nunca fue su fuerte, le aburrían las frases pronunciadas para mantener el balsámico murmullo de la vida social. No deseaba más que acabar el café y pasar a la biblioteca, ver dónde trabajaba Mole y qué leía. ¿Lo tendría en un estante a él, Blau, a su *Historia de la conservación?* ¿Qué caminos transitaría hasta llegar a sus extraordinarios descubrimientos?

–Es curioso que él también, como usted, empezase estudiando los trabajos de Ruysch.

Sí, por supuesto, lo sabía pero no quería interrumpirla.

–Su primer trabajo publicado era la demostración de que Ruysch había intentado conservar los cuerpos enteros, eliminando los fluidos naturales, hasta donde era posible hacerlo en aquella época, y sustituyéndolos por una mezcla de cera líquida, talco y grasa animal. Así preparados, los cuerpos, igual que otros especímenes parciales, debían ser sumergidos en «agua estigia». Parece ser que la idea fracasó debido a la falta de recipientes de vidrio lo suficientemente grandes.

Lanzó al doctor una mirada fugaz.

–Le enseñaré ese trabajo –dijo, y se dirigió a paso ligero, y con el café en la mano, hacia la puerta corredera, que se le resistía. Él la ayudó a abrirla mientras ella le sostenía la taza.

Al otro lado de la puerta estaba la biblioteca: una hermosa y amplia estancia con paredes cubiertas de estanterías desde el techo hasta el suelo. Sin errar el tiro, extrajo de una de ellas una separata grapada. Blau la hojeó, dejando entender lo bien que conocía ese texto. De todos modos, nunca le habían interesado los especímenes en líquido; para él, un callejón sin salida. El caso del inglés William Berkeley, el almirante de la flota que Ruysch había embalsamado con líquido, le interesaba tan solo en función de la problemática del *rigor mortis*. Ahí radicaba precisamente el secreto del magnífico aspecto de su cuerpo descrito con tanta admiración por sus coetáneos. Ruysch logró conferirle un aspecto muy relajado pese a haber recibido un cuerpo de varios días, completamente rígido. Al parecer, tenía unos sirvientes contratados expresamente para atenuar el *rigor mortis* mediante pacientes masajes.

Pero de ahí le interesaba otra cosa. Devolvió la separata y, ávido, se dedicó a contemplar el lugar.

Junto a la ventana vio un enorme escritorio y en la pared de enfrente, vitrinas acristaladas. ¡Especímenes! Blau no pudo contener la excitación y se encontró junto a esas vitrinas sin saber cómo. Le pareció contrariada, no le había dado tiempo para, pausadamente, como en un museo, prepararlo para lo que estaba a punto de ver. Se había adelantado.

—A este seguro que no lo conoce —dijo algo enfurruñada, señalando con el dedo a un gato rubio.

Los miraba tranquilo, sentado en una posición que denotaba su conformidad con esa forma de existencia. El segundo gato, el vivo, se coló tras ellos y ahora, como reflejado en el espejo, contemplaba a su predecesor.

—Tóquelo, cójalo en brazos, doctor —lo animó la mujer envuelta en su toalla rosa.

Temblándole las manos, descorrió el vidrio y tocó el espécimen. Estaba frío pero no duro. El pelo cedió bajo la yema de su dedo. Blau lo cogió con cuidado por debajo del pecho y la panza, como se levanta a los gatos vivos, y se sintió... raro: el gato tenía el mismo peso que uno vivo y reaccionó de la misma manera a la presión de la palma de su mano. Una sensación increíble. Su expresión al mirarla fue tal que la mujer se echó a reír y volvió a sacudirse el pelo, ya medio seco.

–¿Ves? –dijo tuteándolo, como si con el secreto de aquel espécimen adquirieran una intimidad propia de familiares cercanos–. Colócalo aquí boca arriba.

Lo hizo con sumo cuidado, ella se acercó y posó la mano sobre el vientre del gato.

Bajo su propio peso, el cuerpo del gato empezó a achatarse y al cabo de un momento yacía ante ellos boca arriba en una postura que ningún gato vivo adoptaría jamás. Blau tocó su suave pelaje y tuvo la impresión de que desprendía calor, aunque sabía que eso era imposible. Notó que los ojos no habían sido sustituidos por unos de cristal, como suele suceder en esos casos, sino que Mole, como por arte de magia, había conservado los auténticos, solo que ahora estaban un poco turbios. Tocó el párpado: estaba blando y cedió ante su dedo.

–Debe de tratarse de un gel –dijo más bien para sí mismo, pero ella le indicaba ya con el dedo el corte en el vientre del gato que se abrió tras un tironcito descubriendo las interioridades.

Suavemente, como si manipulase un origami de lo más frágil, separó con las yemas de los dedos las paredes abdominales del animal y llegó al peritoneo, que también se abrió, como si el gato fuese un libro confeccionado con un exótico material precioso carente todavía de nombre. Reconoció el cuadro que desde la infancia le proporcionaba esa sensación de felicidad y plenitud: órganos perfectamente dispuestos el uno junto al otro, ocupando su lugar en divina armonía, lo natural del color producía la ilusión absoluta de estar participando del misterio de un cuerpo vivo abierto.

–Abra la caja torácica, venga, adelante –lo animó susurrando por encima de su hombro. Percibió incluso el olor de su boca: café y algo dulzón, rancio.

En efecto, lo hizo, las finas costillas cedían a la presión de sus dedos y esperaba, a decir verdad, encontrar un corazón latiendo, así de perfecta era la ilusión. Mientras tanto se oyó un clic, algo refulgió en rojo y sonó una chirriante melodía que más tarde el doctor identificaría como un conocido hit del grupo Queen. «I Want To Live Forever» salía de las entrañas del gato. Asustado, se apartó de un salto hacia atrás, con una mezcla de miedo y repulsión, como si acabara de lastimar al animal que yacía despatarrado ante él, los dedos separados en el aire. La mujer dio una palmada y rió con ganas, satisfecha de la broma, pero él debió de poner una cara demasiado seria, porque se controló enseguida y posó la mano en su espalda.

–No pasa nada, una simple broma ideada por mi marido. No queríamos que todo fuera demasiado triste. –Hablaba ya completamente en serio, aunque sus ojos azules todavía rieran–. Lo siento, perdón, ya está.

Le costó, pero el doctor correspondió a la sonrisa y contempló de nuevo, fascinado, cómo los tejidos volvían despacio, casi imperceptiblemente, a su forma inicial.

Sí, lo llevaría al laboratorio. Cogieron el coche y enfilaron el camino de tierra que conducía a lo largo de la playa hasta unas edificaciones de piedra. Albergaron estas en tiempos plantas procesadoras de pescado, cuando aún funcionaba el puerto, ahora convertidas en grandes naves de paredes limpias y alicatadas, y de puertas de apertura automática mediante control remoto, como garajes. Sin ventanas. Encendió ella la luz y Blau vio dos grandes mesas forradas de hojalata y unas cuantas vitrinas acristaladas repletas de tarros y herramientas. Estantes llenos de matraces de cristal de Jena. Leyó «Papaína» en uno de ellos y se sorprendió. ¿Para qué habría utilizado Mole esa enzima, qué descomponía con ella? «Catalasa.» Jeringas de gran tamaño para perfusiones y otras pequeñitas, de las que se usan para poner inyecciones a las personas. Tomaba nota mental de todo, sin atreverse a preguntar.

Todavía no. Una bañera de metal, drenaje en el suelo, cuyo interior recordaba a la consulta de un cirujano al tiempo que a un matadero. La mujer cerró el grifo, que goteaba.

–¿Satisfecho? –preguntó.

Él pasó la mano abierta por la hojalata de la mesa y se acercó al escritorio, donde todavía había unas copias impresas con el gráfico de una curva.

–No he tocado nada –dijo ella, alentadora, como si fuese la propietaria de una casa puesta a la venta–. Solo tiré las muestras inacabadas cuando empezaron a pudrirse.

Sintió su mano en la espalda y la miró, tras lo cual, amedrentado, bajó inmediatamente la vista. Tanto se le acercó que sus pechos le tocaban la camisa. Sintió una descarga de adrenalina provocada por el pánico y en el último momento logró frenar su cuerpo, que contra su voluntad se echaba para atrás. Pero encontró un pretexto: al tropezar con la mesa, las pequeñas ampollas de vidrio estaban a punto de rodar hacia el suelo. Las interceptó en el último momento, librándose así de la incómoda proximidad de sus cuerpos. Estaba seguro de que todo había resultado de lo más natural, como si la mujer se hubiera apoyado en él casualmente. Al mismo tiempo se sintió como un adolescente, y la diferencia de edad que los separaba de pronto se hizo abismal.

Perdió ella bastante interés por enseñarle y explicarle los detalles; sacó el móvil y llamó a alguien. Habló de asuntos referentes a un alquiler y quedó para el sábado. Durante la conversación, él lo escrutaba todo con avidez, sopesando cada detalle y dándose orden de recordarlo. Grabar en el mapa de su cabeza todos los equipos del laboratorio, cada frasco, la situación de cada herramienta.

Tras un almuerzo durante el cual ella le habló de Mole, de sus horarios y pequeñas excentricidades (la escuchaba con atención, sintiéndose agraciado por un gran privilegio), lo convenció para ir a darse un baño en el mar. Blau no estaba nada contento, habría preferido quedarse tranquilamente en la biblioteca y examinar el gato y el resto de la estancia una vez más. Pero no se atrevió a decir que no. Hizo un último intento de escabullirse pretextando que no tenía bañador.

–Déjate de tonterías –dijo ella haciendo oídos sordos a la excusa–, es mi playa privada, no habrá nadie. Te bañarás desnudo.

Ella, sin embargo, se puso el traje de baño. El doctor Blau se quitó los calzoncillos bajo la toalla y a toda velocidad se metió en el agua, cuya temperatura le cortó el aliento. No nadaba bien, le habían faltado ocasiones para aprender. En general, todo movimiento le disgustaba. Así que, inseguro, daba saltitos en el agua, cuidándose muy mucho de no dejar de hacer pie. Ella, en cambio, se adentró en el mar con bellas brazadas de estilo libre y no tardó en regresar. Lo salpicó con el agua. Sorprendido, parpadeó.

–¿A qué esperas?, ¡a nadar! –gritó ella.

Se detuvo un rato preparándose antes de dar el salto al agua fría, finalmente lo hizo con desesperación, sumiso, como el niño que no quiere decepcionar a su progenitor. Nadó unos metros y dio media vuelta. Entonces ella golpeó la superficie del agua con la mano abierta y siguió sola.

La esperó en la orilla, temblando de frío. Cuando la mujer, chorreando agua, se acercaba, él bajó la vista.

–¿Por qué no has nadado? –inquirió con divertida voz de soprano.

–Hace frío –respondió escuetamente.

Ella se rió, echando la cabeza hacia atrás y mostrando impúdicamente el paladar.

Una vez en la habitación, se echó una siesta cortita y luego tomó minuciosos apuntes. Incluso dibujó un plano del laboratorio de Mole, sintiéndose un poco como James Bond. Con alivio se lavó el agua salada, se afeitó y se puso una camisa limpia. Cuando bajó, ella aún no estaba. La puerta de la biblioteca estaba cerrada y la llave echada, así que no osó entrar. Salió de la casa y jugó con el gato hasta que este decidió ignorarlo. Finalmente oyó unos ruidos procedentes de la cocina y entró en ella desde el jardín.

La señora Mole separaba hojas de lechuga verde en la encimera.

—Ensalada con picatostes y bandeja de quesos. ¿Qué dices?

Asintió diligentemente, a pesar de no estar muy convencido de que esto lo saciara. Le sirvió una copa de vino blanco, que, también sin convicción, se llevó a los labios.

Le habló largo y tendido del accidente, de los largos días de búsqueda del cuerpo en el mar y, finalmente, del aspecto que tenía cuando dieron con él. El doctor perdió el apetito. También le reveló que había conseguido conservar un pedacito del tejido menos dañado. Llevaba un vestido gris largo y holgado con aberturas a los lados y un generoso escote que dejaba al descubierto su cuerpo pecoso. Él temió de nuevo que se echara a llorar.

Comieron la ensalada y los quesos casi en silencio. Después ella lo cogió de la mano, cosa que lo dejó petrificado.

La abrazó, subterfugio con el que logró ocultarse. Ella lo besó en el cuello.

—Así no —le salió del alma.

No lo entendió.

—Pues ¿cómo? ¿Qué quieres que haga?

Él se liberó del abrazo, se levantó del sofá y, ruborizado, paseó impotentemente la vista por la estancia.

—¿Cómo te gustaría? Dime.

Desesperado, reconoció que era inútil seguir fingiendo, que no se veía con fuerzas, que demasiadas cosas estaban ocurriendo a la vez y, dándole la espalda, susurró:

—No puedo. Para mí es demasiado pronto.

—¿Es porque soy mayor que tú? —murmuró ella levantándose.

Lo negó con la boca chica. Deseaba que lo consolara, pero sin tocarlo.

—La diferencia de edad tampoco es tan grande, pero... —dijo mientras ella recogía la mesa— estoy comprometido —mintió.

En cierto sentido era verdad —la verdad siempre lo es en cierto sentido , estaba comprometido. Estaba casado, desposado, emparejado, emparentado... Con el Gläserner Mensch y la mujer de cera de vientre abierto, con Soliman, Fragonard, Vesalio, Von Hagens, Mole y Dios sabe quién más. ¿Por qué iba a perforar ese envejecido cuerpo vivo, taladrarlo con el suyo? ¿Con qué fin? Sintió que debía marcharse de allí cuanto antes. Se pasó una mano por el pelo y acabó de abrocharse la camisa hasta el último botón.

—¿Y bien? —preguntó ella tras exhalar un profundo suspiro.

No sabía qué contestar.

Al cabo de un cuarto de hora se plantó en el salón con la maleta, listo para marcharse.

—¿Puedo pedir un taxi?

Estaba sentada en el sofá.

—Cómo no —contestó. Se quitó las gafas, señaló el teléfono y regresó a su lectura.

Pero como desconocía el número, le pareció que iba a ser mejor irse a pie hasta la parada; seguro que habría alguna cerca.

De manera que se presentó en el congreso antes de lo previsto. Tras una larga discusión en la recepción del hotel, logró que le dieran una habitación y se pasó toda la tarde en el bar. Se bebió una botella de vino entera en el restaurante del hotel y, después, en la cama, rompió a llorar como un niño pequeño.

A lo largo de los siguientes días asistió a numerosas ponencias y pronunció la suya, titulada en inglés «The Preservation of Pathology Specimens Through Silicone Plastination: An Innovative Supplement to the Teaching of Pathological Anatomy». Era un extracto de su tesis doctoral.

Su intervención tuvo muy buena acogida. En el banquete de clausura conoció a un teratólogo de Hungría, un hombre agradable y apuesto que le confesó que se disponía a viajar como invitado a casa de la señora Mole.

–A su casa junto al mar –subrayó la expresión «junto al mar»–. He decidido compaginar los dos viajes, al fin y al cabo no queda lejos de aquí –prosiguió–. Todo el legado de su marido está ahora en sus manos. Si pudiera ver el laboratorio... ¿Sabes?, tengo una teoría en cuanto a la composición química. Corre el rumor de que la señora está negociando con un museo de Estados Unidos, antes o después lo donará todo junto con la documentación. Y si pudiera acceder a sus papeles ahora mismo... –Soñaba despierto–. Podría obtener la habilitación y quién sabe si la cátedra.

Cateto, pensó Blau. Habría sido la última persona a quien confesara que él ya había estado allí. Después lo miró con los ojos de ella. Durante un breve instante. Reparó en un pelo oscuro que brillaba por obra de algún gel y en las pequeñas manchas de sudor bajo las axilas sobre la tela azul de su camisa. Una barriga ya un tanto pronunciada, aunque todavía de buen ver, caderas estrechas, piel blanca y fresca bajo la cual se adivinaba un vello facial tupido. Los ojos emborronados ya por el vino refulgían con el brillo de la inminencia de un triunfo.

EL AVIÓN DE LOS LUJURIOSOS

Enrojecidos rostros nórdicos repentinamente sorprendidos por el sol. Pelo descolorido por el agua salada y las horas diarias de playa. Bolsas llenas de ropa sucia que huele a sudor. En el equipaje de mano, souvenirs para amigos y allegados adquiridos en el aeropuerto en el último momento, una botella de alcohol de alta graduación del *duty free*. Solo hay hombres; están ocupando sus asientos uno al lado del otro

159

con indecible complicidad. Se arrellanan en sus butacas, se abrochan los cinturones: se disponen a dormir. A recuperar el sueño de las noches en blanco. Su piel aún exhala vapores alcohólicos; todavía no han logrado digerir del todo la dosis de dos semanas; dentro de un par de horas de vuelo se percibirán por todo el avión. Igual que el olor a sudor con restos de excitación sexual. Un buen criminólogo encontraría más indicios: un largo cabello negro enredado en el botón de una camisa, cantidades ínfimas de materia orgánica, humana, con ADN ajeno, bajo las uñas de los dedos índice y corazón, microscópicas escamas de piel en las fibras de algodón de la ropa interior, restos de esperma en el ombligo...

Antes del despegue intercambian algunas palabras con sus vecinos de izquierda y derecha. Expresan discretamente su satisfacción por la estancia: no hace falta decir más, están entre los suyos. Solo algunos, los más recalcitrantes, preguntan por precios y servicios. Luego, tranquilizados, caen en un duermevela. Les ha salido bastante barato.

CARACTERÍSTICA DEL PEREGRINO

Un viejo conocido me ha dicho que no le gusta viajar solo. Aduce que cuando ve algo extraordinario, nuevo, bello, desea tanto compartirlo con alguien que se siente infeliz si no tiene con quién hacerlo.

En mi opinión, no tiene madera de peregrino.

SEGUNDA CARTA DE JOSÉPHINE SOLIMAN A FRANCISCO I, EMPERADOR DE AUSTRIA

Como no he recibido respuesta alguna a mi carta, doyme permiso para tomar la libertad de dirigirme de nuevo a Vuestra Majestad, con mayor osadía en esta ocasión, con la esperanza de que no sea ello tomado como un exceso de familiaridad: Hermano, ¿acaso Dios, quienquiera que sea, no nos creó como hermanos? ¿No distribuyó acaso entre nosotros con divina justicia obligaciones que debemos cumplir con dignidad y entrega para que sea preservada su obra? Nos confió el cuidado de tierras y mares, obsequió a unos con oficio y a otros con gobierno. A unos dio buen nacimiento, belleza y salud; a otros, peor cuna y menos atributos. Limitados por nuestra humana condición, no alcanzamos a saber el porqué. No nos queda más que confiar en Su sabiduría y en que, así, todos formamos parte de Su inescrutable construcción como componentes cuyo destino escapa a nuestro entendimiento, pero sin cuyo concurso –y tenemos que creer en ello– ese gran mecanismo del mundo no podría funcionar correctamente.

Hace pocas semanas he dado a luz a un niño al que mi marido y yo hemos puesto el nombre de Edward. Sin embargo, la grande alegría de ser madre queda empañada por el hecho de que el abuelo de mi hijito no haya alcanzado el reposo último. De que su cuerpo, insepulto, permanezca expuesto por Vuestra Majestad a la mirada curiosa de los visitantes de la *Wunderkammer* principesca.

Tenemos la fortuna de haber nacido en la edad de la razón, época excepcional que ha sabido expresar más allá de toda duda que la mente humana es la más perfecta creación de Dios y su poder capaz de erradicar toda superstición e injusticia del mundo y de hacer feliz a cada uno de sus habitantes. Mi padre entregó a esta idea su corazón y su espíritu. Creía profundamente que la mente humana era lo más poderoso de lo que disponíamos las personas. También yo, educada por sus atentos desvelos, creo en ello: la razón es lo mejor que Dios nos haya podido dar.

Entre los papeles de mi padre que ordené después de su muerte, hay una carta de Su Majestad Imperial José, predecesor y tío paterno de Vuestra Majestad, carta escrita de su puño y letra que contiene palabras muy significativas. Me tomo la libertad de citarlas: «Todas las personas nacen iguales. Heredamos de nuestros padres tan solo la vida animal, en la cual –como sabemos– no existe diferencia alguna entre rey, príncipe, mercader o campesino. No existe ley –divina o natural– capaz de refutar esa igualdad.»

¿Cómo puedo creer en estas palabras?

No pido sino que suplico a Vuestra Majestad entregue a la familia el cuerpo de mi padre, que –despojado de todo honor y dignidad, disecado y rellenado– está expuesto a la curiosidad humana junto a animales salvajes. Hablo también en nombre de otros seres humanos que hállanse disecados en el Gabinete de Curiosidades Naturales de su Majestad Imperial, puesto que, hasta donde alcanzo a saber, no tienen a nadie que interceda por ellos, pues carecen de familia o allegados, a saber: en nombre de esa niña de pocos años sin nombre, así como de Joseph Hammer y Pietro Michaele Angiola. Ignoro quiénes eran esas personas, soy incapaz de relatar la historia de su desgraciada vida ni tan siquiera de forma abreviada, pero como hija de Angelo Soliman me siento cristianamente obligada hacia ellas. Y desde hace poco, también como madre de un ser humano.

Joséphine Soliman von Feuchtersleben

ŚARĪRA

Una bella monja calva con hábito color hueso se inclina sobre un minúsculo relicario en el cual, sobre un cojín de satén, yace lo que queda del incinerado cuerpo de un ser iluminado. Me acerco a ella, y las dos contemplamos esa mota. Nos ayuda a hacerlo la lupa fijada aquí permanentemente. Toda la esencia tiene la forma de un cristal diminuto, una piedrecita no mucho más grande que un grano de arena. Lo más probable es que, dentro de muchos años, el cuerpo de la monja se convierta también en grano de arena; el mío no, el mío desaparecerá, por no haber sido practicante.

Sin embargo, no debería lamentarlo ni lo más mínimo, habida cuenta de la cantidad de desiertos y playas de arena que hay en el mundo. ¿Y si no estuvieran compuestas más que de las póstumas esencias corporales de los seres iluminados?

EL ÁRBOL BODHI

Conocí a un hombre de China. Me contó su primer viaje de negocios a la India, donde había participado en un sinfín de importantes reuniones y conferencias. Su empresa fabricaba equipos electrónicos bastante sofisticados que permitían conservar durante mucho tiempo la sangre, así como transportar con garantías de seguridad los órganos destinados a trasplantes; ahora negociaba la apertura de nuevos mercados y filiales indias.

La última noche de su estancia mencionó a un futuro socio indio que desde niño soñaba con ver el árbol Bodhi bajo cuya sombra Buda alcanzó la iluminación espiritual. Era de familia budista, aunque la China Popular de la época había borrado toda religión del mapa. Pero cuando ya se pudo reconocer que se profesaba alguna, sus padres, inesperadamente, abrazaron el cristianismo, una variante del protestantismo del Lejano Oriente. Les pareció que el Dios cristiano favorecía más a sus seguidores, que era –digámoslo sin ambages– más eficaz y que sería más fácil enriquecerse y labrarse un porvenir estando a su lado. Pero ese hombre no compartía tal conversión y continuó profesando la fe budista de sus antepasados.

El socio indio comprendía perfectamente sus motivos. Asentía con la cabeza mientras le servía más y más alcohol hasta que todos acabaron completamente borrachos; se quitaban así la tensión de los días de negociaciones y firmas de contratos. Con un último esfuerzo, sobre unas piernas tambaleantes que a duras penas podían mover, bajaron a la sauna del hotel para despejarse, pues aún les quedaba trabajo por hacer al día siguiente.

Por la mañana recibió una noticia. Le trajeron a la habitación un billete con una sola palabra: «Sorpresa», acompañado de la tarjeta de visita de su socio. Ante el hotel le esperaba un taxi que lo llevaría a un helicóptero listo para despegar. Así, tras un vuelo de más o menos una hora, se encontró en el lugar sagrado donde Buda, sentado bajo una gran higuera, había alcanzado la iluminación.

Desaparecieron entre la multitud de peregrinos su traje elegante y su camisa blanca. Su cuerpo aún conservaba la agria memoria del alcohol, el calor de la sauna y el frufrú de papeles firmándose en silencio sobre la superficie de cristal de una mesa de diseño. El crujido de su pluma dejando en el papel su nombre y apellido. Ahí, sin embargo, se sintió perdido e indefenso como un niño. Mujeres a las que sacaba la cabeza, abigarradas como loros, lo empujaban hacia delante, hacia donde fluía el torrente humano. Y de pronto lo espantó aquello que, cuando tenía tiempo, pronunciaba como budista varias veces al día: el juramento. Que se esforzaría por llevar a todo ser sensible a la iluminación con sus oraciones y acciones. De repente le pareció una tarea desesperada.

Al ver el árbol, se sintió –a decir verdad– decepcionado. No le vino a la cabeza ningún pensamiento ni palabra alguna de oración. Rindió al lugar el homenaje debido, se inclinó varias veces, hizo generosos donativos y, al cabo de menos de dos horas, volvió al helicóptero. Por la tarde estaba ya en el hotel.

Bajo la ducha, cuyos chorros de agua lo libraban del sudor, el polvo y el extraño olor dulzón de muchedumbres, tenderetes, cuerpos, omnipresentes inciensos y curris ofrecidos a la venta en bandejas de papel para ser comidos directamente con los dedos, pensó que veía a diario lo que tanto había conmocionado al príncipe Gautama: enfermedad, vejez y muerte. Y no pasaba nada. No se producía en él ningún cambio, cosa a la que, a decir verdad, se había acostumbrado. Y después, mientras se secaba con una mullida toalla blanca, pensó que no estaba nada seguro de querer ser iluminado. Ni si quería realmente que se le desvelase durante una fracción de segundo toda la verdad. Radiografiar el mundo como con rayos X y ver ante sí el esqueleto de la Nada.

Aunque, por supuesto –como aseguró esa misma noche a su generoso amigo–, le estaba muy agradecido por el inesperado regalo. Entonces sacó cuidadosamente del bolsillo de la americana una hoja de árbol mellada, y ambos hombres se inclinaron sobre ella en actitud de piadoso respeto.

MI CASA ES MI HOTEL

Vuelvo una vez más a pasear la mirada por cada objeto con el fin de hacerlos míos. Los veo con nuevos ojos, como si nunca antes los hubiese visto. Descubro detalles. Despierta mi admiración el mimo con el que los propietarios del hotel cuidan las plantas: grandes y hermosas, sus hojas brillan, la tierra mantiene la humedad adecuada y la tetrastigma es imponente. Qué grande el dormitorio, aunque la ropa de cama podría ser de mejor calidad, de lino blanco y bien almidonada. Es, en cambio, de un algodón de mala calidad; lavada y relavada, no exige almidón ni plancha. La biblioteca de la planta baja, sin embargo, resulta de lo más interesante, muy de mi agrado, contiene todo lo que yo necesitaría en caso de tener que vivir aquí. A lo mejor me quedo más tiempo, precisamente por la biblioteca.

Por una extraña coincidencia encuentro en el armario algunas prendas, todas de mi talla, en su mayoría oscuras, como a mí me gustan. Me quedan estupendamente, la sudadera negra con capucha resulta suave y cómoda. Y lo que empieza a escamarme de verdad es que en la mesilla de noche encuentro mis vitaminas y unos tapones para los oídos de mi marca favorita: es demasiado.

También aprecio el hecho de que no se vea a ningún director, que no me importune ninguna camarera de piso llamando a mi puerta por la mañana, que nadie ande por aquí. No hay recepción. Incluso el café del desayuno me lo preparo yo misma, como a mí me gusta. De máquina, con espuma de leche.

Sí, he dado con un buen hotel a precio asequible, un poco apartado quizá, en medio de ninguna parte, alejado de la carretera principal que en invierno cubre la nieve, pero cuando se viaja en coche, tal cosa no reviste especial relevancia. Hay que salir de la autopista en la ciudad de S. y seguir una veintena de kilómetros por la carretera comarcal para luego, una vez atravesada la localidad de G., torcer por la avenida de castaños que nos conducirá hasta una pista de tierra. En invierno, hay que dejar el coche junto a la última boca de riego y recorrer a pie el resto del camino.

PSICOLOGÍA DEL VIAJE. LECTIO BREVIS II

—Señoras y señores —arrancó la mujer, en esta ocasión muy joven, llevaba pantalón de camuflaje y el pelo recogido de forma graciosa; sin duda acababa de defender su tesis de licenciatura—. Como ya ha quedado dicho en charlas anteriores, que tal vez hayan tenido ocasión de escuchar en alguno de los aeropuertos o estaciones de ferrocarril que participan en nuestro proyecto educativo, experimentamos el tiempo y el espacio en gran medida inconscientemente. No son categorías definibles como externas u objetivas. Nuestro sentido del espacio resulta de nuestra capacidad de movimiento, mientras que el sentido del tiempo obedece a que, como seres biológicos, experimentamos estados diversos y cambiantes. Por lo tanto, el tiempo no es otra cosa que el fluir de tales cambios.

»El lugar entendido como un aspecto del espacio es una pausa en el tiempo, una detención momentánea de nuestra percepción en la configuración de los objetos. Es pues, a diferencia del tiempo, una noción estática.

»Partiendo de esta premisa, el tiempo humano se divide en fases, igual que el movimiento en el espacio se divide en pausas-lugares. Las pausas nos anclan en el transcurrir del tiempo. Quien duerme, al perder el sentido del lugar en el que se encuentra, pierde en ese momento también la noción de tiempo. Cuantas más pausas en el espacio, o sea, cuantos más lugares experimentamos, tanto más se dilata nuestro tiempo subjetivo. A las fases del tiempo separadas por pausas las llamamos a menudo episodios. Carecen de consecuencias, en cierto sentido interrumpen el tiempo, pero no llegan a formar parte del mismo. Se trata de acontecimientos autosuficientes, parten de cero, cada principio y cada fin son absolutos. Se puede decir: No continuará.

Entonces hubo movimiento en la primera fila, cuando alguien reconoció su apellido en el murmullo de los altavoces llamando a los pasajeros rezagados, recogió apresuradamente su equipaje de mano y las bolsas con las compras hechas en el *duty free,* tropezando de paso con los vecinos. Perdí el hilo mientras, presa del pánico, comprobaba el número de mi puerta de embarque, y tuve que hacer un esfuerzo para seguir el razonamiento de la mujer, que empezaba a hablar del lado práctico de la psicología del viaje. Ya estábamos saturados de la teoría, tan extraña como complicada.

167

–La psicología práctica del viaje investiga el significado metafórico de los lugares. Fíjense en estas pantallas luminosas con los nombres de los aeropuertos de destino. ¿Se han preguntado alguna vez qué significa «Islandia» o «Estados Unidos»? ¿Qué respuesta encuentran en su interior al pronunciar estos nombres? Plantear este tipo de preguntas resulta especialmente útil en el psicoanálisis topográfico, donde llegar hasta el significado profundo de los lugares conduce a descifrar el llamado *itinerarium,* es decir, el recorrido individual de cada viajero, el sentido profundo de su viaje.

»El psicoanálisis topográfico del viaje, en contra de lo que pudiera parecer, no hace la misma pregunta que los funcionarios de inmigración: ¿Para qué has venido? Nuestra pregunta aborda la cuestión del sentido y el significado. Siguiendo el principio: soy aquello de lo que participo. Soy lo que contemplo.

»Este era el sentido de las peregrinaciones de antaño. Avanzar hasta alcanzar el lugar sagrado nos confería santidad, lavaba nuestros pecados. ¿Ocurre lo mismo cuando viajamos a lugares no sagrados, pecaminosos? ¿O a otros vacíos y tristes? ¿Alegres y creativos?

»¿No se produce acaso...? –proseguía ella, pero, situadas a mis espaldas, dos parejas de mediana edad hablaban a media voz, y por un momento me pareció más interesante su conversación que las disquisiciones de la conferenciante.

Deduje que eran dos matrimonios intercambiando impresiones de sus respectivos viajes. Uno urgía al otro:

–Tenéis que ir al Caribe, sin falta, sobre todo a Cuba, mientras esté bajo Fidel. Cuando muera, Cuba será igual que todo lo demás. Aún se puede ver allí un poco de pobreza auténtica, y ¡qué coches conducen! Hay que darse prisa, de verdad. Al parecer Fidel está muy enfermo.

Entretanto la mujer concluía esa parte de su conferencia y los viajeros empezaban a hacer tímidas preguntas, aunque no preguntaban lo que deberían. Al menos eso me pareció a mí. Pero no habiéndome atrevido a abrir la boca, me fui hasta el bar más próximo a tomar un café. Había allí un grupo de personas y resultó que hablaban en mi idioma. Les lancé una mirada suspicaz, su aspecto era parecido al mío. Sí, aquellas mujeres bien podrían haber sido mis hermanas. Por eso busqué un sitio de lo más apartado y pedí un café.

No me alegró en absoluto el encontrar compatriotas en suelo extranjero. Fingí no entender el sonido de mi propia lengua. Preferí el anonimato. Los miré desde la seguridad de la distancia, disfruté sabiendo que ignoraban ser entendidos. Los observé durante un rato con el rabillo del ojo y desaparecí.

Lo mismo me confesó con melancolía un británico de aspecto cansado que tomaba su enésima cerveza al tiempo que examinaba con la mirada a los que entraban en el bar. Charlé con él un rato, pero no teníamos gran cosa que decirnos.

–No me hace feliz en absoluto encontrarme a compatriotas en un lugar extraño.

Terminé mi café y regresé al lugar de la conferencia, aduciendo que tenía que irme. Pero no era verdad. Llegué a tiempo para asistir a los últimos debates, cuando la conferenciante explicaba algo a tres oyentes congregados a su lado, los más tenaces.

PSICOLOGÍA DEL VIAJE. CONCLUSIÓN

–Somos testigos, señoras y señores, de cómo crece el «yo» humano, cómo se vuelve cada vez más nítido y cómo nos afecta. En el pasado tendía a desdibujarse, apenas se notaba

169

al quedar sujeto al «yo» colectivo. Encorsetado por roles y convenciones, bajo el peso de la tradición, sometido a exigencias. Ahora se infla, anexiona al mundo.

»En tiempos, los dioses habitaban fuera, eran inaccesibles, seres de otro mundo, al igual que sus emisarios: ángeles y demonios. Pero el ego humano se expandió, se apropió de los dioses y los alojó en su interior, dispuso para ellos un sitio acolchado más o menos entre el hipocampo y el tallo cerebral, entre la glándula pineal y el área de Broca. Solo así pueden los dioses sobrevivir: en los oscuros y recónditos rincones del cuerpo humano, en los surcos del cerebro, en el espacio vacío entre las sinapsis. Este fascinante fenómeno empieza a ser el objeto de estudio de un nuevo campo de conocimiento: la psicoteología del viaje.

»Este proceso de crecimiento es cada vez más poderoso: influye en la realidad tanto de lo que no hemos inventado nosotros como de lo que sí hemos inventado. ¿Son muchos los que se mueven por el mundo real? Conocemos a quienes viajan al Marruecos de la película de Bertolucci, al Dublín de Joyce, al Tíbet de un documental sobre el dalái lama.

»El famoso síndrome que lleva el nombre de Stendhal reza que cuando se llega a un lugar conocido por la literatura y el arte, la impresión es tan poderosa que la persona se debilita hasta desfallecer. Hay quienes se jactan del descubrimiento de espacios ignotos, entonces envidiamos su experiencia, aunque fuera fugaz, esa autenticidad de la verdadera realidad, antes de que nuestra mente la engulla, como engulle todo lo demás.

»Por eso debemos preguntarnos una y otra vez: ¿hacia dónde navegan, a qué países, a qué lugares? Lo de "otro país" se ha convertido en un complejo interno, en una maraña de significados que un buen psicólogo topográfico desenredará en un abrir y cerrar de ojos, la interpretará en el acto.

»Nuestro cometido consiste en familiarizarles con la idea de la psicología práctica del viaje y animarles a usar nuestros servicios. No tengan miedo, señoras y señores, de esos recónditos rincones junto a las máquinas de café y las tiendas *duty free*, de esas improvisadas consultas donde el análisis se lleva a cabo con celeridad y discreción, solo de vez en cuando importunado por el anuncio de una salida. Solo dos sillas tras un biombo hecho de mapas.

»"¿De modo que a Perú?", les preguntará el psicoanalista topográfico. Es fácil confundirlo con un cajero o un empleado del check-in. Así que Perú.

»Y les someterá a un breve test asociativo, atento a la palabra que resulte el extremo del hilo del que tirar. Es un análisis a corto plazo, sin extenderse superfluamente sobre el tema y sin recurrir a esas pobres madres y esos pobres padres que no tienen culpa de nada. Con una sola sesión bastará.

A Perú, o sea, ¿adónde?

EL MÚSCULO MÁS FUERTE DEL SER HUMANO ES LA LENGUA

Existen países en que la gente habla inglés. Pero no lo hablan como nosotros, que tenemos nuestra propia lengua, escondida en neceseres y equipajes de mano, y usamos el inglés solo cuando estamos de viaje, en países extraños y con gentes extrañas. Resulta difícil imaginarlo, pero el inglés es ¡su verdadera lengua! A menudo la única. No tienen a qué volver ni a qué recurrir en los momentos de zozobra.

¡Cómo de perdidos deben de sentirse en un mundo en que todo manual de instrucciones, cada palabra de la canción más tonta, el menú de cualquier restaurante, la correspondencia comercial más fútil, incluso los botones de un ascensor, están en su lengua privada! En cualquier momento pueden ser entendidos por cualquiera al abrir la boca, y sus notas, tendrían que cifrarlas. Se encuentren donde se encuentren, son accesibles siempre, para todos y por todo.

Existen ya planes, según he oído, para protegerlos, para concederles incluso una lengua minoritaria, una de esas lenguas muertas que nadie necesita, para que tengan algo propio, solo para ellos.

¡HABLAR! ¡HABLAR!

Dentro y fuera, a uno mismo y a los demás, contar cada situación, nombrar cada estado; buscar palabras, probarlas, ese mágico zapato que convierte en princesa a Cenicienta. Mover palabras como fichas para jugar a determinados números en el juego de la ruleta. ¿Y si esta vez resulta? ¿Y si se gana?

Hablar, tirar a la gente de la manga, obligarla a sentarse enfrente y escuchar. Para después convertirse en oyente de su «hablar, hablar». ¿No se dijo acaso: Hablo, luego existo? Se habla, ¿luego se existe?

Usar todos los medios posibles, metáforas, parábolas, tartamudeos, frases sin acabar, no asustarse si la frase se interrumpe a medio camino, como si tras el verbo se abriera un súbito abismo.

No dejar situación sin explicar, sin relatar, ni puerta cerrada alguna; derribarla con la patada de una palabrota, también aquellas que conducen a embarazosos y vergonzantes pasillos que se preferiría olvidar. No avergonzarse de ninguna caída, de ningún pecado. Pecado relatado, pecado perdonado. Vida contada, vida salvada. ¿No es lo que nos enseñan los santos Sigmund, Carl Gustav y Jacques? Quien no aprenda a hablar quedará atrapado en un cepo para siempre.

Hay dos puntos de vista desde los que contemplar el mundo: la perspectiva de la rana y la vista de pájaro. Cualquier punto intermedio solo contribuye al caos.

En el folleto publicitario de una compañía aérea tenemos unos aeropuertos hermosamente dibujados. Su sentido solo se revelará cuando se los mire desde arriba; igual que las monumentales líneas del altiplano de Nazca, creadas para los seres capaces de elevarse, por ejemplo, el modernísimo aeropuerto de Sidney tiene forma de avión. Una solución un tanto banal, a mi entender: un avión aterrizando sobre otro avión. El camino se convierte en objetivo, la herramienta en resultado. En cambio el aeropuerto de Tokio, en forma de un enorme jeroglífico, sí que desconcierta. ¿Qué ideograma es este? No hemos aprendido el alfabeto japonés, no sabremos qué significa nuestra llegada, con qué palabra nos dan la bienvenida. ¿Qué nos estamparán en el pasaporte? ¿Un gran signo de interrogación?

También los aeropuertos chinos evocan los ideogramas de su alfabeto, hay que aprenderlos, colocarlos en su sitio, formar un anagrama: tal vez entonces desvelen ciertos arcanos inesperados acerca del viaje. O interpretarlos como los sesenta y cuatro hexagramas del I Ching, cada aterrizaje, entonces, devendrá una adivinación. Hexagrama 40: Hsieh. Liberación. Hexagrama 36: Ming I. Oscurecimiento de la Luz. Hexagrama 10: Lü. Porte. 17: Sui. Seguimiento. 24: Fu. Retorno. 30: Lí. Lo adherente.

Pero dejemos a un lado esa rebuscada metafísica oriental que al parecer tanto nos atrae. Más vale que nos fijemos en el aeropuerto de San Francisco, algo conocido, algo que inspira confianza, que hace que nos sintamos enseguida como en casa: aquí tenemos una columna vertebral seccionada transversalmente. El centro redondo del aeropuerto es la médula espinal, encerrada en la cáscara de una vértebra cuya dureza le proporciona seguridad, y a partir de la cual parten radialmente haces de nervios de los cuales parten a su vez, numeradas, las puertas de embarque, y cada una de ellas desemboca en una manga que conduce al avión.

¿Y Frankfurt? ¿No será este enorme aeropuerto de tránsito un Estado dentro del Estado? ¿A qué os recuerda? Pues sí, en efecto, es igualito a un chip, de esos de ordenador, una fina plaquita. No cabe aquí ni una brizna de duda: nos dicen quiénes somos, queridos viajeros. Impulsos nerviosos del mundo, fracciones de segundo, apenas esa parte de los mismos que permite cambiar el signo más por el signo menos, o quizá viceversa, manteniéndolo todo en constante movimiento.

LÍNEAS, SUPERFICIES Y POLIEDROS

Soñé a menudo con mirar sin ser vista. Espiar. Ser la observadora ideal. Como aquella cámara oscura que me fabriqué tiempo ha con una caja de zapatos. Fotografió para mí un pedacito del mundo a través de un negro espacio cerrado con una pupila microscópica por la cual se filtraba la luz exterior. Me entrenaba.

No hay mejor lugar para tal entrenamiento que Holanda: sus gentes, convencidas de su absoluta inocencia, no toleran cortinas, y al oscurecer, las ventanas se convierten en pequeños escenarios en que los actores interpretan sus veladas. Una secuencia de cuadros bañados en una cálida luz amarilla que constituyen los actos individuales de una misma representación titulada *Vida*. La pintura holandesa. Naturaleza viva.

Un hombre aparece en una puerta, en la mano lleva una bandeja, la deja sobre una mesa a la que se sientan dos niños y una mujer. La cena se prolonga, en silencio, pues en este

174

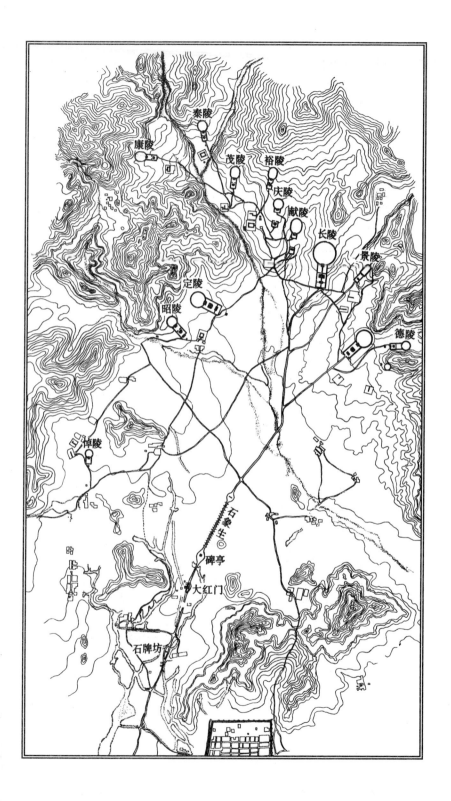

泰陵

康陵

茂陵　裕陵

庆陵

献陵　长陵

景陵

定陵

昭陵

德陵

悼陵

石象生

碑亭

大红门

石牌坊

teatro el audio no funciona. Después se trasladan al sofá, clavan la vista en una pantalla centelleante, pero yo, plantada en la calle, no tengo claro qué es lo que tanto los atrae; solo distingo destellos, parpadeos luminosos, imágenes demasiado breves y lejanas para poder comprenderlas. Un rostro absorto que mueve los labios, un paisaje, otro rostro... Hay quien sostiene que es una representación aburrida y que no ocurre nada. A mí, sin embargo, me gusta; por ejemplo, el movimiento inconsciente de un pie jugando con la zapatilla o el asombroso acto de un bostezo. O la mano que en la superficie de felpa rebusca el mando a distancia y, al encontrarlo, se marchita recuperando la calma.

Mantenerse a un lado. El mundo se ve tan solo en fragmentos, no habrá otro. Hay instantes, migajas, configuraciones momentáneas que apenas formadas se desintegran en mil pedazos. ¿Vida? No existe tal cosa; veo únicamente líneas, superficies y poliedros y sus variaciones en el tiempo. El tiempo, a su vez, parece una herramienta sencilla para medir los pequeños cambios, una regla escolar con escala simplificada de apenas tres puntos: fue, es y será.

EL TENDÓN DE AQUILES

La nueva era comenzó en 1542, aunque por desgracia nadie se percató de ello; no coincidía con aniversario redondo alguno, ni siquiera con el fin del siglo, tampoco revestía interés desde el punto de vista numerológico: apenas el número tres. Pero fue en aquel año cuando aparecieron los primeros capítulos de *De revolutionibus orbium coelestium* de Copérnico y la totalidad de *De humani corporis fabrica* de Vesalio.

Naturalmente, estos libros no lo contenían todo, pero ¿existe acaso tal compendio? A Copérnico le faltó el sistema solar completo, planetas como Urano, que aguardaba su momento de ser descubierto en vísperas de la Revolución Francesa. Vesalio, a su vez, fallaba en muchas de las soluciones mecánicas del cuerpo humano, ligamentos, juntas, conexiones, como por ejemplo ese tendón que une la pantorrilla con el talón.

Sin embargo, los mapas del mundo, tanto el exterior como el interior, ya estaban trazados; el orden, una vez vislumbrado, iluminó la mente, grabando en ella las líneas y superficies fundamentales.

Imaginemos una tarde del cálido noviembre de 1689. Philip Verheyen hace lo que suele: estar sentado en su mesa, inmerso en el haz de luz que se filtra por la ventana como si esta hubiese sido diseñada precisamente para ese propósito, y examina los tejidos dispuestos sobre la mesa. Los alfileres clavados en la madera sujetan los grises nervios. Con la mano derecha, y sin mirar el papel, dibuja lo que ve.

A fin de cuentas ver significa saber.

De pronto se oye aporrear la puerta, el perro ladra como un poseso y Philip tiene que levantarse de la mesa. Lo hace a desgana. Su cuerpo ha adoptado ya su postura favorita, la cabeza inclinada sobre el espécimen; debe apoyarse en su pierna sana y sacar de debajo de la mesa la que le sirve como muleta de palo. Cojeando, se dirige hacia la puerta y de paso logra calmar al perro. La visita resulta ser un joven en quien, solo al cabo de un buen rato, reconoce a su discípulo Willem Van Horssen. No se alegra en absoluto de verlo, de hecho no se alegraría de ver a nadie, pero retrocede golpeando las losas del suelo de piedra con su pata de palo y lo invita a pasar.

Van Horssen es alto, luce melena rizada y su cara es risueña. Deja en la cocina lo que ha comprado por el camino: un queso, una hogaza de pan, manzanas y vino. Habla en voz alta y presume de las entradas, que son el motivo de su visita. Philip tiene que hacer un esfuerzo para que su rostro no adopte una expresión de impaciencia y esa mueca propia de quien se halla súbitamente en medio de un inmenso barullo. Adivina que la explicación del motivo de la visita de ese muchacho, muy agradable por otra parte, se encuentra en la carta que permanece aún sin abrir en la mesita de la entrada. Mientras el huésped prepara la mesa, el anfitrión se las ingenia para esconder la carta y en adelante fingirá conocer su contenido.

Asimismo, fingirá que no ha podido encontrar un ama de llaves, cuando lo cierto es que nunca la ha buscado. Fingirá reconocer todos los nombres que pronuncie su discípulo, aunque lo cierto es que su memoria flaquea. Es rector de la Universidad de Lovaina, pero, quejoso de su salud, vive desde el verano pasado refugiado en el campo.

Juntos encienden el fuego en la chimenea y se sientan a comer. El anfitrión come a desgana, pero su apetito crece con cada bocado. El vino le va estupendamente al queso y la carne. Van Horssen le enseña las entradas. Las contemplan en silencio, y Philip se acerca a la ventana para ajustar las lentes de sus gafas de manera que pueda ver con mayor nitidez el intrincado dibujo y las letras. Y es que la entrada es en sí misma una obra de arte: bajo el texto de la parte superior se aprecia una bella ilustración del maestro Ruysch, un *tableau* con esqueletos de fetos humanos. Dos de ellos aparecen sentados en torno a una composición hecha de piedras y ramas secas, sosteniendo sendos instrumentos musicales en la mano, una especie de trompeta uno y de arpa el otro. Pero quien se fije bien en la maraña de líneas, descubrirá más huesos y cráneos, pequeños y delicados, y un observador atento sin duda depositaría en ellos más y más fetos minúsculos.

—Precioso, ¿verdad? —pregunta el huésped mirando por encima del hombro del anfitrión.

—¿Qué tiene de precioso? —contesta este escuetamente—. Huesos humanos.

—Es arte.

Pero Philip no se deja arrastrar al debate, en nada recuer-

178

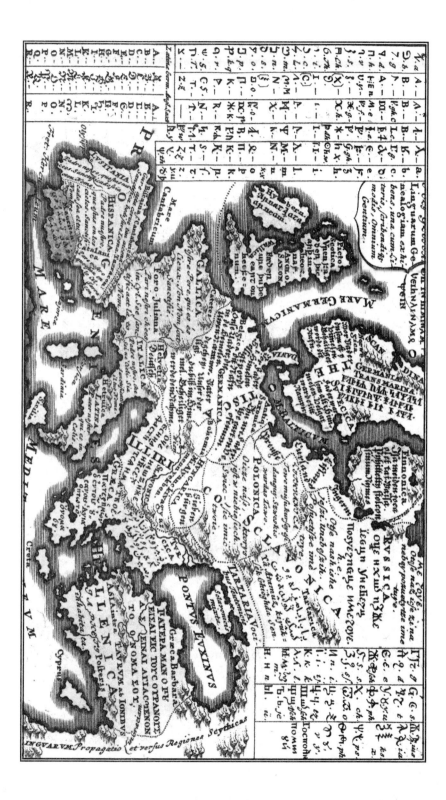

LINGVARVM Propagatio et versus Regiones Scythicas

da a aquel Philip Verheyen que Van Horssen conoció en la universidad. La conversación apenas fluye, se hace patente que el anfitrión anda absorto en otra cosa, quizá la soledad haya convertido sus pensamientos en haces alargados y lo haya acostumbrado al diálogo interior.

—¿Aún la guardas, Philip? pregunta el antiguo alumno tras un prolongado silencio.

El estudio de Verheyen está en un pequeño anexo accesible por la puerta practicada en la entrada. No le extraña en absoluto su aspecto, que más bien recuerda al de un taller de litografía, lleno de planchas, cubas de decapado, juegos de cinceles colgados en las paredes, grabados ya listos secándose por todas partes y marañas de estopa diseminadas por el suelo. El huésped se acerca automáticamente a las hojas de papel impresas: todas muestran músculos y vasos sanguíneos, tendones y nervios. Cuidadosamente marcados, absolutamente diáfanos, perfectos. También hay aquí un microscopio, de los mejores, objeto de la envidia de muchos, con las lentes rectificadas por Benedictus Spinoza, a través del cual Philip observa las ramificaciones de los vasos sanguíneos.

Junto a la ventana, única pero grande y orientada al sur, hay una mesa ancha y limpia; tras ella, un espécimen, el mismo desde hace años. Al lado se ve un tarro que no contiene más que un líquido de color pajizo que lo llena en dos terceras partes.

—Si mañana hemos de ir a Ámsterdam, ayúdame a recoger todo esto —dice Philip, y añade en tono de reproche—: He estado trabajando.

Con sus largos dedos empieza a desprender con delicadeza los tejidos y los vasos sanguíneos extendidos con ayuda de estaquillas. Sus manos son tan rápidas y ligeras como las de un cazamariposas, no como las de un anatomista y grabador que practica ranuras en duro metal que más tarde el ácido convertirá en el negativo de una litografía. Van Horssen se limita a sostener un tarro de tintura donde, en un líquido ocre y transparente, se hallan inmersas partes de un espécimen, como si volviesen a casa.

–¿Sabes qué es esto? –pregunta Philip al tiempo que señala con la uña del dedo meñique una sustancia más clara encima del hueso–. Tócalo.

El dedo del huésped va en busca del tejido muerto pero no lo alcanza. Se queda suspendido en el aire. La piel ha sido seccionada de manera que descubre este sitio de forma totalmente inesperada. No, no sabe lo que es pero aventura una respuesta:

–Es un *musculus soleus,* una especie de ligamento.

El otro lo mira durante un buen rato como buscando las palabras adecuadas.

–Desde ahora se llama *chorda Achillis* –dice.

Van Horssen repite estas dos palabras como si quisiera memorizarlas.

–*Chorda Achillis,* el tendón de Aquiles.

Las manos secadas en un trapo extraen bajo las pilas de papeles una hoja donde aparece un esquema dibujado desde cuatro perspectivas, increíblemente exacto: la parte inferior de la pierna y el pie forman un todo, y resulta difícil de creer que antes no estuvieran ligados de esta manera, que no hubiera nada en ese sitio, apenas una imagen borrosa, ni siquiera recuerda ya cómo era; todo lo que estaba separado está ahora unido. ¿Cómo se habrá podido pasar por alto este tendón? Parece mentira que las partes de nuestro propio cuerpo se vayan descubriendo como en el remonte de un río en busca de sus fuentes. Del mismo modo se sigue con el bisturí a lo largo de un vaso sanguíneo para hallar su comienzo. El manto de un dibujo cubre los espacios en blanco.

Se descubre y se nombra. Se conquista y se civiliza. Un trozo de cartílago blanco a partir de ahora se someterá a nuestras leyes, nosotros nos encargaremos de que así sea.

Sin embargo, lo que más impresiona al joven Van Horssen es el nombre. Él, en realidad, es un poeta, y pese a su formación médica, preferiría dedicarse a escribir poesía. Solo el nombre trae a su mente fabulosas imágenes como si contemplara lienzos italianos poblados de ninfas y dioses purasangre. ¿Se podría bautizar con mayor acierto esa parte del cuerpo por la cual la diosa Tetis agarró al pequeño Aquiles para bañarlo en la Estigia y hacerlo inmune a la muerte por toda la eternidad?

¿Y si Philip Verheyen hubiera dado con el rastro de un orden oculto? ¿Y si nuestro cuerpo contuviese el mundo entero, la mitología toda? A lo mejor existe un reflejo de lo grande y lo pequeño, el cuerpo humano lo une todo con todo: relatos y protagonistas, dioses y animales, el orden de las plantas y la armonía de los minerales. A lo mejor deberíamos ir en esa dirección con los nombres: el músculo de Artemisa, la aorta de Atenea, el martillo y el yunque de Hefesto, espirales de Mercurio.

Se acuestan dos horas después de que haya anochecido, ambos en la misma cama, de matrimonio, dejada probablemente por los antiguos propietarios, ya que Philip nunca se ha casado. La noche es fría, así que se ven obligados a taparse con varias pieles de oveja que, debido a la humedad que reina en la casa, despiden olor a grasa ovina y a establo.

–Tienes que volver a Leiden, a la universidad. Te esperamos –empieza Van Horssen.

Philip Verheyen desabrocha las correas de cuero y coloca a un lado su pierna de palo.

Dice:

–Me duele.

El otro entiende que se refiere al muñón que apoya en el taburete, pero Philip Verheyen señala más allá, hacia la parte de su cuerpo que ya no existe, hacia el espacio.

–¿Te duelen las cicatrices? –se asegura el joven. Le duela

lo que le duela, no será menor la compasión que siente por ese hombre menudo y frágil.

–Me duele la pierna. Siento dolor a lo largo del hueso y los pies me vuelven loco. El dedo gordo, su articulación. Están hinchados y arden, la piel escuece. Aquí. –Se inclina y señala un pequeño pliegue en la sábana.

Willem guarda silencio. ¿Qué puede decir? Después los dos se echan boca arriba y se tapan hasta el cuello. El anfitrión apaga la vela de un soplo y desaparece, luego su voz suena en la oscuridad:

–Debemos investigar nuestro dolor.

Es comprensible que el caminar con una persona que se mueve sobre una pierna de madera no pueda resultar muy veloz, pero Philip es valiente y si no fuera por una leve cojera y el golpeteo de su prótesis contra un camino seco como un hueso, sería difícil adivinar que a ese hombre le falta una pierna. El ritmo lento de la caminata tiene también una ventaja: permite conversar. El frescor de la mañana, el tráfago, la salida del sol cuyo disco arañan esbeltos chopos, se camina la mar de bien. A mitad del camino consiguen parar un carro que lleva verduras al mercado de Leiden, gracias a lo cual tienen más tiempo para tomar un buen desayuno en la fonda El Emperador.

Más tarde, en el embarcadero de un canal, suben a una barca tirada desde tierra por robustos caballos; ocupan sus asientos baratos en cubierta, bajo una carpa que los protege del sol, y como hace muy buen tiempo, el viaje es puro placer.

Y así los voy a dejar: embarcados camino de Ámsterdam, en la itinerante mancha de la sombra que la carpa proyecta sobre el agua. Ambos visten de negro y lucen sendos cuellos almidonados de batista blanca. Van Horssen tiene mejor presencia, más pulida, lo que solo significa que tiene una esposa que cuida de su ropa o que se puede permitir una criada, seguramente nada más. Philip va sentado de espaldas a la dirección de la travesía, cómodamente apoyado, con la pierna sana doblada, su zapato negro de piel coronado por un lazo morado, un tanto maltrecho. La muleta de madera descansa en el nudo de un tablón de la barca. Se ven el uno al otro sobre el telón de fondo de un paisaje cambiante: campos de sembrado, sauces flanqueándolos, zanjas de drenaje, muelles de pequeños embarcaderos y casas de madera con tejados de cáñamo. Junto a la orilla, pequeños barquitos de plumas de ganso. Una brisa suave y cálida mece la pluma de sus sombreros.

Solo me queda añadir que, al contrario que el maestro, Van Horssen carece de talento para el dibujo. Es un anatomista que contrata a un dibujante profesional para cada autopsia. Su método de trabajo consiste en tomar notas precisas, tan detalladas que al leerlas todo se presenta ante sus ojos con extrema nitidez. También es un método. Escribir.

Además, como anatomista, intenta cumplir rigurosamente las indicaciones del señor Spinoza, cuyas enseñanzas se habían estudiado allí con fervor hasta que fueron prohibidas: ver en cada individuo líneas, superficies y poliedros.

LA HISTORIA DE PHILIP VERHEYEN ESCRITA POR
SU DISCÍPULO Y CONFIDENTE WILLEM VAN HORSSEN

Mi profesor y maestro nació en Flandes en 1648. La casa de sus padres era igual que cualquier otra casa flamenca. De madera y cubierta con tejado de cáñamo recortado en línea recta, como el flequillo del joven Philip. No hace mucho que han cubierto los suelos con ladrillos de arcilla y ahora los miembros de la familia anuncian a los demás su presencia con el golpeteo de sus zuecos. Los domingos, estos eran sustituidos por zapatos de piel y los tres Verheyen enfilaban el largo y recto camino flanqueado de chopos que conducía a la iglesia de Verrebroek. Una vez allí, ocupaban sus asientos y esperaban al pastor. Las manos maltratadas por el duro trabajo tomaban agradecidas el libro de oraciones; sus finísimas hojas y su minúscula letra reafirmaban su creencia de que eran más duraderas que la frágil vida humana. El pastor de Verrebroek iniciaba invariablemente el sermón con las palabras *Vanitas vanitatum*. Se podían interpretar como una bienvenida y, en efecto, el pequeño Philip así las comprendía.

Philip era un niño tranquilo y callado. Ayudaba a su padre en las labores del campo, aunque enseguida resultó evidente que no seguiría sus pasos. No mezclaría la leche ordeñada todas las mañanas con polvos de estómago de ternero para hacer grandes quesos ni usaría el rastrillo para formar montículos uniformes de heno. No observaría al inicio de la primavera si el agua se acumulaba en los surcos de la tierra arada. El pastor de Verrebroek hizo ver a sus padres que la inteligencia de Philip hacía que mereciera la pena seguir formándolo una vez que acabase la escuela de la iglesia. Así, nuestro muchacho de catorce años empezó a estudiar en el Heilige-Drievuldigheidscollege, donde se reveló su gran talento para el dibujo.

Si existen personas que ven cosas pequeñas y otras que solo ven cosas grandes, estoy seguro de que Verheyen pertenecía a las primeras. Incluso creo que su cuerpo desde el principio se sentía mejor en esta singular posición: inclinado sobre la mesa, los pies apoyados en los travesaños de madera, la columna vertebral arqueada y en las manos una pluma en absoluto interesada en alcanzar grandes metas, sino en anotar con precisión el reino de lo minucioso, un cosmos del detalle, las rayas y los puntos del origen de la imagen. Aguafuerte y mezzotinta: dejar en el metal pequeñas huellas y muescas, llenar de dibujos la superficie lisa e indiferente de una lámina de metal, dotarla de una pátina de sabiduría. Me dijo que el anverso siempre lo había sorprendido, corroborando así su convicción de que izquierda y derecha eran dimensiones del todo diferentes: su existencia debería hacernos comprender hasta qué punto era sospechoso lo que tan ingenuamente tomábamos por la realidad.

Y pese a su aptitud para el dibujo, a su plena dedicación a grabar, troquelar, teñir e imprimir, un Verheyen aún veinteañero partió rumbo a Leiden para estudiar teología y convertirse así en sacerdote como su mentor, el pastor de Verrebroek.

Pero incluso antes de eso –según me contó en relación con aquel magnífico microscopio que tenía en la mesa– el pastor se lo llevaba de vez en cuando en cortas expediciones, apenas unas millas por caminos maltratados, hasta la casa de un pulidor de lentes, un intrépido judío repudiado por los suyos, como lo calificó. Alquilaba habitaciones en una casona de piedra y parecía un hombre tan excepcional que cada expedición constituía para Verheyen todo un acontecimiento, aunque era demasiado joven para participar en las conversaciones, de las que, a decir verdad, entendía más bien poco. El pulidor en cuestión vestía y se comportaba de modo exótico y un tanto estrafalario. Iba ataviado con una larga túnica, tocado con una rígida gorra alta que no se quitaba nunca. Parecía una raya, una manecilla vertical, así me lo describió Philip y bromeó diciendo que si se colocase a aquella *rara avis* en medio del campo, podría servir a la gente como reloj de sol. En su casa se reunían personas de distinta condición, mercaderes, estudiantes y catedráticos que se sentaban bajo un frondoso sauce en torno a una mesa de madera para mantener interminables debates. De cuando en cuando el anfitrión o alguno de sus invitados pronunciaba un discurso con el único objetivo de reavivar el debate. Philip recordaba que el anfitrión hablaba como si leyera, con fluidez y sin trabarse. Cons-

186

truía frases larguísimas cuyo sentido escapaba al muchachito de inmediato, pero que el orador dominaba a la perfección. El pastor y Philip llevaban siempre algo de comer. El anfitrión los agasajaba con un vino que aguaba generosamente. Es cuanto recordaba de aquellas reuniones, y Spinoza se convirtió en el maestro al que siempre leería apasionadamente y con quien con igual pasión disputaría. Bien pudieron ser las reuniones con aquella mente ordenada, con su fuerza del pensamiento y su necesidad de comprender lo que empujó al joven Philip a estudiar teología en Leiden.

Seguro estoy de que no sabemos reconocer el destino que el divino cincel graba para nosotros en el reverso de la vida. Solo se nos revelará cuando aparezca inteligible para el ser humano: negro sobre blanco. Dios escribe con la zurda en espejados caracteres.

Durante su segundo año de universidad, en una tarde de mayo de 1676, al subir la angosta escalera conducente al pisito que le alquilaba a una viuda, Philip se rasgó el pantalón con un clavo, el cual le produjo también una pequeña herida en la pantorrilla, cosa que veía al día siguiente. La piel quedó marcada por la roja rasgadura que había dibujado la punta del clavo, una raya de varios centímetros adornada con puntitos de gotas de sangre: un imprudente movimiento del grabador sobre un delicado cuerpo humano que la fiebre empezó a consumir a los pocos días.

Cuando la viuda finalmente mandó llamar a un galeno, resultó que la herida ya estaba infectada; sus bordes se habían hinchado y ardían al rojo vivo. El médico prescribió cataplasmas y caldo para fortalecer al enfermo, pero en la tarde del día siguiente quedó claro que era imposible detener el proceso y que la pierna debía amputarse justo debajo de la rodilla.

–No hay semana en que no ampute algo a alguien, te queda la otra pierna –lo consoló al parecer el galeno, que no era otro que mi tío Dirk Kerkrinck, que se convertiría en su futuro amigo y para quien Philip llevó recientemente a cabo varios grabados anatómicos–. Te haremos una muleta de madera y como mucho serás un poco más ruidoso que hasta ahora.

Kerkrinck era discípulo de Frederik Ruysch, el mejor anatomista de los Países Bajos, y quizá del mundo, así que la operación se practicó de manera modélica y resultó un éxito. La parte se separó del todo con diligencia, el hueso se serró en línea recta, todos los vasos sanguíneos se cerraron con ayuda de un hierro candente. Pero bastante antes de la operación, el paciente tiró de la manga a su amigo e insistió en que se guardara la pierna amputada; muy religioso desde siempre, creía seguramente en la resurrección de la carne al pie de la letra, en que nos levantaríamos del sepulcro con nuestra apariencia física, a la edad de Cristo. Me dijo que entonces había temido que su pierna resucitara por su cuenta; quería que, cuando le llegara la hora, enterrasen su cuerpo entero. Y si se hubiera tratado de un galeno vulgar y no de mi tío, si hubiera sido un cualquiera, un barbero de esos que cercena verrugas y saca muelas, ni por asomo habría atendido a aquella extraña petición. Lo normal era que la extremidad amputada, envuelta en tela, viajara hasta el cementerio, donde, con solemnidad aunque sin formalidades religiosas, era depositada en un pequeño agujero sin dejar constancia alguna. Pero mi tío, mientras el paciente dormía aturdido por el alcohol puro, se ocupó diligentemente de la pierna. Antes que nada, con ayuda de cierta sustancia que le inyectó y cuya composición su maestro mantenía en secreto, extrajo de los vasos sanguíneos y linfáticos toda la sangre infectada y los derrames de la gangrena. Una vez así drenada, metió la extremidad en un recipiente de vidrio lleno de un bálsamo hecho de brandy de Nantes y pimienta negra, lo que debía de protegerla del deterioro ulterior. Cuando Philip despertó de la anestesia alcohólica, su amigo le mostró la pierna sumergida en coñac, como se muestra a las madres los recién nacidos tras el parto.

Verheyen se recuperaba lentamente en la buhardilla que alquilaba a la viuda propietaria de una pequeña casa sita en una callejuela de Leiden. Ella fue quien lo cuidó. Vaya, si no es por ella, quién sabe cómo habría acabado todo aquello. Porque al paciente lo atenazó un profundo abatimiento, difícil saber si a causa del incesante dolor del cicatrizar de la herida o de su nueva situación. Al fin y al cabo se convirtió en un inválido a los veintiocho años y sus estudios de teología dejaron de tener sentido: imposible aspirar al sacerdocio sin una pierna. No permitió que avisaran a sus padres, avergonzado por haberlos decepcionado. Lo visitaban Dirk y dos colegas suyos que, aparentemente, más que en el sufrimiento del paciente, estaban interesados en la presencia en la cabecera de su extremidad amputada. Parecía que ese jirón de cuerpo humano había cobrado vida propia, vida de espécimen sumergido en alcohol, eternamente aturdido, soñando sus propios sueños en torno a correteos por la hierba húmeda de la mañana o la cálida arena de una playa. También lo visitaron algunos estudiantes de teología a los que Philip acabó diciendo que no volvería a la universidad.

Cuando se marchaban las visitas, aparecía en la habitación la dueña de la casa, la viuda Fleur, a quien conocí y tengo por un ángel. Philip se quedó viviendo bajo su techo bastantes años más, hasta que adquirió una casa en Rijnsburg y se instaló allí definitivamente. La viuda traía una jofaina y un aguamanil lleno de agua caliente. Aunque el paciente ya no tenía fiebre y su herida no supuraba sangre, la mujer le humedecía suavemente la pierna y le ayudaba a lavarse. Luego lo cambiaba poniéndole una camisa limpia y un pantalón. Había cosido previamente la pernera izquierda de todos los pantalones, natural parecía todo lo que sus hábiles manos tocaban, como si Dios lo creara precisamente así, como si Philip Verheyen hubiese nacido sin pierna izquierda. Cuando tenía que levantarse para hacer sus necesidades en el orinal, se apoyaba en el fuerte hombro de la viuda, extremo que al principio resultaba extraordinariamente violento pero que también acabó por ser natural, como todo lo relacionado con ella. Pasadas varias semanas, empezó a acompañarlo abajo, donde comía con ella y sus dos hijos en la grande y pesada mesa de madera de la cocina. Era alta, bien plantada. De rubia y rizada melena como muchas flamencas, la recogía bajo una cofia de lino, pero siempre se le escapaba algún mechón que caía por la espalda o sobre la frente. Sospecho que por la noche, cuando los niños dormían como benditos, subía a su habitación, como antes con el orinal, y se metía en su cama. No veo en ello nada indecoroso, pues opino que la gente debe apoyarse mutuamente hasta donde sepa y pueda.

En otoño, cuando la herida hubo sanado por completo y en el muñón no quedaba más que una huella rojiza, cada mañana Philip Verheyen, acompañado por el golpeteo de su muleta de madera contra el desigual empedrado de Leiden, se dirigía a la universidad para asistir a las conferencias del centro médico en que empezó la carrera de anatomía.

No tardó en convertirse en uno de los estudiantes más destacados, pues sabía aplicar como ningún otro su talento para el dibujo a la hora de trasladar al papel aquello que para el ojo inexperto no era más que un caos de tejidos del cuerpo humano: tendones, vasos sanguíneos y nervios. Copió asimismo el célebre y centenario atlas anatómico de Vesalio, tarea que cumplió excelentemente. Era la mejor presentación de su propio trabajo, el resultado lo haría famoso. Con muchos de sus alumnos, entre los que yo me contaba, mostraba actitud paternal: llena de amor, aunque también exigente. Llevábamos a cabo autopsias bajo su supervisión, momentos en que su ojo atento y su experta mano nos conducían por los senderos del más complejo de los laberintos. Los estudiantes tenían en alta estima su firmeza y la precisión de sus conocimientos. Observaban los movimientos rápidos de su estilete como se observa un milagro. Dibujar nunca equivale a reproducir: para ver, hay que saber mirar, hay que saber qué se mira.

Era más bien parco en palabras y hoy, con la perspectiva del tiempo, puedo añadir que estaba siempre como ausente, ensimismado. Fue renunciando gradualmente a la docencia para dedicarse al trabajo solitario en su estudio. Lo visité a menudo en su casa de Rijnsburg. Todo contento, le llevaba novedades de la ciudad, rumores que causaban sensación en la universidad, sin embargo, noté no sin inquietud que se obsesionaba más y más por un único tema. Su pierna, desmembrada en partes, investigada minuciosamente como ninguna otra cosa en el mundo, siempre estaba junto a la cabecera en su tarro de cristal o extendida sobre la mesa, lo que resultaba escalofriante. Cuando me di cuenta de que yo era la única persona con quien mantenía relación comprendí que Philip había ya cruzado la invisible frontera del no retorno.

Nuestra barca atracó a primera hora de la tarde en el canal Herengracht de Ámsterdam y desde el embarcadero nos encaminamos directamente hacia nuestro punto de destino. Empezaba el invierno, así que los canales no apestaban tan despiadadamente como en verano y resultaba agradable pasear en medio de la blancuzca y cálida niebla que ante nuestros ojos se elevaba desvelando un sereno cielo otoñal. Torcimos por una de las angostas callejuelas del barrio judío para tomarnos una cerveza. Menos mal que habíamos desayunado copiosamente en Leiden, pues todas las fondas estaban abarrotadas de gente y nos hubiera tocado esperar mucho rato antes de ser atendidos.

Entre los tenderetes del mercado de abastos se yergue De

Waag, donde se pesa la mercancía descargada. El emprendedor Ruysch adaptó una de sus torres para su *theatrum* y precisamente allí comparecimos un poco antes de la hora señalada en la entrada, y aunque no permitían entrar todavía, ante la puerta congregábanse algunos grupos de visitantes. Los observé con interés y, a juzgar por el aspecto y la vestimenta de muchos de ellos, constaté que la fama del profesor Ruysch hacía ya tiempo que había traspasado las fronteras de los Países Bajos. Oí hablar en lenguas extranjeras, vi pelucas francesas sobre algunas cabezas y puños de encaje ingleses asomando de las mangas de las casacas. Acudieron también numerosos estudiantes; probablemente tenían las entradas más baratas, sin asiento asignado, a juzgar por cómo se apiñaban junto a la puerta intentando ocupar la mejor posición.

A cada momento se nos acercaba algún conocido de la época en que Philip estaba más activo en la universidad, miembros destacados del consejo municipal o del gremio de cirujanos deseosos de curiosear en lo que Ruysch iba a presentarnos esta vez, a ver qué más cosas habría inventado. Finalmente apareció quien nos había sufragado la entrada, mi tío, vestido de riguroso negro, y saludó efusivamente a Philip.

El lugar parecía un anfiteatro con bancos colocados alrededor, cada vez más alto, casi hasta el techo. Estaba bien iluminado y había sido preparado con esmero para el espectáculo. De las paredes de la entrada y de la sala colgaban esqueletos de animales, engarzados los huesos con fino alambre se apoyaban en estructuras apenas perceptibles, de manera que daba la impresión de que los esqueletos podían volver en cualquier momento a la vida. También había dos esqueletos humanos: uno arrodillado con los brazos levantados para la oración y el otro en pose de pensador, con la cabeza apoyada sobre una mano cuyos diminutos huesecillos estaban meticulosamente unidos con alambre.

Mientras los visitantes, entre cuchicheos y arrastrando los pies, entraban en la sala e iban ocupando los asientos que a cada uno asignaba su entrada, pasaban junto a célebres composiciones de Ruysch expuestas en vitrinas, sus sofisticadas esculturas. «La muerte ni siquiera perdona a la juventud», leí en la leyenda bajo una de ellas; representaba dos esqueletitos de feto jugando: delicados huesecillos de color crema, calaveritas en forma de burbuja colocadas sobre un montículo hecho de huesecillos igual de delicados de unas manos diminutas y todas las costillas. Al lado habían dispuesto otro *tableau,* esqueletos de niños de más o menos cuatro meses colocados sobre una tarima hecha de cálculos biliares (según los reconocí) cubiertos de vasos sanguíneos convenientemente preparados y secos (en la rama más alta se sentaba un canario disecado). El esqueleto de la izquierda sostenía una hoz en miniatura, mientras que el otro, en pose llena de tristeza, se llevaba a las cuencas vacías de los ojos un pañuelo confeccionado con algún tejido disecado, de pulmón tal vez. Una mano sensible adornó el conjunto con un encaje color salmón y lo resumió en la elegante inscripción estampada en cinta de seda: «¿Por qué deberíamos añorar las cosas de este mundo?», gracias a lo cual la visión del *tableau* no resultaba espeluznante. Me conmocionó el espectáculo aún antes de que comenzara, porque me pareció contemplar tiernas evidencias no de la muerte, sino de una muerte en miniatura. ¿Cómo podían morir en serio si todavía no habían nacido?

Ocupamos nuestros asientos de primera fila junto a otros privilegiados.

Sobre la mesa colocada en el centro, entre nerviosos e impacientes susurros, yacía un cuerpo preparado para la autopsia, cubierto aún por un pedazo de tela clara y brillante que apenas permitía vislumbrar su forma. Estaba anunciado en las entradas, como si se tratara de un delicioso manjar, la *spécialité de la maison:* «Cuerpo preparado por el talento científico del doctor Ruysch para preservar y reproducir su color y consistencia natural, de manera que aparezca fresco y casi vivo.» Ruysch mantenía en riguroso secreto la composición de esa extraordinaria tintura; debía de ser una variante de la misma sustancia que seguía conservando la pierna de Philip Verheyen.

Al poco tiempo no quedaba un asiento libre. Finalmente, los encargados del orden dejaron entrar a una veintena escasa de estudiantes, extranjeros en su mayoría; ahora estaban de pie junto a las paredes, entre los esqueletos, en extraña connivencia con ellos, estirando el cuello para alcanzar a ver algo. Justo antes del comienzo del espectáculo, en los mejores asientos de primera fila se acomodaron unos hombres exquisitamente vestidos con ropajes extranjeros.

Ruysch apareció acompañado por dos ayudantes. Fueron ellos quienes, tras una breve introducción del profesor, levantaron la tela al alimón desde los dos lados y destaparon el cuerpo.

No fue de extrañar que llegaran suspiros desde todas partes.

Era el cuerpo de una joven delgada; por lo que yo sé, el segundo sometido públicamente a una autopsia. Hasta entonces solo estaba permitido dar clases de anatomía con cuerpos masculinos. Mi tío nos susurró al oído que se trataba de una pelandusca italiana que había matado a su hijo recién nacido. Desde nuestra posición en primera fila, apenas a un metro, su piel, tersa, morena, perfecta, nos pareció fresca y sonrosada. Se apreciaban ligeramente enrojecidos los lóbulos de las orejas y los dedos de los pies, como si hubiera permanecido demasiado tiempo en alguna gélida estancia y hubiese cogido frío. La habrían untado con algún aceite, o tal vez formara ello parte de los tratamientos de conservación de Ruysch, pero lo cierto es que brillaba. De las costillas para abajo, el vientre se hundía y destacaba sobre aquel cuerpo menudo de piel aceitunada el monte de Venus como si fuera el elemento

194

más importante y significativo del sistema óseo. Incluso para mí, a fin de cuentas acostumbrado a las autopsias, tal visión resultó turbadora. Por lo general realizábamos autopsias a cuerpos de convictos que no se cuidaban y se jugaban la vida y la salud. La perfección de este cuerpo femenino era sobrecogedora, y de verdad tuve que reconocer el logro de Ruysch de haberlo conseguido en tan buen estado y el esmero que había puesto en prepararlo tan bien.

Ruysch empezó su lección magistral dirigiéndose al público y enumerando, sin olvidarse de ninguno, los títulos de todos los doctores en medicina, catedráticos de anatomía, cirujanos y funcionarios presentes.

–Les doy la bienvenida, caballeros, y les agradezco el haber acudido en tan alto número. Gracias a la generosidad de nuestro ayuntamiento, desvelaré ante sus ojos aquello que la naturaleza oculta en el interior de nuestro cuerpo. Y no por el deseo de descargar sobre este pobre cuerpo sentimientos adversos ni de castigarlo por el infame acto que cometió, sino para que podamos conocernos a nosotros mismos y cómo nos moldeó la mano del Creador.

Asimismo comunicó a los reunidos que el cuerpo tenía ya dos años, lo que significaba que había permanecido en la morgue todo ese tiempo y que gracias al método de su propia invención se había podido conservar fresco hasta hoy. Mientras contemplaba ese bello e indefenso cuerpo desnudo, sentí un nudo en la garganta, pese a no ser persona a la que pueda impresionar la visión de unos restos humanos. Pensé, sin embargo, que se puede tener todo y convertirse en lo que se quiera si –según dicen– media la fuerza del deseo. Y es así porque el ser humano está en el centro de la creación y el nuestro es un mundo humano, no de Dios ni de nadie más. Solo hay una cosa que es inalcanzable: la vida eterna. Y, ¡por Dios!, ¿cómo se nos ha ocurrido la idea de perseguir la inmortalidad?

Ejecutó el primer corte experto a lo largo de la pared abdominal; en algún lugar del lado derecho de la sala se oyó un murmullo: por lo visto alguien debió de sentirse indispuesto.

–Esta joven fue ahorcada –prosiguió Ruysch, e incorporó el cuerpo de manera que viéramos el cuello. En efecto, se distinguía una marca horizontal roja, una raya apenas, difícil de creer que le causara la muerte.

Para comenzar, se centró en los órganos de la cavidad abdominal. Hizo una detallada descripción del aparato digestivo y, antes de pasar al corazón, permitió a todo el mundo escudriñar el bajo vientre, de debajo del monte de Venus extrajo el útero agrandado a consecuencia del parto. Y todo lo que hacía se nos antojó, incluso a nosotros, sus colegas de oficio pertenecientes al mismo gremio, un espectáculo de magia. Los movimientos de sus finas manos blancas eran circulares, fluidos, como los de los magos de feria. La vista los seguía fascinada. El cuerpo menudo se abría ante el público, desvelaba sus secretos, confiado en que semejantes manos no iban a dañarlo. El comentario de Ruysch fue breve, coherente y comprensible. Bromeó incluso, pero con gracia, sin restarse ni pizca de dignidad. En aquel momento entendí la esencia de esa representación, su popularidad. Con sus gestos circulares, Ruysch convertía al ser humano en un cuerpo y lo despojaba de todo misterio ante nuestros ojos; lo descomponía en elementos primarios como si desmontara un complicado reloj. El pavor de la muerte se desvanecía. Nada que temer. Somos un mecanismo, algo así como el reloj de Huygens.

Después de la representación, la gente, conturbada, se marchó en silencio, y lo que quedaba del cuerpo fue tapado otra vez por la misma tela. Pero al cabo de muy poco, ya en la calle, donde el sol había disipado las nubes, se atrevieron a retomar el habla, y los invitados –entre los que nos contábamos nosotros– se dirigieron al ayuntamiento para asistir al banquete preparado para la ocasión.

Philip, sin embargo, permaneció callado y taciturno, y en absoluto parecía interesado en la exquisita comida, el vino o el tabaco. A decir verdad, yo tampoco estaba de humor. Se equivocaría quien pensase que a nosotros los anatomistas no nos afectan las autopsias, que pasan sin dejar huella. A veces, como hoy, queda suspendido en el aire algo que yo llamo «la verdad del cuerpo», una extraña convicción de que, pese a la obviedad de la muerte, pese a la ausencia del alma, el cuerpo que queda a su propia merced forma un todo intenso. Por supuesto que un cuerpo muerto está sin vida; me refiero más bien al hecho de que permanezca en su forma. La forma, a su manera, continúa viva.

La lección magistral de Ruysch inauguraba la temporada de invierno; De Waag acogerá con regularidad conferencias, debates, demostraciones de vivisección de animales, dirigidos tanto a los estudiantes como al público en general. Y si las circunstancias permiten disponer de cuerpos humanos frescos, también habrá autopsias públicas de cadáveres que realizarán otros anatomistas. Pues hasta la fecha tan solo Ruysch ha sabido preparar un cuerpo con una antelación –según hoy ha afirmado y me resulta difícil de creer– de hasta dos años, y solo él no tiene que temer a los calores veraniegos.

Si no fuera porque lo acompañé al día siguiente hasta su casa –primero en barca y luego a pie–, nunca me habría enterado de lo que aquejaba a Philip Verheyen. Aun así, lo que le oí relatar se me antojó extraordinariamente extraño. Como médico y anatomista me he encontrado varias veces con el fenómeno en cuestión, mas siempre atribuí esos dolores a una hipersensibilidad nerviosa, a una imaginación más que fecunda. Pero conocía a Philip desde hacía muchos años, y nadie estaba a su altura en cuanto a precisión mental y rigor en la observación, ni a la hora de emitir un juicio. Un intelecto que aplica el método correcto puede alcanzar el conocimiento verdadero y útil del mundo a través de los más insignificantes detalles apoyándose en sus propias ideas, claras y nítidas: es lo que se nos enseñó en la misma universidad en que cincuenta años antes Descartes diera clases de matemáticas. Porque Dios, perfecto en supremo grado, siendo quien nos ha dotado de facultades cognitivas, no puede ser un embaucador. Siempre que usemos adecuadamente tales facultades deberíamos alcanzar la verdad.

Los dolores empezaron a manifestarse pocas semanas después de la operación. Por la noche, cuando el cuerpo se relajaba y serpenteaba sobre el tenue límite del duermevela, era acosado por turbadoras imágenes itinerantes, viajeras por una mente somnolienta. Sentía como si la pierna izquierda se le durmiese y debiera colocarla en la posición adecuada, percibía un hormigueo en los dedos, desagradables pinchazos. Se revolvía medio inconsciente. Quería mover los dedos, pero la imposibilidad de hacerlo acababa por despertarlo del todo. Se sentaba sobre la cama, apartaba el edredón y observaba el sitio dolorido: unos treinta centímetros debajo de la rodilla, justo encima de la sábana arrugada. Cerraba los ojos e intentaba rascarse, pero no tocaba nada, los dedos peinaban con desesperación el vacío, todo alivio le era negado.

Una noche, presa de la desesperación, cuando el dolor y el picor lo enloquecían, Verheyen se levantó y encendió con manos temblorosas una vela. Saltando a la pata coja, trasladó a la mesa el recipiente con la pierna amputada –que Fleur, al no lograr convencerlo de guardarla en el trastero, cubría con una mantilla floreada–, la sacó y a la luz de la vela intentó hallar en esa extremidad la causa del dolor. La pierna parecía más pequeña, la piel amarronada por el brandy, pero las uñas seguían siendo convexas, nacaradas, y Verheyen tuvo la impresión de que habían crecido. Se sentó en el suelo, las piernas hacia delante, y colocó la extremidad amputada justo debajo de la rodilla izquierda. Cerró los ojos y a tientas alcanzó el sitio dolorido. Su mano tocó un trozo de carne fría, pero no así el dolor.

Trabajó metódica y tenazmente en su propio atlas del cuerpo humano.

En primer lugar, la autopsia: preparar meticulosamente el modelo a dibujar, destapar un músculo, un haz de nervios, la trayectoria de un vaso sanguíneo, extender el espécimen para tenerlo en dos dimensiones, reducirlo a cuatro direcciones: arriba, abajo, izquierda y derecha. Usaba delicadas estaquillas de madera que le ayudaban a convertir en claro y meridiano lo complejo e intrincado. Una vez acabado todo, salía, se lavaba y se secaba bien las manos, se cambiaba de ropa y regresaba provisto de hojas y cincel de grafito para plasmar el orden en papel.

Hacía las autopsias sentado, intentando en vano controlar los fluidos corporales que enturbiaban la nitidez y la precisión de la imagen. Transfería los detalles al papel con esbozos rápidos y solo más tarde, con calma, trabajaba concienzudamente en cada uno de ellos, detalle a detalle, nervio a nervio, tendón a tendón.

No hay duda de que la amputación afectó su salud, a menudo lo vencían la debilidad y la melancolía. Al dolor de la pierna izquierda que no cesaba de atormentarlo lo llamó «fantasma», pero no se atrevió a mencionarlo a nadie, sospechando ser víctima de una ilusión nerviosa o de la locura. Lo más probable es que perdiese la posición de la que gozaba en la universidad si alguien llegara a enterarse. No tardó en ejercer de médico y fue admitido en el gremio de cirujanos. El que le faltara una pierna hizo que lo llamasen para intervenciones de amputación antes que para cualquier otro tipo, como si esto solo garantizara el éxito de la operación o, incluso, como si un cirujano mutilado fuera a traer –si se puede decir así– suerte en la enfermedad. Publicó trabajos detallados sobre anatomía de músculos y tendones. Cuando en 1689 le ofrecieron el cargo de rector de universidad, se trasladó a Lovaina, llevando en el equipaje el recipiente con la pierna tupidamente envuelto en rollos de lino.

Fui yo, Willem Van Horssen, el mensajero que unos años más tarde, en 1693, enviaría el impresor para mostrar a Verheyen la gruesa edición de su primer libro, húmedo aún por la tinta de imprenta, el gran atlas anatómico *Corporis humani anatomia.* Compilaba en él veinte años de trabajo. Cada grabado, ejecutado a la perfección, nítido e inmaculado, estaba acompañado por un texto explicativo, de manera que parecía que en ese volumen, por un misterioso procedimiento, el cuerpo humano –litografiado hasta en su esencia, despojado de sangre y linfa, esos líquidos sospechosos tan propensos al deterioro, del rumor de la vida– hubiera desvelado su orden perfecto en un absoluto silencio blanco y negro. *Anatomia* le granjeó fama, y la obra fue reeditada pocos años después en una tirada aún mayor y se convirtió en manual.

Visité a Verheyen por última vez en noviembre de 1710, llamado por su sirviente. Encontré a mi maestro en muy mal estado y me resultó difícil comunicarme con él. Sentado junto a la ventana sur, miraba hacia la lejanía, pero ni la menor sombra de duda me apartó de la convicción de que lo único que podía ver aquel hombre eran imágenes de su interior. No reaccionó al verme, me lanzó solamente una mirada desprovista de todo interés y, sin gesto alguno, se volvió hacia la ventana. En la mesa yacía su pierna, o más bien lo que de ella quedaba, pues estaba desmontada en cientos, miles de partes infinitamente pequeñas, tendones, músculos y nervios despiezados hasta sus componentes más mínimos, y todo aquello cubría la superficie entera de la mesa. El sirviente, un sen-

200

cillo muchacho campesino, estaba aterrado. Tenía miedo de entrar en la habitación de su patrón y me hacía constantemente señales a sus espaldas y mudos comentarios sobre sus reacciones, solo moviendo los labios. Examiné a Philip lo mejor que supe, pero el diagnóstico no era alentador: todo apuntaba a que su cerebro había dejado de trabajar y lo había sumido en una suerte de apatía. Yo ya sabía de sus anteriores caídas en la melancolía, mas ahora la bilis negra había alcanzado el nivel de su cerebro, quizá a causa de esos dolores «fantasma», como él los llamaba. En la visita anterior le llevé mapas, pues había oído que nada curaba tan bien la melancolía como la contemplación de mapas. Le prescribí descanso y alimentos ricos en grasa para fortalecerlo.

A finales de enero tuve noticia de su muerte y enseguida viajé a Rijnsburg. Encontré su cuerpo dispuesto para la sepultura, lavado y afeitado, yacente en el ataúd. Deambulaban por la casa recogida y limpia unos parientes de Leiden, y cuando pregunté al sirviente por la pierna, se limitó a encogerse de hombros. La gran mesa junto a la ventana fue lavada y relavada con sosa cáustica. Cuando intenté seguir averiguando qué había pasado con la pierna que debía ser enterrada junto con el cuerpo, según Philip había repetido tantas veces, la familia me ignoró. Lo enterraron sin ella.

A modo de consuelo y distensión, me entregaron una buena pila de papeles de Verheyen. El entierro tuvo lugar el 29 de enero en la abadía de Vlierbeek.

CARTAS A LA PIERNA AMPUTADA

Las hojas sueltas que me entregaron tras la muerte de Verheyen me sumieron en un estado de confusión. En los últimos años de su vida, mi maestro apuntaba sus pensamientos en forma de cartas dirigidas a una destinataria peculiar, lo que a todo el mundo parecerá sin duda una demostración de su locura. Pero si se leen con atención estas notas –tomadas a vuelapluma sin pensar en el ojo ajeno, sino más bien para afianzar la propia memoria–, se distinguirá en ellas el relato de un viaje hacia una tierra ignota y un intento de esbozar su mapa.

Reflexioné mucho sobre qué debía hacer con ese legado inesperado y finalmente tomé la decisión de no publicarlo en forma alguna. Yo, su discípulo y amigo, prefiero que pase a la historia como el magnífico anatomista y grabador que fue descubridor del tendón de Aquiles y de otras partes de nuestro cuerpo en las que nadie antes había reparado. Que recordemos sus hermosas litografías y tengamos para nosotros que no todo se puede comprender de la vida ajena. Pero a fin de acallar los rumores que tras su muerte recorren Ámsterdam y Leiden –y que aseguraban que el maestro había enloquecido–, deseo citar aquí unos fragmentos y demostrar al hacerlo que no estaba loco. Eso sí, de lo que no tengo duda alguna es de que Philip se dejó poseer por una peculiar obsesión relacionada con su inexplicable dolor. Y obsesionarse significa presentir la existencia de un lenguaje individual, irrepetible, que, usado sin miedo, nos permitirá desvelar la verdad. Hay que seguir esa premonición hasta territorios que a otros se les puedan antojar absurdos y alunados. Por alguna razón que desconozco ese lenguaje de la verdad suena angelical a unos, mientras que para otros se convierte en signos matemáticos o notación musical. Aunque también hay unos terceros a los que habla de manera muy peculiar.

En sus «Cartas a mi pierna amputada» Philip intentó demostrar, con coherencia y sin emoción, que ya que el cuerpo y el alma son en esencia una misma cosa, ya que son dos atributos de Dios infinito que todo lo abarca, tiene que existir entre ellos una adecuación diseñada por el Creador. *Totam naturam unum esse individuum.* Esto es lo que en esencia más le interesaba: de qué manera sustancias tan diferentes como el cuerpo y el alma se unen en el cuerpo humano y cómo cohabitan. ¿De qué manera el dúctil cuerpo puede entablar contacto causal con el alma inflexible? ¿Cómo nace y de dónde sale el dolor?

Escribió, por ejemplo:

«¿Qué es lo que en realidad me espolea cuando siento dolor y hormigueo si mi pierna fue de mí separada y flota en alcohol? Nada puede incomodarla, no tiene por qué entumecerse, el dolor, pues, no tiene justificación lógica alguna y, sin embargo, existe. Ahora la estoy mirando y al mismo tiempo siento en ella, en los dedos, un calor insoportable, como si la hubiera sumergido en agua hirviendo, y es una sensación tan real, tan evidente, que si cerrara los ojos vería en mi imaginación un balde lleno de agua muy muy caliente y mi propio pie, desde los dedos hasta el tobillo, sumergido en ella. Toco mi extremidad corporalmente existente en forma de un pedazo de carne conservado y... no lo siento. En cambio, siento algo que no existe, un lugar vacío en sentido físico, nada hay que pueda producir alguna sensación. Me duele algo que no existe. Un fantasma. Un dolor fantasma.»

En un principio la combinación de estas palabras se le antojó extraña, pero no tardó en usar esta expresión con naturalidad. Asimismo tomó detalladas notas del proceso de necropsia que realizaba a su pierna. La fue disgregando cada vez más hasta que no le quedó sino tener que usar el microscopio.

«El cuerpo es algo absolutamente misterioso», escribió. «El hecho de que lo describamos con tanto detalle no significa que lo conozcamos. Es como un argumento sacado de un libro de Spinoza, ese pulidor de lentes que pule el cristal para que podamos observar de cerca cada cosa e inventa un intrincadísimo lenguaje para expresar su pensamiento. Porque se dice: ver significa saber.

»Yo quiero saber, no fiarlo todo a la lógica. ¿De qué me sirve una demostración externa justificada por una deducción estrictamente geométrica?, ¿solo para aparentar consecuencia lógica y ese orden tan grato a la mente? Existe un A, luego le sigue un B, primero las definiciones, luego los axiomas y los teoremas numéricos, unas cuantas conclusiones adicionales y... puede dar la impresión de que el razonamiento concuerda con el aguafuerte ejecutado a la perfección en un atlas donde cada elemento se marca con una letra y todo parece claro y transparente. Pero seguimos sin saber cómo funciona.»

Y, sin embargo, creía en el poder de la razón. Y en que en su naturaleza estaba el considerar las cosas como necesarias, no contingentes. De otro modo, se negaría a sí misma. No se cansaba de repetir que debíamos confiar en nuestra razón porque nos era dada por Dios, y al ser Dios perfecto, ¿cómo iba a dotarnos de algo que nos embaucara? ¡Dios no era un embaucador! Usando nuestras facultades intelectuales como es debido, alcanzaríamos finalmente la verdad, lo sabríamos todo de Dios y de nosotros mismos, que somos parte de Él como todas las cosas.

Insistía, sin embargo, en que la razón intuitiva estaba muy por encima de la lógica. Al abordar cualquier aprendizaje intuitivamente, veríamos enseguida la necesidad determinista de la existencia de todas las cosas. Todo lo necesario no podía ser diferente de como era. Tomando conciencia de ello, experimentaríamos gran alivio y purificación. Ya no nos afectaría perder nuestros bienes, el transcurso del tiempo, el envejecimiento ni la muerte. De ese modo alcanzaríamos el dominio en lo afectivo y la paz de espíritu.

Solo deberíamos olvidar el primitivo deseo de juzgar lo que era bueno y lo que era malo, al igual que el hombre civilizado debería desterrar los impulsos primitivos: venganza, avaricia, ansia de poseer. Dios, o sea, la naturaleza, no era bueno ni malo, era el intelecto mal empleado lo que nos mancillaba con nuestras querencias. Philip creía que todo nuestro conocimiento de la naturaleza en su esencia lo era de

Dios. Era eso lo que nos liberaría de la tristeza, la desesperación, la envidia y el pavor que constituían nuestro infierno. Es cierto que se dirigía a su pierna como si fuera un ser vivo e independiente, para qué negarlo. Por separado, adquirió una especie de autonomía demoníaca al tiempo que mantenía con él una dolorosa relación. Naturalmente reconozco que tales fragmentos son los más inquietantes de sus cartas. Pero al mismo tiempo no me cabe duda de que no se trata más que de una metáfora, de un recurso retórico. Me inclino a pensar que más bien aludía a la fuerza que ligaba lo que había constituido un todo antes de ser dividido en partes, a esa invisible ligazón tan difícil de examinar. La oscura naturaleza de esa interrelación que sin duda escapa a todo microscopio.

Sin embargo, era obvio que solo podíamos confiar en la fisiología y la teología, los dos pilares del conocimiento. Lo que se hallaba en medio no contaba en absoluto.

Al leer sus notas hay que tener presente que Philip Verheyen sufría incesantemente sin conocer la causa de su dolor. Tengámoslo en cuenta al abordar la lectura de sus palabras:

«¿Por qué me duele? ¿Será porque en esencia —como dice ese pulidor, y tal vez sea lo único en que no se equivoca— cuerpo y alma forman parte de algo común y superior a ambos, son diferentes estados de una misma sustancia como el agua, que tanto se puede presentar como líquido o como sólido? ¿Por qué me duele aquello que no existe? ¿Por qué noto esa falta, siento esa ausencia? ¿Estaremos condenados a ser un todo y cada desmembramiento, cada descuartizamiento, no es más que una apariencia que solo se manifiesta en la superficie, mientras que por debajo el plan se mantiene intacto e invariable? ¿No sigue perteneciendo acaso a un todo el más insignificante fragmento? Cuando el mundo, cual enorme bola de cristal, cae y se desintegra en millones de elementos, ¿no sigue siendo acaso un todo en su poderosa e infinita enormidad?

»¿Es Dios mi dolor?

»He pasado toda mi vida viajando, he viajado a mi propio cuerpo, a mi extremidad amputada. Confeccioné sus mapas más detallados. Descompuse en elementos mi objeto de estudio según la mejor metodología de lo elemental y primigenio. Contabilicé músculos, tendones, nervios y vasos sanguíneos. Usé para ello mis propios ojos, aunque también me ayudé con la vista más aguda del microscopio. No creo haber pasado por alto elemento alguno, ni el más mínimo.

»Hoy me puedo preguntar: ¿qué he estado buscando?»

RELATOS DE VIAJE

¿Hago bien en contar historias? ¿No sería mejor que me sujetara la mente con un clip, tirara de las riendas y me expresara no con historias sino con la linealidad de una conferencia, donde frase a frase se va perfilando una única idea y en los párrafos ulteriores se la hilvana con otras? Podría usar citas y notas a pie de página, con un orden de puntos o capítulos podría exponer paso a paso mi razonamiento consecuente de *quod erat demonstrandum;* verificaría la hipótesis previamente formulada y al final sacaría conclusiones, como se sacan las sábanas tras la noche de bodas a la vista de la gente. Sería dueña de mi propio texto y podría cobrarlo sin trampa ni cartón.

Pero no, consiento en desempeñar el papel de comadrona o de jardinera cuyo mérito, como máximo, radica en sembrar para luego combatir tediosamente las malas hierbas.

El relato tiene su inercia, una inercia que nunca se puede controlar del todo. Exige personas como yo: inseguras de sí mismas, indecisas, fáciles de enredar. Ingenuas.

206

Soñé que contemplaba desde lo alto ciudades situadas en valles y laderas de montaña. Desde esta perspectiva se veía claramente que dichas ciudades eran tocones de árboles en su tiempo enormes, seguramente secuoyas o ginkgos gigantescos. Me pregunté cómo de altos tenían que ser aquellos árboles si hoy albergaban en sus troncos ciudades enteras. Excitada, intenté calcular su altura usando la simple regla de tres que recordaba de la escuela:

A es a B como
C es a D

_____

$A \times D = C \times B$

Si A corresponde a la superficie de la sección transversal del árbol, B a su altura, C a la superficie de la ciudad y D a la altura de la ciudad-árbol buscada, entonces, partiendo de que la superficie de la sección en la base de un árbol medio mide 1 m^2 y su altura alcanza un máximo de 30 m, y la ciudad (más bien un pequeño asentamiento) tiene digamos 1 ha (es decir, 10.000 m^2),

1 – 30
10.000 – D

_____

$1 \times D = 10.000 \times 30$
equivale a 300 km

Este es el resultado que arrojó mi sueño. El árbol tendría que alcanzar una altura de trescientos kilómetros. Me temo que esta aritmética durmiente no se puede tomar en serio.

–Tampoco es tanto. Apenas el ingreso anual de un mercader que comercia con las colonias, siempre y cuando haya paz y los ingleses no apresen barcos holandeses por cuya devolución habrá que litigar en juicios interminables. Sí, es una cantidad bastante razonable. A la que cabe añadir la confección de sólidas cajas de madera y los costes de transporte.

Es lo que desembolsó el zar de todas las Rusias Pedro I por la colección de especímenes anatómicos que Frederik Ruysch había tardado años en reunir.

En 1697 el zar estuvo viajando por Europa con su gran séquito de doscientas personas. Todo lo visitaba con avidez, pero lo que más le interesaba eran las *Wunderkammers*. Quizá también él sufriera de algún síndrome. Después de que Luis XIV se negase a concederle audiencia, el zar se instaló unos meses en los Países Bajos. Se presentó varias veces de incógnito, en compañía de fornidos adláteres, en De Waag, en el *theatrum anatomicum,* donde, con gesto de concentración, observaba los ágiles movimientos del profesor cuando con su escalpelo abría y mostraba al público los cuerpos de los condenados. Llegó incluso a entablar cierta amistad con el maestro, se puede decir que se hicieron amigos cuando Ruysch enseñó al zar a conservar mariposas.

Pero lo que más lo atrajo fue la colección de Ruysch: cientos de especímenes encerrados en tarros de cristal, flotando en líquido, el panóptico de un cuerpo humano deconstruido en elementos primarios, un cosmos mecánico de órganos. Lo recorría un escalofrío cuando sin poder apartar la vista miraba los fetos humanos, tan fascinante le resultaba tal visión. Y las escenografías creadas con huesos humanos, cargadas de dramatismo y ensueño, lo sumían en un cautivador estado contemplativo. Tenía que hacerse con aquello.

Los tarros fueron cuidadosamente empaquetados en cajas forradas de estopa, atados con cuerdas y transportados con caballos al puerto. Una veintena de marineros se ocupó de embodegar la valiosa mercancía. Supervisó la carga el profesor en persona, enfadado y enfurecido porque un movimiento descuidado se saldó con la destrucción de un hermoso ejemplo de acefalia, un espécimen muy raro, ya que por regla general no conservaba aberraciones, sino que siempre procuraba plasmar la belleza y la armonía del cuerpo. Pero la campana de vidrio se hizo añicos y la célebre mezcla conservante se derramó por el empedrado y desapareció entre los adoquines. El espécimen salió rodando por la sucia calle, partiéndose por dos sitios. Un fragmento de cristal conservaba tan solo la etiqueta primorosamente elaborada por la mano de una hija del profesor, con una inscripción ornamental enmarcada en negro: *Monstrum humanum acephalum.* Una rareza, un espécimen atípico. Lástima. El profesor lo envolvió en un pañuelo y, cojeando, se lo llevó a casa. A lo mejor aún se podría salvar algo.

Qué panorama tan triste: estancias desiertas tras la venta de la colección. El profesor Ruysch las miró largamente y divisó unas manchas oscuras en los estantes de madera: proyecciones planas de tarros tridimensionales, huellas sobre el polvo omnipresente, apenas el largo y el ancho, sin traza alguna de su contenido.

Casi octogenario, la colección era el producto de su trabajo a lo largo de los últimos treinta años, pues había empezado bastante pronto. Se lo puede ver en una pintura de Backer, que lo retrató como el mejor profesor de anatomía de la ciudad a la edad de apenas treinta y dos años. El pintor logró captar la particular expresión facial del joven Ruysch: seguridad en sí mismo y astucia de comerciante. Sí, el cuerpo preparado para la autopsia, el cadáver de un hombre joven en es-

209

corzo, tiene una apariencia fresca; parece estar vivo: el color de la piel, un rosa lechoso, en absoluto lleva a pensar en un cadáver, la flexión de la rodilla recuerda al movimiento de un hombre desnudo que tumbado boca arriba instintivamente protege del ojo ajeno sus vergüenzas. El cuerpo pertenece a un convicto ahorcado, Joris van Iperen, ladrón. Los cirujanos ataviados de negro riguroso constituyen un inquietante contraste con ese cuerpo muerto, avergonzado e indefenso. El profesor muestra aquello que pasados treinta años le reportará una fortuna: la mezcla de su invención que conserva frescos los tejidos durante mucho tiempo. Probablemente tiene la misma composición el líquido en el que Ruysch conserva sus especímenes anatómicos raros: parecen vivos. Aunque se encuentra estupendamente, en el fondo de su alma teme que no le vaya a dar tiempo a reproducir el espécimen partido.

La otra hija del profesor, una mujer de cincuenta años, de manos delicadas ocultas en encajes de color crema y completamente entregada a su padre, está organizando un equipo de muchachas para la limpieza. Casi nadie se acuerda de su nombre, le basta y sobra con «hija del profesor Ruysch» y «señora», como la llaman las limpiadoras. Pero nosotros sí nos acordamos: es Charlotte. Disfruta del derecho de firmar documentos en nombre de su padre, y las firmas de ambos son indistinguibles. Pese a sus delicadas manos, sus encajes y sus vastos conocimientos anatómicos, no pasará a la historia junto con su padre. No gozará de inmortalidad, como él, en la memoria humana ni en los manuales. La sobrevivirán incluso los especímenes en cuya preparación trabajó con tanta entrega de manera anónima. La sobrevivirán todos aquellos fetos chiquitos y bellos que llevan una tranquila vida paradisíaca en un líquido dorado, el agua estigia. Algunos de ellos, los más valiosos, raros como orquídeas, tienen un par de brazos o piernas de más porque a ella, al contrario que a su padre, le fascina lo defectuoso e imperfecto. Microcefalias que logra rastrear gracias a comadronas sobornadas. O intestinos hipertrofiados dignos de Gargantúa que obtiene de los cirujanos. Médicos de provincias se ofrecían a venderle a la hija del profesor Ruysch tumores raros, terneros de cinco patas, fetos muertos de gemelos siameses unidos por la cabeza. Pero a quienes más debe es a las comadronas de la ciudad. Era una buena clienta aunque sabía regatear.

El padre dejará el negocio en manos de su hijo Henrik, que es quien aparece retratado en un lienzo pintado trece años después de aquel primero y que Charlotte ve todas las mañanas al bajar la escalera. En él su padre ya es un hombre maduro que luce una perilla española perfectamente recortada. Lleva peluca. Esta vez su mano armada con tijeras quirúrgicas se eleva sobre el cuerpo abierto de un niño de pecho. Las paredes abdominales, ya abiertas y separadas, muestran el orden interno. A Charlotte le recuerda a su muñeca favorita de carita pálida de porcelana y torso de trapo relleno de serrín.

Nunca se casó, hecho socialmente aceptado, después de todo estaba dedicada a su padre. De modo que no tuvo hijos, a menos que cuenten aquellos pálidos y hermosos ejemplares que flotaban en alcohol.

Siempre lamentó que dieran en matrimonio a su hermana Rachel, con la que había trabajado en la preparación de los especímenes. Pero a Rachel siempre le atrajo más el arte que la ciencia. No quería mojar las manos en formalina, le provocaba náuseas el olor de la sangre. En cambio ornaba con motivos florales los tarros destinados a guardar muestras. Creaba también composiciones de huesos, sobre todo con los más pequeños, a las que luego daba ingeniosos títulos. Sin embargo, acabó por mudarse junto con su esposo a La Haya y Charlotte se quedó sola, pues no había que contar con los hermanos.

Deja una huella en la superficie de madera al pasar un dedo por un estante. Dentro de nada la borrarán los trapos

211

de las muchachas que se afanan entre risas. Le duele haber perdido la colección a la que ha dedicado toda su vida. Vuelve la cara hacia la ventana para que las criadas no vean sus lágrimas y contempla el habitual ir y venir de la ciudad. Teme que allí, en el lejano norte, los tarros no se guarden ni se conserven correctamente. El lacre que sella las tapas a veces pierde su consistencia a causa de los vahos de la mezcla y entonces el alcohol se evapora. Lo ha descrito todo minuciosamente en la larga y detallada misiva que adjuntó a la colección, en latín. Pero ¿leerá latín aquella gente?

Esta noche no va a poder dormir. Está preocupada como una madre que envía a sus hijos de viaje a universidades remotas. Sin embargo, sabe por experiencia propia que no hay mejor remedio para combatir la preocupación que el trabajo que por sí mismo proporciona placer y recompensa a la vez. Manda callar a las muchachas que juguetean; temen a la figura severa de su patrona. Deben de pensar que alguien como ella tiene asegurado el cielo.

Pero ¿para qué querrá ella el cielo? ¿Qué tiene de bueno el cielo de los anatomistas? Oscuro y aburrido, lleno de grupos inmóviles junto a un cuerpo humano, solo varones vestidos de negro cuyos atavíos apenas se distinguen de la oscuridad circundante. En sus rostros, suavemente iluminados por el blanco resplandor de sus cuellos, se aprecia una expresión satisfecha, incluso de triunfo. Ella es un ser solitario, no le importa la gente. Así que ni la preocupa el fracaso ni la excita el éxito. Se aclara sonoramente la garganta para infundirse ánimo y, levantando una nube de polvo con el frufrú de su falda, se va.

Sin embargo, no se marcha a casa, le atrae la dirección contraria, hacia el mar, el puerto, y al poco divisa a lo lejos los altos y esbeltos mástiles de las naves de la Compañía de las Indias Orientales; fondeadas en la rada, entre ellas circulan pequeñas barcas que transportan mercancías al puerto. Los barriles y las cajas llevan el sello de VOC (Vereenigde Oos-

212

tindische Compagnie). Hombres semidesnudos, relucientes de sudor y tostados por el sol bajan por las pasarelas cajas llenas de pimienta, clavo y nuez moscada. El olor del mar, a pescado y a sal, se percibe aquí sazonado de canela. Camina a lo largo de la orilla hasta divisar a cierta distancia los tres mástiles de la nave del zar ruso, pasa a su lado a toda prisa porque no quiere verlo, ni imaginar sus tarros con especímenes almacenados en la oscuridad de una bodega que hiede a pescado, sucia, manipulados por manos extrañas y teniendo que pasar allí muchos días, sin luz, lejos de la vista de nadie.

Aprieta el paso hasta alcanzar los muelles donde ve cómo se preparan para zarpar los barcos que muy pronto navegarán por los mares de Dinamarca y Noruega. Difieren mucho de las naves pertenecientes a la Compañía: adornadas, pintadas de vivos colores, con galeones en forma de sirenas y personajes mitológicos. Estas en cambio son rudimentarias, bastas...

Presencia una escena de reclutamiento. Ve a dos funcionarios vestidos de negro y tocados con pelucas castaño oscuro sentados a una mesa colocada para tal propósito en el muelle, y frente a ella un nutrido grupo de voluntarios: pescadores de aldeas vecinas, harapientos, con barba de días, ajenos desde Pascua al agua y el jabón, de alargadas calaveras.

Se le ocurre una idea loca: disfrazarse con harapos masculinos, untarse los hombros con un aceite apestoso, oscurecerse con él el rostro, cortarse el pelo y unirse a esta cola. El tiempo, piadoso, nivela las diferencias entre hombre y mujer, y ella sabe que no es bonita, que con sus mejillas un poco caídas ya y sus labios encorchetados entre sendas arrugas podría hacerse pasar por hombre. Neonatos y ancianos comparten aspecto. ¿Qué la retiene, pues? ¿El pesado vestido, la abundancia de enaguas, la incómoda toca blanca que sujeta con fuerza su mísera cabellera, su padre, viejo y enloquecido, y sus ataques de avaricia cuando con su dedo huesudo empuja hacia ella por el tablón de la mesa una moneda para los gastos de casa? Quien, disimulando cuidadosamente su locura, ha decidido volver a empezar desde cero: debe estar preparada. En pocos años reproducirán la colección, pagarán a las comadronas para que se mantengan alerta y no pasen por alto ningún parto ni aborto espontáneo.

Podría embarcar mañana mismo; ha oído que la Compañía sigue necesitando marineros. Subiría a una de esas barcas que van a Texel, donde está fondeada toda la flota. Las naves de la Compañía son ventrudas, fornidas, recias, deben dar cabida a la mayor cantidad posible de seda, porcelana, alfombras y especias; les convendría disponer de una cosa más: una gran boca, los picos de pato son así de voraces. Sería un grumete más, nadie se daría cuenta; bastante alta y robusta, ceñiría los pechos con cinta de lino. E incluso si se destapara el engaño, estarían ya en alta mar, camino de las Indias Orientales, ¿qué le iban a hacer? A lo sumo desembarcarla en algún lugar civilizado, Batavia, por ejemplo, donde los monos corren en manadas –lo ha visto en litografías– y matan el tiempo sentados sobre los tejados de las casas, y donde hay fruta todo el año, como en el paraíso, y hace tanto calor que no hace falta llevar medias.

Eso piensa y así discurre su imaginación cuando un hombre robusto, hercúleo, atrae su atención: su brazo desnudo y su torso desnudo y tatuado, cubierto de dibujos de colores sobre todo de barcos, velámenes, mujeres de tez oscura semidesnudas; es como si llevara la historia de su vida escrita sobre su cuerpo, dibujos sin duda vestigio de sus viajes y amantes. Charlotte no puede dejar de mirarlo. El hombre se echa a los hombros rollos protegidos con lona gris y los baja por una pasarela hasta una pequeña embarcación. Debe de sentir sobre su cuerpo los ojos de la mujer, ya que le lanza una mirada fugaz, imposible saber si amistosa o huraña, al fin y al cabo no puede resultarle atractiva. Una señoritinga de negro. Pero ella sigue sin poder apartar la vista del tatuaje. Ve en su hombro un pez de colores, una gran ballena, y como los músculos del marinero trabajan, le da la sensación de que la ballena está viva y cohabita con el hombre en una extraordinaria simbiosis, pegada para siempre a su piel, viajando desde el omóplato rumbo al pecho. Ese cuerpo grande y robusto la impresiona sobremanera. Siente cómo le flaquean las piernas, cada vez más lentas y pesadas, y se abre la parte baja de su cuerpo; así lo percibe: que se abre a ese hombro, a esa ballena.

Aprieta las mandíbulas con tanta fuerza que algo le retumba en la cabeza. Empieza a caminar a lo largo del canal en dirección a casa, pero no tarda en aminorar la marcha y se detiene. La embarga una sensación bien extraña: que el agua se desborda. Con suavidad al principio, lamiendo con un primer oleaje el lugar que aspira conquistar, pero enseguida se envalentona y ataca, derramándose por el empedrado, filtrándose entre los adoquines, y pronto alcanzará los peldaños más bajos de las casas. Charlotte percibe claramente el peso del elemento: sus faldas se empapan de agua, se vuelven de plomo, le impiden moverse. Siente esta inundación en cada milímetro de su cuerpo y ve cómo las barcas, sorprendidas, chocan contra los árboles; siempre fondeaban con la proa a contracorriente, ahora han perdido el rumbo.

LA COLECCIÓN DEL ZAR

Al alba del día siguiente el velero ruso con la colección a bordo, depositada con todo cuidado en la bodega, levó anclas y se hizo a mar abierta. Atravesó sin sobresaltos los estrechos daneses y tras casi una veintena de días el Báltico le dio la bienvenida. El capitán, de excelente humor, contemplaba su reciente adquisición, un telurio bellamente ejecutado por artesanos neerlandeses. Desde siempre se había interesado más por este tipo de cosas que por la navegación, y en lo profundo de su alma habría preferido ser astrónomo o cartógrafo, alguien capaz de aspirar a espacios más allá de lo que nuestros ojos y nuestras naves pueden alcanzar.

De vez en cuando bajaba a la bodega para comprobar si todo seguía en orden con la preciosa carga. Pero en algún lugar próximo a la isla de Gotland el tiempo cambió: tras una breve tormenta, el viento dejó de soplar, el aire se estancó sobre las aguas que los últimos calores de agosto convirtieron en un enorme ámbar atmosférico. Las velas se desinflaron y permanecieron quietas durante varios días. El capitán, por ocupar en algo a sus hombres, mandó enrollar y desenrollar las drizas, fregar la cubierta, y por las tardes los sometía a instrucción militar. Al anochecer, empero, se desdibujaban los contornos de su poder y él mismo se refugiaba en el acogedor capullo de su cabina, en parte por lo poco simpáticos que le caían los rudos y primitivos marineros y en parte por el diario de viaje que dedicaba a sus dos hijos.

Al octavo día de calma chicha los marineros empezaron a rebelarse porque la verdura comprada en Ámsterdam, sobre todo las cebollas, resultó ser de tan mala calidad que ya estaba en gran parte enmohecida. Las reservas de vodka se agotaban, hasta tal punto que el capitán temía comparecer bajo cubierta donde se guardaban los barriles, y nada bueno auguraban los partes del primer oficial. El capitán aguzaba el oído queriendo detectar el rumor nocturno proveniente de cubierta. En un principio eran los pasos de un par de pies. Luego fueron creciendo en número hasta que oyó un acompasado traqueteo y exclamaciones rítmicas (¿estarían bailando?) que finalmente se convirtieron en los roncos gritos de unos borrachos y un canto desafinado a dos o tres voces, tan lastimero y lleno de dolor que le recordaba al quejido de algunas bestias marinas. Aquello se prolongó durante varias noches, casi has-

216

ta el amanecer. De día veía sus ojos abotargados, sus párpados henchidos y sus miradas esquivas. Sin embargo, tanto él como su primer oficial consideraron que la oscuridad en medio de un mar en calma no favorecía intento alguno de solucionar problemas serios. Solo al décimo día de calma chicha, a pleno sol, con las insignias y charreteras bien visibles y no pudiendo tolerar por más tiempo los excesos nocturnos, salió a cubierta y arrestó al cabecilla, un tal Kalukin.

Por desgracia, constató con el corazón en un puño que parte de la carga estaba dañada. Casi veinte de los cientos de tarros fueron abiertos y su contenido líquido, un fuerte brandy, apurado hasta la última gota. Los especímenes sobrevivieron, pero tirados por el suelo entre estopa y serrín. No los observó con excesiva atención. A solas en su cabina, vomitó de asco y de miedo. La noche siguiente hubo que vigilar arma en mano la entrada de la bodega, poco faltó para que estallara un motín. El calor de agosto enloquecía a los hombres. Y la lisa superficie del mar. Y la misma carga.

No quedó finalmente otra salida: el capitán mandó embutir los restos en un saco de lona que arrojó personalmente por la borda. Y como tocado por una varita mágica, el mar, apaciguado por aquel manjar, eructó y se movió. Desde tierras suecas llegaba el viento que empujó el velero del zar en dirección a casa.

Una vez atracado en San Petersburgo, el capitán se vio obligado a redactar un informe secreto. Kalukin fue condenado y ahorcado, y la colección, aunque incompleta, trasladada a las seguras estancias previstas para acogerla.

El capitán, a su vez, por su *culpa in vigilando,* fue desterrado junto con su familia al lejano norte, donde hasta el final de sus días organizó breves expediciones de caza de ballenas y contribuyó a la confección de mapas más detallados de Nueva Zembla.

Vuelo Irkutsk - Moscú. El avión despega de Irkutsk a las ocho de la mañana y aterriza en Moscú a la misma hora: ocho de la mañana del mismo día. Coincide con la salida del sol, de manera que todo el vuelo transcurre al amanecer. Se permanece en un mismo momento, en un Ahora tan inmenso, quieto y vasto como Siberia.

Un tiempo que debería usarse para la confesión de toda una vida. El tiempo transcurre en el interior del avión, pero no se filtra al exterior.

MATERIA OSCURA

En la tercera hora de vuelo, mi vecino volvía del lavabo y me tuve que levantar para dejarlo pasar a su mullida butaca; intercambiamos algunas palabras de cortesía acerca del tiempo, las turbulencias, la comida... Sin embargo, en la cuarta hora hicimos las presentaciones. Era físico. Regresaba a casa tras haber dado una serie de conferencias. Cuando se quitó los zapatos, vi un gran agujero en el talón de su calcetín. Así me envió un guiño el cuerpo físico del físico y a partir de ese momento conversamos con mayor libertad. Me contó historias de ballenas, con emoción, aunque en su trabajo se dedicaba a otra cosa.

La materia oscura, esa era su especialidad. Algo que aun sabiendo que existe no podemos tocar con herramienta alguna. Pruebas evidentes de su existencia las tenemos gracias a unos cálculos matemáticos complicadísimos que arrojan irrefutables resultados. Todo apunta a que ocupa tres cuartas partes del universo. Nuestra materia, la clara, la que conocemos y de la que se compone nuestro cosmos, es mucho más escasa. Mientras que la oscura está en todas partes, decía el hombre del calcetín agujereado, aquí al lado, a nuestro alre-

219

dedor. Miró por la ventanilla y señaló con los ojos la deslumbrante claridad de las nubes que teníamos debajo:

–Allí también está. Por todas partes. Lo peor es que no sabemos qué es. Ni por qué.

Quise inmediatamente ponerlo en contacto con aquellos climatólogos que volaban a Montreal a un congreso. Me incorporé del asiento y los busqué con la mirada, pero enseguida caí, claro, en que era otro avión.

MOVILIDAD ES REALIDAD

En el aeropuerto, un enorme anuncio colocado sobre una pared acristalada afirma omniscientemente:

МОБИЛЬНОСТЬ СТАНОВИТСЯ РЕАЛЬНОСТЮ

Movilidad es realidad.

Vamos a insistir en que solo se trata de un anuncio de telefonía móvil.

LOS ERRANTES

Por la noche, alborea el infierno y se posa sobre el mundo. Primero deforma el espacio; todo lo estrecha, compacta, inmoviliza. El detalle se difumina, los objetos pierden su rostro, se desdibujan y abotargan; resulta extraño que por el día se los pueda calificar de «bellos» o «útiles»; ahora recuerdan a toscos poliedros, difícil adivinar para qué pueden servir. Pero en el infierno todo obedece a una convención. La heterogeneidad diurna de las formas, la presencia de colores y matices se antoja aquí totalmente estéril: ¿para qué sirve? ¿Qué utilidad tiene la tapicería crema del sillón, el diseño floreado del papel pintado, las borlas de la cortina? ¿Qué importancia tiene el verde del vestido echado sobre el respaldo de una silla? La ávida mirada de deseo que en él se posó cuando aún colgaba en el escaparate de una tienda resulta ahora incomprensible. Ya no tiene botones, ni corchetes, ni broches de presión; en la oscuridad, los dedos no detectan más que protuberancias, asperezas, bultos de materia dura.

Acto seguido, el infierno, despiadado, te arranca de tu sueño. A veces pone ante ti imágenes inquietantes, de horror o de burla, por ejemplo, una cabeza cortada, un cuerpo amado cubierto de sangre, huesos humanos entre cenizas, oh sí, le gusta epatar. Pero las más de las veces te despierta de golpe sin miramiento alguno: los ojos se abren a la oscuridad, brotará un torrente de pensamientos; la vista que se clava en la negra nada es su vanguardia. El cerebro nocturno deviene en una Penélope que de noche desteje el tapiz de los sentidos que teje de día. Unas veces es un solo hilo, otras más; el intrincado diseño se descompone en elementos primarios: urdimbre y trama; la trama cae, permanecen las líneas rectas paralelas, el código de barras del mundo.

Y entonces todo aparece como algo obvio: la noche devuelve al mundo su aspecto natural, original, despojado de toda fantasía; el día es una extravagancia, la luz una excepción insignificante, un descuido, un trastorno del orden. El mundo real es oscuro, casi negro. Inmóvil y frío.

Se sienta erguida en la cama, una gota de sudor le produce un cosquilleo entre los pechos, el camisón pegado al cuerpo como una piel a punto de mudar. Ánnushka aguza el oído en la oscuridad y capta un suave gemido procedente de la habitación del pequeño Petia. Busca a tientas las zapatillas con los pies pero enseguida se da por vencida. Correrá descalza hacia su hijo. Ve moverse a su lado el contorno velado de una persona que suspira.

–¿Qué? –pregunta el hombre medio dormido y, resignado, se deja caer sobre la almohada.

–Nada. Petia.

Enciende una lamparita en la habitación del niño y enseguida ve sus ojos. Del todo espabilados, la miran desde los oscuros valles que la diligente luz esculpe en su rostro. Le toca la frente, llevada por el instinto, como siempre. No está caliente pero sí pegajosa por el sudor, más bien fría. Incorpora con cuidado al niño y le masajea la espalda. La cabeza del pequeño le cae sobre el hombro, Ánnushka percibe el olor a sudor, en él reconoce dolor, lo ha aprendido; Petia huele distinto cuando le duele.

–¿Aguantarás hasta la mañana? –le susurra al oído, tiernamente, pero al instante se da cuenta de lo estúpida que es la pregunta. ¿Por qué iba a aguantar? ¿Para qué?

Alcanza un blíster de pastillas de la mesilla de noche, saca una y se la mete en la boca. Le sigue un vaso de agua tibia. El niño bebe, se atraganta, así que tras una espera prudencial le da otro sorbo, esta vez con más cuidado. La pastilla no tardará en surtir efecto. Coloca el cuerpo inerte en el costado derecho, le sube las rodillas hasta el vientre, piensa que así estará más cómodo. Se tumba a su lado sobre el borde de la cama y acerca la cabeza a la escuálida espalda del niño. Oye cómo el aire se hace respiración, cómo entra en los pulmones y sale a la noche. Espera a que el proceso devenga rítmico, leve, automático; luego se incorpora suavemente y vuelve de puntillas a la cama. Preferiría dormir en la habitación de Petia, como hasta ahora, antes de que volviera su marido. Lo prefería así, estaba más tranquila durmiéndose y despertándose con la cara vuelta hacia su niño. Cuando no había necesidad de abrir todas las noches el sofá cama de matrimonio, más valdría que siguiera abandonado. Pero un marido es un marido.

Volvió hace cuatro meses, después de dos años de ausencia. Volvió vestido de paisano, con el mismo traje con que se había marchado, ahora un tanto demodé aunque se veía que no le había dado uso. Lo olisqueó, no olía a nada, tal vez un poco a humedad, ese olor a cerrado de almacén clausurado a cal y canto.

Volvió cambiado, ella lo notó enseguida, y seguía así desde entonces. La primera noche examinó su cuerpo: también era diferente, más firme, más robusto, más musculoso, pero extrañamente débil.

Tocó la cicatriz en el brazo y en la cabeza, bajo el pelo, visiblemente raleado y encanecido. Las manos se le volvieron macizas, los dedos más gruesos, como de haber realizado un trabajo físico. Las colocó sobre sus pechos desnudos, pero permanecieron indecisas. Intentó animarlo a hacer el amor con la mano, pero él estaba tumbado en silencio y respiraba tan débilmente que se sintió avergonzada.

Se despertaba en plena noche con un grito gutural lleno de furia, se sentaba en la oscuridad, no tardaba en levantarse e ir al aparador a buscar vodka. Después el aliento le olía a fruta, a manzana. Entonces le pedía: «Tócame, no dejes de tocarme.»

–Cuéntame cómo fue aquello, te quitarás un peso de encima, dime –le susurraba al oído, tentándolo con su cálido aliento.

No decía nada.

Mientras ella se ocupaba de Petia, él deambulaba por el piso en pijama de rayas, tomaba café, cargadísimo, y miraba el barrio por la ventana. Después se asomaba a la habitación del niño, algunas veces, acuclillado a su lado, intentaba entablar algún tipo de contacto con él. Luego encendía la tele y corría las cortinas amarillas, de manera que la luz del día se tornaba enfermiza, densa, febril. No se vestía antes de mediodía, cuando esperaban la visita de la enfermera de Petia, y eso no siempre. A veces simplemente cerraba la puerta y entonces el sonido de la tele se difuminaba, se convertía en un murmullo insidioso, en la llamada a un mundo que había perdido todo sentido.

El dinero llegaba regularmente cada mes. Una suma nada despreciable incluso: bastaba para las medicinas de Petia, para su nueva silla de ruedas, usada rara vez, para la enfermera.

Hoy no se va a ocupar del niño, hoy tiene el día libre. Dentro de poco vendrá del pueblo su suegra, no se sabe si a ver al hijo o al nieto ni a cuál de los dos cuidará con mayor ternura. Junto a la puerta dejará su bolsa de plástico a cuadros de la que sacará una bata de nailon y unas zapatillas, su uniforme de andar por casa. Se asomará a ver a su querido hijo, le preguntará algo, y él, sin apartar la vista de la tele, le contestará: sí o no. No dirá nada más, no tiene sentido esperar, así que irá a ver al nieto. Habrá que lavarlo y darle de comer, cambiar las sábanas empapadas de sudor y orines, administrarle la medicación. Después habrá que hacer la colada y ponerse a cocinar. Luego será el momento de jugar con el niño, si hace bueno podrá llevarlo en brazos al balcón, aunque haya poco que ver desde allí: bloques de elementos prefabricados como grandes arrecifes de coral gris de un mar desecado, poblados por organismos industriosos y apoyados sobre el desdibujado horizonte de una gran ciudad, la inmensa Moscú. Pero el niño siempre pone su mirada en el cielo; suspendido del bajo vientre de las nubes, viaja con ellas durante un tiempo, hasta los límites de su campo de visión.

Ánnushka está muy agradecida a su suegra por ese día, uno a la semana. Al marcharse, la besa fugazmente en la mejilla, blanda y aterciopelada. Ahí termina su convivencia, en la puerta, enseguida bajará corriendo por las escaleras, cuanto más abajo, más ligera. Tiene por delante todo un día. Pero no lo dedicará a sí misma sino a hacer gestiones. Pagará facturas, hará la compra, irá a buscar recetas para Petia, al cementerio, y finalmente viajará al otro extremo de esa ciudad inmensa e inhumana para sentarse en la penumbra a llorar. El periplo se prolonga durante mucho tiempo porque hay atascos por todas partes, así que, apretujada entre la gente, mira a través de la ventana del autobús, ve grandes limusinas de cristales tintados que sin ningún esfuerzo, como por arte de diabólico birlibirloque, avanzan pese a que todo lo demás está parado. Mira las plazoletas abarrotadas de gente joven, los mercadillos ambulantes que ofrecen mercancía china barata.

Siempre el mismo transbordo en la estación de Kiev, donde, saliendo a la superficie de los andenes subterráneos, se cruza con mucha gente. Nadie, sin embargo, atrae su atención, y nadie la aterra tanto como la extraña figura plantada junto a la salida sobre un fondo de vallas provisionales que tapan los cimientos a medio acabar de una construcción en curso, vallas cubiertas por tal cantidad de anuncios que parecen estar gritando.

Esa mujer da vueltas por la franja de tierra desnuda entre el muro y las baldosas de hormigón recién colocadas de la acera: así asiste al desfile del ininterrumpido fluir de la gente, preside el desfile de transeúntes cansados y con prisa en su habitual ir y venir del trabajo a casa y de casa al trabajo; van a cambiar de medio de transporte, a hacer transbordo del metro al autobús.

Viste diferente a los demás, lleva puestas innumerables prendas: un pantalón y sobre él varias faldas, dispuestas de manera que una sobresalga de la anterior, por capas; y lo mismo en el torso: varias camisas, chalecos y cazadoras. Y por encima de todo eso, una *fufaika* gris guateada, el *summum* del refinamiento de la simplicidad, eco de un remoto convento oriental o de un campo de trabajos forzados. Todo ello no está exento de cierto sentido estético, a Ánnushka le gusta, le parece que los colores están escogidos con acierto, aunque pueda no tratarse de una elección humana, sino de la *haute couture* de la entropía: colores desteñidos, prendas deshilachadas, desgastadas.

Sin embargo, lo más extraño es la cabeza, la envuelve herméticamente un harapo fijado con un gorro orejero, y también la cara, tapada; solo es visible la boca, que no para de soltar tacos a grito pelado. La imagen resulta tan estremecedora que Ánnushka nunca intenta comprender el significado envuelto entre los tacos. Pasa a su lado apretando el paso, teme que la mujer la aborde, que en el torrente de sus airadas palabras suene su nombre.

El tiempo es el de un diciembre apacible, las aceras están secas, despejada la nieve, y los zapatos son cómodos. Ánnushka no toma el autobús sino que cruza el puente y camina a lo largo de una carretera de varios carriles con la sensación de estar recorriendo la margen de un gran río carente de puentes. Le alegra la caminata, no llorará antes de llegar a su iglesia ortodoxa, a ese oscuro rincón donde suele arrodillarse y permanecer en tan incómoda postura hasta dejar de sentir las piernas, hasta que alcanza esa fase que sigue a las de entumecimiento, quemazón y dolor: una nada inmensa. Por el momento, empero, se echa al hombro el bolso al tiempo que ase con fuerza una bolsa de plástico de la que asoman unas flores también de plástico para el cementerio. Intenta no pensar en nada, sobre todo de allá de donde ha salido. Se aproxima al barrio más elegante de la ciudad, así no le falta donde posar la mirada: abundan las tiendas en las que esbeltos maniquíes de cutis liso exhiben, indiferentes, la ropa más cara. Ánnushka se detiene para admirar un bolso bordado con un millón de cuentas, con ornamento de tul y encaje: una maravilla. Al final llega a una farmacia especializada donde la hacen esperar lo suyo. Pero se hará con los medicamentos necesarios. Medicamentos inútiles, apenas paliarán los síntomas.

226

En un puesto callejero compra una bolsa de bollos rellenos y se los come sentada en un banco de una plazuela.

La pequeña iglesia está abarrotada de gente, turistas. El joven pope que habitualmente pasea por el templo como el comerciante entre sus mercancías está muy ocupado en esta ocasión: cuenta a los turistas la historia del templo y les habla del iconostasio. Con voz cantarina repite una lección bien aprendida, la cabeza, que corona su cuerpo alto y esbelto, sobresale por encima del nutrido grupo, su rubia barba asemeja una extrañísima aureola que deslizándose desde el mentón ha acabado por caer en el pecho. Ánnushka se retira al fondo, ¿cómo va a poder llorar y rezar en compañía de tanto turista? Espera y espera, pero entra un nuevo grupo y ante tal panorama Ánnushka decide buscar otro sitio para sus lágrimas; un poco más allá hay otra iglesia, pequeña y antigua, casi siempre cerrada. Entró en ella en una ocasión, pero no le gustó: la echó para atrás el frío y el olor a madera húmeda.

Esta vez, sin embargo, se deja de tiquismiquis, necesita encontrar donde dar rienda suelta al llanto, un lugar solitario pero no vacío; debe percibir la presencia de algo más grande que ella, unos brazos abiertos vibrantes de vida. También debe sentir sobre su persona los ojos de alguien, para no llorar sin ser vista, para no hablar al vacío. Sean ojos pintados sobre una tabla de madera, ojos siempre abiertos inmunes al desaliento, ojos eternamente quietos, que sean su testigo sin parpadeo alguno.

Coge tres velas y mete unas monedas en la caja. La primera por Petia, la segunda por su enmudecido marido, la tercera por esa suegra en bata de nailon. Las enciende tomando la lumbre de las pocas que aquí arden y con la mirada localiza a la derecha un lugar, en un oscuro rincón, donde no va a molestar a unas ancianas que andan sumidas en la oración. Se santigua tres veces con amplio gesto, el inicio ritual de su llanto.

Pero cuando eleva la mirada para la oración, una gran faz que la mira desde un oscuro icono surge de la penumbra. Se trata de una tabla grande de madera colgada en lo alto, casi justo debajo de la cúpula de la iglesia, y sobre ella, el semblante de Cristo pintado con trazo grueso en distintos tonos de marrón y gris. Un rostro oscuro sobre fondo oscuro, sin aureola ni corona, pero de ojos ardientes que se clavan en ella, eso quería. Pero no, en realidad anhelaba otra cosa, unos ojos tiernos, llenos de amor; estos la inmovilizan, la hipnotizan. El cuerpo se le encoge bajo semejante mirada. Él ha venido aquí por un instante, bajando del techo desde la lejanía, desde la más profunda oscuridad: el lugar de Dios, es su guarida. Este Dios no necesita cuerpo, solo rostro, rostro con el que ella debe enfrentarse cara a cara. Su penetrante mirada le taladra la cabeza como una dolorosa broca, le abre un agujero en el cerebro. Un rostro que bien podría pertenecer no a un salvador sino a un ahogado no muerto, que ha evitado bajo el agua a la muerte omnipresente, y de repente, impelido por corrientes incomprensibles, sale a la superficie, reanimado, del todo consciente, y dice: Mira, heme aquí. Pero ella no quiere verlo, baja la mirada; no quiere saber que Dios es débil, que ha perdido, que lo han expulsado y que se oculta en los vertederos del mundo, en sus apestosas simas. No tiene sentido llorar, no es lugar para las lágrimas. Este Dios no va a ayudar, ni apoyar, ni infundir ánimos, no purificará ni salvará. Los ojos del ahogado miran hacia su coronilla, oye un murmullo, un remoto trueno subterráneo, un temblor bajo el suelo de la iglesia.

Desfallece, será porque hoy casi no ha dormido, no ha comido casi nada. No fluyen las lágrimas, quedan tan solo sus secos lechos.

Se levanta de un salto y abandona la iglesia. Erguida, se dirige directamente al metro.

Cree haber experimentado algo, algo que la ha atravesado, algo que la ha tensado por dentro como hasta ese punto en que una cuerda emitiría un sonido puro, inaudible. Un sonido silencioso destinado al cuerpo de Ánnushka: un concierto efímero ejecutado en una frágil concha acústica. Aguza el oído, toda su atención está vuelta hacia dentro, hacia su interior, pero solo puede oír el fluir de su propia sangre.

La escalera mecánica baja, el descenso se le hace eterno, unos van hacia arriba, otros hacia abajo. Normalmente Ánnushka desliza la mirada por las caras de los demás pasajeros, pero esta vez sus ojos, aterrados por la reciente visión, se hallan indefensos: se detienen en cada una de las personas con las que se cruza y cada rostro supone una bofetada, fuerte, contundente. No tardará en resultarle insoportable, tendrá que taparse los ojos como la loca de la estación de Kiev y, también como ella, empezará a maldecir a voz en grito.

–Ten piedad, ten piedad –susurra, y se aferra al pasamanos, que corre más rápido que la escalera; si Ánnushka no lo suelta enseguida, caerá.

Contempla el silencioso enjambre de personas que suben y bajan, hombro con hombro, apretujadas como sardinas. Se dirigen, como si una correa tirara de cada una de ellas, a su casa, a una remota periferia de la ciudad, a un décimo piso, donde poder taparse con el edredón hasta la cabeza y caer en un sueño compuesto por retazos de días y de noches. En realidad por la mañana el sueño permanece, los retazos forman collages, manchas de patchwork, algunas configuraciones hasta resultan ingeniosas, diríase que premeditadas.

Ve fragilidad en los brazos, delicadeza en los párpados, falta de firmeza en los rictus prestos a exhibir una mueca de disgusto, ve debilidad en pies y manos: no alcanzarán destino alguno. Ve el rítmico latir de los corazones, más rápidos unos, más lentos otros, un simple movimiento mecánico, la membrana de sus pulmones le recuerda a bolsas de plástico sucias, oye el susurro de su respiración. Como la ropa se ha vuelto transparente, contempla su maridaje con la entropía. Nuestros pobres y feos cuerpos, materia destinada a la destrucción, sin excepciones.

La escalera mecánica lleva a todos estos seres directamente a la sima, al abismo, ante los ojos de los cancerberos metidos en garitas acristaladas en su extremo, ante engañosos mármoles y columnas, colosales esculturas de demonios, unos con una hoz, otros con una gavilla de trigo. Piernas descomunales como columnas, brazos de gigante. Tractores, máquinas infernales, arrastran herramientas de tortura de dientes afilados con las que infligen a la tierra heridas que nunca cicatrizan. Omnipresentes aglomeraciones de gente apretujada, presa del pánico, con los brazos levantados en actitud suplicante, las bocas abiertas para gritar. Es aquí donde se celebra el Juicio Final, en las profundidades del metro iluminadas por arañas de cristal de Bohemia que emiten una luz amarilla, muerta. Cierto que no se ven jueces, pero por todas partes se percibe su presencia. Ánnushka quisiera dar marcha atrás, subir corriendo a contracorriente, pero la escalera no piensa permitírselo, la obligará a bajar, de nada será exonerada. Las bocas de los trenes subterráneos abrirán ante ella sus puertas silbando y lúgubres túneles la succionarán. Pero si la sima está en todas partes, incluso en las plantas más altas de la ciudad, incluso en el décimo o en el decimosexto piso de un rascacielos, en lo alto de un pináculo, en la punta de una antena. No hay escapatoria posible, ¿no sería este el objeto de los gritos proferidos entre taco y taco por la loca de la estación?

Ánnushka se tambalea y se apoya con el hombro sobre la pared. En su abrigo de lana quedan rastros de revoque blanco, la pared la ha ungido.

Debe apearse, ya ha oscurecido, lo hace al tuntún porque nada se ve por la ventana del autobús, la escarcha la ha pintado con sus ramitas de plata, pero como conoce el trayecto de memoria, no se equivoca de parada. Unos cuantos patios más –va tomando atajos– y se plantará delante de su bloque. Pero aminora la marcha, los pies no quieren llevarla a su destino, ofrecen resistencia, se acortan los pasos más y más. Ánnushka se detiene. Levanta la cabeza y ve luz en las ventanas de su piso. Seguro que la están esperando, así que reemprende la marcha, aunque al cabo de poco se vuelve a detener. Un viento helado penetra en su abrigo, le abre las solapas, con sus dedos gélidos la agarra por los muslos. Sus caricias son como cuchillas de afeitar, como pedazos de vidrio roto. El frío la hace llorar, para regocijo del viento, que ha encontrado motivo para pellizcarle la cara. Ánnushka se lanza hacia delante, hacia la escalera, pero una vez ante la puerta, da media vuelta y, levantando el cuello del abrigo, se dirige a paso rápido al lugar de donde ha venido.

Los únicos sitios donde hace calor son los lavabos y la gran sala de espera de la estación de Kiev. Se planta allí, indecisa. Cuando a su lado pasan patrullas de policía (siempre caminan a paso lento e informal, arrastrando ligeramente los pies, como si pasearan por un bulevar marítimo), finge estar leyendo los horarios; ni siquiera sabe por qué tiene miedo, al fin y al cabo no ha hecho nada malo. De todos modos las patrullas están interesadas en otra cosa: infalibles, localizan entre la multitud a hombres de tez oscura y con cazadora de piel y a sus mujeres con pañuelo en la cabeza.

Sale de la estación y constata a cierta distancia que la mujer de mil capas, la «bientapada», sigue deambulando por ahí, la voz ronca de tanto improperio, ya indistinguible en realidad. Pues bien, tras unos instantes de duda, se acerca tranquilamente y se planta ante ella. La otra se atasca por un momento, debe de estar viendo a Ánnushka a la perfección a través de la tela con que cubre su rostro. Ánnushka da un paso más hacia ella y se le acerca tanto que siente su olor: a polvo y a rancio, a aceite mil veces refrito. La otra habla cada vez más bajo, acaba por salir del trance y calla. El deambular se convierte en un balanceo, como si no se pudiese parar. Permanecen frente a frente un rato sin moverse, pasan transeúntes a su lado, indiferentes, solo alguno que otro lanza una mirada en su dirección; tienen prisa, sus trenes están a punto de salir.

–¿Qué dices? –pregunta Ánnushka.

La bientapada, atónita, contiene la respiración de puro asombro, luego se aparta, asustada, hacia la pasarela de la obra, por encima del barro congelado. Ánnushka la sigue, sin quitarle ojo, a pocos pasos de su espalda, de la *fufaika,* de las botas de fieltro que dan pasitos cortos. No dejará que se le escape. La mujer la mira por encima del hombro, intenta acelerar, casi corre, pero Ánnushka es joven y fuerte. Tiene buenos músculos, la de veces que ha bajado hasta la calle tanto la silla de ruedas como a Petia, la de veces que los ha subido arriba cuando se estropeaba el ascensor.

–¡Oye, tú! –exclama de cuando en cuando, pero la otra no reacciona.

Atraviesan patios entre los edificios, dejan atrás basureros y plazuelas trilladas. Ánnushka no siente cansancio, solo pierde la bolsa con las flores para el cementerio, no vale la pena perder tiempo volviendo a buscarla.

Finalmente, la mujer se pone en cuclillas, jadea, le cuesta recuperar el aliento. Ánnushka se detiene a varios metros a la espera de que se levante y se vuelva hacia ella. Ha perdido, tendrá que rendirse. Y en efecto, la mujer la mira por encima del hombro, ahora puede vérsele la cara, se ha despojado de lo que le tapaba los ojos. Tiene los iris de color azul celeste; asustados, se clavan en los zapatos de Ánnushka.

–¿Qué quieres de mí? ¿Por qué me persigues?

Ánnushka no contesta, se siente como si acabase de cazar un gran animal, un pez enorme, una ballena con la que ahora no sabe qué hacer; le da pena la pieza cobrada. La mu-

232

jer tiene miedo, seguramente es ese miedo lo que le ha hecho perder las palabras.

–¿Eres de la policía?

–No –dice Ánnushka.

–Entonces, ¿de qué?

–Quiero saber lo que dices. No paras de hablar, te veo todas las semanas cuando voy a la ciudad.

A lo que la otra contesta en un tono ya más atrevido:

–No digo nada. Déjame.

Ánnushka se inclina sobre ella y le tiende la mano para ayudarla a levantarse, pero la mano cambia de idea y acaricia la mejilla de la mujer. Es cálida, agradable, suave.

–No quería nada malo.

La otra, sorprendida por la caricia, se queda al principio de una pieza, pero enseguida, por lo visto apaciguada por el gesto, se levanta, aunque le cuesta hacerlo.

–Tengo hambre –dice–. Vamos, aquí al lado hay un puesto, es barato, venden bocadillos calientes, me comprarás algo de comer.

Caminan en silencio hombro con hombro. Ánnushka compra en el tenderete dos panecillos largos con queso y tomate, alerta, no vaya a ser que la otra se le escape. Ella misma se ve incapaz de comer. Sostiene el panecillo como si fuera una flauta con la que estuviera a punto de tocar una melodía de invierno. Se sientan en una tapia. La otra se come su panecillo y sin decir palabra se apodera del de Ánnushka. Es una mujer muy mayor, más que la suegra. Unas arrugas que cruzan diagonalmente desde la frente hasta la barbilla surcan sus mejillas. Mastica con dificultad, pues ha perdido los dientes. Las rodajas de tomate se le escapan del pan, las atrapa torpemente en el último momento y las devuelve con cuidado a su sitio. Arranca grandes bocados mordiendo tan solo con los labios.

–No puedo volver a casa –dice de repente Ánnushka y mira al suelo bajo sus pies. Ella misma se sorprende de lo que acaba de decir y solo ahora piensa, aterrada, en lo que significa. La otra farfulla algo en respuesta, pero, una vez ingerido el bocado, pregunta:

–¿Tienes una dirección?

–Sí, tengo –y la recita–: Kuznétskaya 46, apartamento 78

–Pues olvídala –dice la mujer, con la boca llena.

Vorkutá. Allí nació a finales de los años sesenta, cuando los bloques de viviendas que ahora parecen antiguos aún se estaban construyendo. Los recuerda nuevos: revoque áspero, olor a hormigón y al amianto que se usaba como aislante. La prometedora tersura de las baldosas de PVC. Sin embargo, en un clima frío todo envejece más deprisa, el hielo resquebraja la estructura compacta de las paredes, ralentiza el incesante ir y venir de los electrones.

Recuerda la blancura cegadora de los inviernos. El blanco y las aristas de una luz condenada al destierro. Una blancura así solo sirve para enmarcar la oscuridad, una oscuridad que lo invade todo.

Su padre era fogonero en una gran central de calefacción, su madre trabajaba en un comedor, así que no lo pasaban tan mal: siempre traía algo de comer. Ánnushka piensa que allí todo el mundo padecía una extraña enfermedad: la tristeza, una tristeza inmensa, oculta en lo profundo del cuerpo, bajo la ropa, tristeza o tal vez algo más, pero no se le ocurre una palabra que lo defina.

Vivían en el séptimo de los ocho pisos que tenía su edificio, uno de tantos, pero con el paso del tiempo las plantas superiores se fueron vaciando, la gente se mudaba a ciudades más amables, sobre todo a Moscú o a cualquier otra parte, cuanto más lejos, mejor. Los que se quedaban se trasladaban más abajo, ocupaban los pisos abandonados de las plantas inferiores, más cálidas, más cerca de la gente, de la tierra. Vivir en un octavo piso durante un invierno polar de ocho meses es como estar colgado de la bóveda de hormigón del mundo en una gota de agua congelada, en el centro de un infierno helado. La última vez que visitó a su madre y su hermana, vivían en una planta baja. Su padre ya hace mucho que murió.

Fue buena suerte que Ánnushka ingresara en un prestigioso instituto pedagógico de Moscú; la mala, que no lo acabara. Si se hubiera graduado, ahora sería maestra y quizá jamás hubiese conocido al hombre que ahora es su marido. Sus respectivos genes no se habrían fundido en la mezcla patógena culpable de que Petia viniera al mundo con una enfermedad incurable a cuestas.

Muchas veces ha intentado negociar con quien fuera, ya con Dios, ya con la Virgen, ya con la santa Parascheva Mártir, con todo el iconostasio e incluso con algo tan vago como el mundo y el destino. Seré yo quien vaya en el lugar de Petia, yo asumiré su enfermedad, que sea yo quien muera, que sane él. Más aún, ponía en la balanza incluso la vida de otros: de su ausente marido (que allá donde está le peguen un tiro) y de su suegra (que sufra un derrame). Pero, cómo no, jamás obtuvo respuesta alguna a tal oferta.

Saca el billete y baja por la escalera mecánica. El metro sigue estando abarrotado, gente que regresa de la ciudad a su cama, a dormir. Algunos dormitan ya en los vagones. Su somnolienta respiración empaña el cristal de las ventanas; sobre el vaho que se forma se puede dibujar con el dedo, cualquier cosa, qué más da, de todos modos desaparecerá enseguida. Ánnushka llega hasta la última estación, Yugo-Západnaya, se baja y se detiene en el andén y comprende que el tren, ese mismo tren, va a volver. Ocupa, pues, su asiento y viaja de ida y vuelta hasta que, tras varios recorridos, cambia de línea a Koltsevaya. Esta vez viaja en circunvalación y alrededor de la medianoche recala en la estación de Kiev como quien vuelve a casa. Se queda sentada en el andén hasta que una vigilante con cara de malas pulgas la echa porque van a cerrar. Se marcha de mala gana: fuera hace un frío helador, pero no tarda en encontrar cerca de la estación un pequeño bar con un televisor que pende del techo; sentados en las mesas algunos viajeros perdidos. Pide un té con limón, luego otro; luego un *borsch,* malo, aguado, y con la cabeza apoyada en la mano echa un sueñecito. Se siente feliz porque su mente está libre de pensamientos, preocupaciones, expectativas y esperanzas. No es un mal estado.

El primer tren va aún vacío. Pero en cada estación sube más y más gente, al final el convoy va tan abarrotado que Ánnushka, de pie, está aplastada entre las espaldas de dos gigantes. Puesto que no alcanza el asidero, está condenada al sostén que le procuren esos cuerpos anónimos. Llegados a una estación, disminuye la intensidad del gentío y en la siguiente ya no queda casi nadie. Unas pocas personas apenas. Y Ánnushka descubre que hay quienes no se bajan en la estación término. Ella se baja para cambiar de tren. Pero a través de las ventanas ve a los otros, ve cómo buscan asiento en la parte trasera del vagón y colocan entre los pies bolsas de plástico o mochilas, por lo general viejas, hechas de tela basta. Dormitan entornando los ojos o sacan un bocadillo de su envoltorio de papel, se santiguan varias veces murmurando algo y, ungidos, mastican.

No para de cambiar de tren porque teme que alguien pueda reconocerla, tirarla del brazo, sacudirla y –lo peor– encerrarla. Unas veces se limita a pasar al otro lado del andén, otras, cambia de línea; entonces peregrina por escaleras mecánicas y pasillos interminables, sin leer nunca los carteles de señalización, libre como el viento. Va por ejemplo a Chístiye Prudý, cambia de la Sokólnicheskaya a la Kaluzhsko-Rízhskaya y va a Medvédkovo, y luego de vuelta a la otra punta de la ciudad. Se asea en los lavabos, para tener un aspecto limpio, no porque tenga esa necesidad (a decir verdad, no la tiene), sino para no llamar la atención, por su desastrada apariencia, de alguna de las cancerberas que vigilan las escaleras mecánicas desde sus garitas acristaladas. Sospecha que han aprendido a dormir con los ojos abiertos. En un pequeño supermercado compra jabón, compresas, el dentífrico más barato y un cepillo de dientes. Pasa toda la mañana durmiendo mientras circula por la línea Koltsevaya. Por la tarde emerge a la superficie montada en una escalera mecánica para comprobar si la bientapada sigue delante de la estación, pero no, no está. Hace frío, todavía más que ayer, así que, aliviada, vuelve bajo tierra.

Al día siguiente la bientapada vuelve a estar en su sitio, balanceándose sobre sus rígidas piernas y balbuceando palabrotas. Ánnushka se coloca en su campo de visión, al otro lado del paso de peatones, pero, al parecer, la otra, sumida en sus lamentaciones, no la ve. Finalmente Ánnushka, aprovechando un momento de pausa en el torrente humano, se planta frente a ella.

–Ven, te compraré un bollo.

La mujer, sacada de su trance, permanece inmóvil, se frota las manos enguantadas, golpea el suelo con los pies como suelen hacer las vendedoras de los mercadillos al aire libre heladas hasta los huesos. Juntas se dirigen al tenderete. Ánnushka se alegra sinceramente de verla.

–¿Cómo te llamas? –pregunta.

La otra, ocupada en su bollo, se limita a encogerse de hombros. Sin embargo, al cabo de unos segundos y a pesar de tener la boca llena, dice:

–Galina.

–Yo Ánnushka.

Aquí se acaba la conversación. Finalmente, cuando el frío helador las empuja de vuelta a la estación, Ánnushka hace otra pregunta:

–Galina, ¿dónde duermes?

La bientapada le insta a venir junto al tenderete una vez que haya cerrado el metro.

Ánnushka pasa toda la tarde viajando en la misma línea e, indiferente, mira su rostro reflejado en la ventana sobre el telón de fondo de la oscura pared del túnel subterráneo. A estas alturas es ya capaz de reconocer al menos a dos personas. No se atrevería a abordarlas. Con una de ellas ha viajado a lo largo de varias paradas: es un hombre alto y flaco, nada viejo, puede que incluso sea joven, difícil de decir. Le cubre el rostro una barba rala y rubia que le llega hasta el pecho. El hombre viste una gastada gorra plana con visera, al estilo Lenin, un largo abrigo gris con los bolsillos abultados y lleva una mochila descolorida. Completan su indumentaria unas botas con cordones de las que asoman unos calcetines tejidos a mano que aprietan con firmeza las perneras de su pantalón marrón. Parece no fijarse en nada, abstraído en sus pensamientos. Salta con ímpetu al andén de una estación, dando la impresión de dirigirse a un destino lejano pero concreto. Ánnushka ya lo ha visto dos veces desde el andén; la primera, dormido en un convoy vacío que por lo visto se retiraba a sus aposentos de descanso nocturno; la segunda, dormitando con la frente apoyada en la ventana; su aliento había creado en el cristal una nebulosa que ocultaba la mitad de su rostro.

La segunda persona grabada en la memoria de Ánnushka es un anciano. Camina con dificultad, sostiene un bastón o mejor dicho una vara, un palo grueso curvado en un extremo. Al entrar en el vagón tiene que aferrarse con una mano a la puerta, suele haber alguien que le ayude. Dentro, aunque de mala gana, acaban por cederle un asiento. Tiene pinta de mendigo. Ánnushka intenta darle caza como antes hizo con la bientapada. Pero solo consigue ir con él en un mismo vagón durante un rato, media hora frente a él más o menos, de modo que memoriza cada detalle de su rostro e indumentaria. Pero no se decide a abordarlo. El hombre va con la cabeza gacha, sin prestar atención a lo que ocurre a su alrededor. Después, la multitud que vuelve del trabajo la arrastra. Y ella se deja llevar por ese cálido torrente compuesto por roces y olores. No se libera de él sino pasados los tornos automáticos, como si el subsuelo la escupiese como un cuerpo extraño. Tendrá que comprar otro billete, y sabe que de un momento a otro va a acabársele el dinero.

¿Por qué los recuerda? Tal vez porque a su manera son personas estables, porque tienen otra manera de moverse, más despacio. Los demás son un río, una corriente, agua que fluye de un lado para otro, formando olas y remolinos, formas fugaces que desaparecen, y que el río enseguida olvida. Estos dos, en cambio, se mueven a contracorriente, de ahí que se distingan tan claramente. Y por eso mismo no están sujetos a la ley del río. Creo que esto es lo que a Ánnushka le atrae.

Cerrado el metro, espera junto a una entrada lateral a la bientapada, que aparece cuando Ánnushka ya ha perdido la esperanza de verla. Tiene los ojos tapados, las capas de ropa hacen que su figura parezca una barrica. Le dice que la siga y Ánnushka obedece sin chistar. Está cansadísima, a decir verdad las fuerzas la han abandonado y de buena gana se sentaría en cualquier parte. Recorren la pasarela tendida encima de la obra, dejan atrás la valla de hojalata cubierta de anuncios y luego bajan a un paso subterráneo. Al poco caminan por un pasillo estrecho donde hace un calorcito agradable. La mujer le indica un sitio en el suelo y Ánnushka se tumba sin quitarse la ropa y se queda dormida en el acto. Y cuando está a punto de caer en un sueño profundo –como siempre había querido: sin pensar en nada– vuelve a sus párpados por un instante la estampa que acaba de ver durante la caminata por el estrecho pasillo.

Una estancia oscura y en ella una puerta abierta que da a otra habitación, iluminada. Hay allí una mesa y personas sentadas a su alrededor. Las manos sobre el tablero, las espaldas rectas. Se miran unas a otras en absoluto silencio. Le parece que una de ellas es el hombre de la gorra estilo Lenin.

Ánnushka duerme profundamente. Nada la despierta, ningún susurro, ni gemido al otro lado de la pared, ni crujido de la cama, ni el televisor. Duerme cual peñasco contra el que se estrellan pertinaces las olas o como un árbol caído cubierto de musgo y de hongos. Solo justo antes de despertar sueña algo divertido: que está jugando con un colorido estuche de maquillaje con dibujos de elefantitos y gatitos, dándole vueltas entre las manos. De pronto lo suelta, pero el estuche, lejos de caer, se queda suspendido en el aire, y Ánnushka descubre que puede seguir jugando sin siquiera tocarlo. Que lo mueve con su mera fuerza de voluntad. Es una sensación muy agradable, llena de alegría, alegría que no ha experimentado desde hace mucho, en realidad desde la infancia. Así que se despierta de buen humor y constata que no se encuentra en un albergue para obreros abandonado, como pensó anoche, sino en una sala de calderas común y corriente. Por eso hace tanto calor. Ha dormido sobre unos cartones extendidos junto a una pila de carbón. Sobre un jirón de periódico ve un cuarto de hogaza casi seco y un buen pedazo de tocino untado de pimentón picante. Adivina que se lo ha dejado Galina, pero no tocará la comida antes de aliviarse en el cochambroso váter sin puerta y de lavarse las manos.

Oh, qué bien, qué bien sienta zambullirse en la multitud, que poco a poco se va calentando. Los abrigos y las pellizas exudan el olor de sus casas: a grasa, suavizante, perfume dulzón. Ánnushka cruza el torniquete y se deja llevar por la primera oleada. Esta vez es la línea Kalíninskaya. Plantada en el andén, percibe cómo el tren entrante exhala el cálido aire del subsuelo. Las puertas se abren, y ya está dentro, tan encajonada entre otros cuerpos que no necesita buscar asidero. Cuando el tren toma una curva, se entrega a ese movimiento, ondula como una brizna de hierba entre otras briznas de hierba, es una espiga entre otras espigas. En la parada siguiente continúa subiendo gente, aunque, la verdad, no cabe ya ni un alfiler. Ánnushka entorna los ojos y se siente como una criatura llevada en brazos, como si desde todas partes la abrazaran y mecieran tiernamente unas manos buenas y tranquilizadoras. Más tarde, la mayoría de la gente se baja de pronto en una determinada estación, y ella debe sostenerse sobre sus propios pies.

Cuando el vagón queda casi desierto cerca de la estación término, encuentra un periódico. Primero lo mira con desconfianza, a lo mejor ya no sabe leer, se ha olvidado de cómo hacerlo, pero luego lo recoge e, inquieta, lo hojea. Lee que una modelo ha muerto de anorexia y las autoridades se plantean prohibir desfilar en las pasarelas a muchachas demasiado delgadas. También lee una noticia sobre terroristas: que una vez más se consiguió frustrar un atentado. Guardaban en su piso trinitrotolueno y detonadores. Que ballenas desorientadas llegan hasta las playas, donde mueren. Que la policía ha localizado en internet una banda de pedófilos. Que bajarán las temperaturas. Que movilidad es realidad: *mobilnost stanovitsa realnostiu.*

Algo malo debe de pasarle a ese diario, debe de ser falso, una mistificación. No hay frase que no resulte insoportable, todas duelen. Los ojos de Ánnushka se llenan de gruesas lágrimas que gotean sobre el periódico. El papel de baja calidad las absorbe en el acto cual secante.

Allí donde el metro sale a la superficie Ánnushka pega la cara al cristal y mira al exterior. La ciudad presenta todos los tonos de la ceniza, desde blanco sucio hasta negro. Se compone de rectángulos y poliedros irregulares, de cuadrados y marañas de líneas rectas. Sigue con la mirada las líneas de alta tensión y su cableado, después la dirige hacia los tejados y cuenta las antenas. Cierra los ojos. Al abrirlos, descubre que el mundo ha pegado un salto de un sitio a otro. Justo antes de anochecer, cuando vuelve a visitarlo por enésima vez, ve cómo por un momento, unos pocos minutos apenas, el sol, poniéndose, se abre camino entre los blancos cúmulos de nubes e ilumina los bloques con un rojo resplandor, aunque solo las cimas, los pisos más altos; parece que hubieran prendido gigantescas antorchas.

Después se queda sentada en un banco en el andén bajo un anuncio enorme. Come las sobras del desayuno. Se asea en el lavabo y vuelve a su sitio. La hora punta se acerca. Los que por la mañana iban en una dirección irán ahora en la contraria. El tren que se detiene ante ella está bien iluminado y circula casi vacío. Solo hay un hombre en el vagón: el de la gorra. Está de pie, tieso como una estaca. Cuando el tren arranca, se tambalea un poco y desaparece engullido por la negra boca del subsuelo.

—Te compraré un bollo —dice Ánnushka a la bientapada, que por un instante para en seco su balanceo, como si solo estando inmóvil supiera digerir las frases. Luego emprende la marcha hacia los tenderetes.

Apoyadas sobre la pared trasera del tenderete de costumbre, se ponen a comer, no sin que antes la bientapada se haya santiguado y humillado innumerables veces.

Ánnushka le pregunta por la gente silenciosa que el día anterior estaba en la sala de calderas y la mujer vuelve a quedarse de una pieza, esta vez con un trozo de bollo en la boca. Dice algo sin sentido, algo así como «¿Que qué?». Y, cabreada, espeta:

—¡Déjame en paz, señoritinga!

Y se va. Ánnushka circula con el metro hasta la una de la

madrugada, cuando lo cierran y las cancerberas echan a la gente, merodea por los alrededores del lugar donde estaba el acceso —así se lo parece— a la cálida sala de calderas, pero no lo encuentra. Así que va a la estación de Kiev, donde, con sus últimas monedas, pasa la noche tomando té y *borsch* en vasos de plástico, valientemente acodada sobre el laminado de la mesa.

En cuanto oye el chirrido de la reja al abrirse, saca un billete en la máquina y baja a los andenes. Viéndose en el cristal de la ventana del tren advierte que lleva el pelo sucio, del peinado no queda ni rastro y los pasajeros que se sientan a su lado lo hacen más bien a disgusto. En un momento de pánico, le pasa por la cabeza la idea de que quizá se encuentre con algún conocido, si bien estos no suelen tomar esta línea, por si acaso busca un sitio en algún rincón, pegado a la pared. Aunque, por otra parte, ¿quién la conoce? La cartera, la encargada de la tienda de abajo, el vecino de enfrente; ni siquiera sabe cómo se llaman. Tiene ganas de taparse la cara como la bientapada, en realidad no es mala idea: cubrirse los ojos para ver y ser vista lo menos posible. Le dan empujones, pero no se enfada, siente incluso cierto placer al ser tocada por alguien. Una mujer mayor que se ha sentado a su lado saca una manzana de su bolsa de plástico y se la ofrece junto con una sonrisa. Cuando en la estación Park Kultury se planta ante un tenderete de bollos rellenos, un muchacho joven de pelo corto le compra una ración. Le resulta fácil adivinar que su aspecto deja mucho que desear. La acepta agradecida, aunque todavía le quedan unas monedas. Es testigo de muchos acontecimientos, ve cómo la policía detiene a un hombre con cazadora de piel, cómo discute a gritos un matrimonio, ambos borrachos; cómo una muchacha joven, adolescente, sube al tren en Cherkízovskaya, sollozando y repitiendo: mamá, mamá, y cómo nadie hace acopio del coraje suficiente para ayudarla, y luego ya es demasiado tarde porque la chica se baja en Komsomóls-

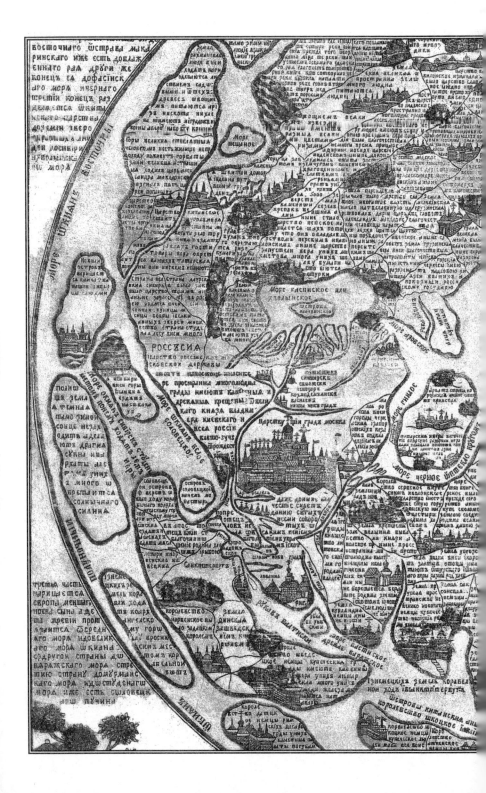

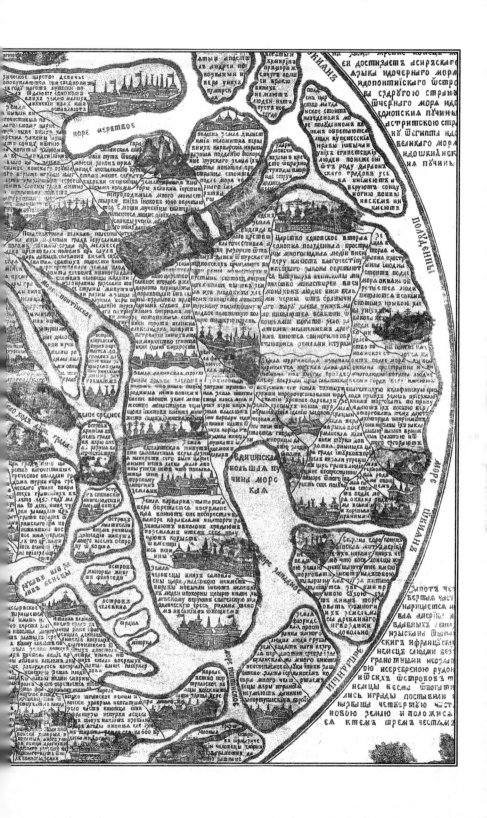

kaya. Ve a un fugitivo, un hombre bajo de tez morena que se abre paso a empujones, pero al alcanzar la escalera mecánica se queda atascado entre la multitud y allí le dan caza dos tipos que le retuercen los brazos. Cómo una mujer se lamenta de que le han robado todo, absolutamente todo, y de cómo su voz se vuelve cada vez más lejana, remota, hasta apagarse. Y ve dos veces en un mismo día al anciano rígido de mirada ausente cuando pasa fugazmente ante ella a bordo de un convoy iluminado. Ni siquiera sabe que ha anochecido hace ya mucho, que arriba ya han encendido todas las farolas y lámparas que filtran su luz amarilla en un aire denso, gélido; el brillo del sol se le ha escapado por completo ese día. Emerge a la superficie en Kíyevskaya y se dirige hacia el paso provisional a la obra con la esperanza de encontrar a la bientapada.

La mujer sigue donde siempre y hace lo que suele: contonearse sin cesar, trazar círculos y ochos en el aire, soltar sus palabrotas; parece un hato de trapos húmedos. Ánnushka se planta frente a ella y permanece quieta hasta que la otra repara en su presencia y calla. Luego, sin mediar palabra, las dos se ponen a caminar con paso firme –aunque no habían quedado previamente–, como si tuvieran prisa por alcanzar un destino que, si no son lo suficientemente rápidas, se les escapará para siempre. En el puente, el viento les atiza un puñetazo, como si fuese un maltratador de mujeres.

Hay un quiosco en Arbat donde preparan unos blinis deliciosos, nada caros, que rebosan mantequilla y van cubiertos de nata consistente. La bientapada deja unas monedas sobre un platillo de vidrio y les sirven sendas raciones calientes. Buscan un sitio para dar cuenta tranquilamente del manjar: sobre una tapia. Ánnushka, como hipnotizada, mira a unos muchachos jóvenes que pese al frío helador ocupan los bancos, tocan la guitarra y beben cerveza. Más que cantar, se desgañitan. Sus gritos se solapan mientras hacen el tonto. Dos jovencitas montadas a caballo se les acercan; sí, es una

246

visión espectacular, los caballos, altos, bien cuidados, a todas luces vienen directamente del picadero. Una de las jóvenes desmonta con gracia y, manteniendo corta la brida, charla con los muchachos. La otra chica intenta convencer a unos turistas rezagados de que le den dinero para comprar forraje para el animal –al menos eso dice–, pero ellos adivinan que más bien va a ser para cerveza: el caballo no parece famélico.

La bientapada le arrea un codazo:

–Come.

Pero Ánnushka no puede apartar la vista de esa pequeña escena, mira con avidez a los jóvenes, los blinis humeando en su mano. Ve en todos ellos a su Petia, son de la misma edad. Petia regresa a su cuerpo como si nunca lo hubiera abandonado al nacer. Sigue allí encogido, pesa como una losa, duele, se infla y crece dentro de ella, puede que tenga que volver a parirlo, esta vez por cada poro de su piel, exudarlo. De momento le está subiendo hacia la garganta, se atasca en los pulmones y no podrá salir de otro modo que con el sollozo. No, no podrá comer blinis, está llena. Petia se le ha alojado en la garganta, aunque no hace lo que podría y debería hacer: levantar la mano con una lata de cerveza y ofrecérsela a la muchacha del caballo, echar hacia atrás todo su cuerpo y romper a reír. Podría moverse, inclinarse hasta alcanzar sus zapatos, alzar los brazos, meter un pie en el estribo y pasar la otra pierna sobre los cuartos traseros del animal. Cabalgar sobre su lomo y pasear por la calle, erguido, sonriente, con un incipiente bigote que va sombreando poco a poco su labio superior. Podría subir y bajar las escaleras a la velocidad de un tornado, al fin y al cabo tiene la misma edad que esos muchachos, y ella, su madre, se preocuparía por un suspenso en química, por que no supere los exámenes de ingreso a la universidad y acabe como su padre, por que tenga problemas a la hora de encontrar trabajo, por que se case con una mujer que no le guste como nuera y por que tengan un hijo demasiado pronto.

Un mar plúmbeo ruge en su interior hasta lo insoportable, coincidiendo con el gesto de una de las muchachas que intenta domar a su inquieta cabalgadura: tira de la brida para bajarle la testuz y aquietarlo. Y cuando el animal pugna por liberarse, le grita al tiempo que fustiga su grupa:

–¡Quieto, maldito! ¡No te muevas, cabrón!

En este momento los blinis con nata se le caen de las manos y Ánnushka se abalanza sobre la chica que zarandea al caballo y descarga sobre ella una lluvia de puñetazos.

–¡Déjalo! ¡Que lo dejes! –silba a través del nudo que se le ha hecho en la garganta.

Atónitos, los muchachos tardan un rato en reaccionar, intentan apartar a esa mujer con abrigo a cuadros que ha enloquecido de repente, pero enseguida acude en su ayuda otra mujer, una loca envuelta en harapos, y las dos tratan de arrebatarle las bridas a la chica y apartarla del animal. La muchacha chilla, se protege la cabeza con las manos; no se esperaba un ataque y aún menos tan furibundo. El caballo cocea, relincha, se suelta y, asustado, corre por el centro del Arbat (menos mal que a esta hora el paseo está casi desierto), el golpeteo de sus cascos cuyo eco retumba en las paredes de los edificios recuerda a unos disturbios callejeros, a una huelga, se abren las ventanas. Dos policías aparecen paseando cachazudos al final de la calle, charlando sobre videojuegos –a fin de cuentas todo está tranquilo–, pero ven el alboroto y empuñando la porra entran corriendo en acción.

–Contonéate –dice la bientapada–. No dejes de moverte.

Sentadas en la comisaría, esperan turno para que les tome declaración un policía antipático de cara sonrosada.

–Contonéate. –Y durante las largas horas de espera la bientapada sigue hablando por los codos, probablemente de puro miedo. La adrenalina le ha soltado la lengua. Le habla a Ánnushka al oído en un susurro para que no la oiga nadie,

248

ni el hombre al que han atracado, ni esas dos putas jóvenes de tez oscura, ni el de la herida en la cabeza que sostiene con una mano su vendaje. Mientras, Ánnushka llora, las lágrimas brotan sin cesar empapándole la cara, es evidente que están al límite de su reserva.

Cuando por fin les llega el turno, el policía de la cara enrojecida grita por encima del hombro dirigiéndose a un colega de otro despacho:

—Es nuestra errante.

A lo que la voz del otro lado le contesta:

—A esta la sueltas, pero ábrele un expediente a la otra por desorden público.

Así que el policía le dice a la bientapada:

—Mujer, la próxima vez te llevaremos fuera de la ciudad, a cien kilómetros, ¿entiendes? Aquí no queremos sectarios.

A Ánnushka en cambio le pide la documentación y, como si no supiera leer, le ordena repetir nombre, patronímico, apellido y dirección, sobre todo la dirección. Ánnushka toca el tablero de la mesa con las puntas de los dedos, entorna los ojos y, como si recitara un poema, facilita sus datos. La dirección la repite dos veces:

—Kuznétskaya 46, apartamento 78.

Las sueltan por separado, con una hora de diferencia, primero a la bientapada, así que cuando sale Ánnushka, de la otra no queda ni rastro. No es de extrañar: hace un frío de mil demonios. Deambula por los alrededores de la comisaría, las piernas la apremian, quisieran llevarla por las anchas calles hasta el origen de todas ellas, hasta sus fuentes en los escarpados suburbios, tras los cuales se abre un paisaje muy diferente: una vasta llanura que juega con su propio aliento. Pero se acerca su autobús y Ánnushka lo pilla en el último momento.

La gente ya se ha movido, ya circula, en la calle reina el tráfico habitual de cada mañana, aunque el sol todavía no ha salido. Ánnushka pasa mucho rato subida al autobús en su viaje a la periferia y luego, plantada ante su bloque, mira hacia las ventanas, en lo alto. Todavía están oscuras, pero cuando el cielo empieza a clarear ve encenderse la luz en la cocina de su piso y se dirige a la entrada.

QUÉ DECÍA LA ERRANTE BIENTAPADA

Contonéate, muévete, no dejes de moverte. Solo así lo despistarás. Quien rige los destinos del mundo no tiene poder sobre el movimiento y sabe que nuestro cuerpo al moverse es sagrado, solo escaparás de él mientras te estés moviendo. Ejerce su poder sobre lo inmóvil y petrificado, sobre lo inerte y quieto.

Así que muévete, contonéate, balancéate, camina, corre, huye, en cuanto te despistes y pares te atraparán sus enormes manos, te convertirán en un monigote, te envolverá en su fétido aliento que apesta a humo y a gas de tubo de escape y a gran vertedero como esos que hay a las afueras de la ciudad. Achatará y empequeñecerá tu alma que perderá todo su colorido, apenas quedará en un recorte de papel de periódico, y te amenazará con fuego, guerra y enfermedad, te atemorizará hasta hacerte perder toda paz y no puedas ya dormir. Te marcará e inscribirá tu nombre en sus registros, certificará tu caída. Llenará tu cabeza de pensamientos inútiles, qué comprar, qué vender, dónde es más barato y dónde más caro. A partir de ese momento, te preocuparás por bagatelas como el precio de la gasolina y cómo este afectará a los pagos del crédito. Convivirás a diario con el dolor, como si tu vida fuera un castigo, pero nunca llegarás a conocer el crimen, ni quién lo ha cometido ni cuándo.

Hace mucho tiempo, hubo un zar que intentó reformar el mundo, pero cayó derrotado y con él el mundo, que se precipitó en brazos del anticristo. Dios, el bueno, el verdadero, fue expulsado del mundo, los continentes del divino poder estallaron en mil pedazos y el poder, sorbido por la tierra, se perdió en el abismo. Pero su voz llegó como un susurro desde donde se había escondido, y un hombre justo la oyó, un soldado de nombre Yevfimi, y grabó aquellas palabras en su mente. Era noche cerrada cuando arrojó el fusil, se despojó de su uniforme, desenrolló los peales y se quitó las botas. Quedó desnudo bajo el cielo, tal como Dios lo trajo al mundo, y se internó en el bosque; cubierto por un sayo, anduvo de aldea en aldea pregonando la tenebrosa nueva: Huid, abandonad vuestras casas, caminad, errantes, pues solo así podréis esquivar los ardides del anticristo. Cualquier lucha con él está condenada de antemano al fracaso. Dejad vuestras pertenencias, abandonad la tierra y poneos en camino.

Porque todo lo asentado en este mundo, sea Estado, Iglesia o gobierno humano, todo lo que en este infierno conserva su forma está a su servicio. Todo lo definido, lo que va de un punto a otro, lo recopilado en listados y hojas de cálculo, inscrito en registros, numerado, anotado y autenticado; todo lo acumulado, expuesto a la vista pública, etiquetado. Todo lo asentado retiene: casas, camas, sillones, familias, terruños, el sembrar, plantar y estar pendiente de su crecimiento. Hacer planes, esperar resultados, consultar horarios, vigilar el orden. Por eso, cría a tus hijos, ya que insensatamente los has parido, entierra a tus padres, ya que insensatamente te trajeron al mundo, y márchate. Aléjate, ve más allá del alcance de su aliento, de sus cables y cordajes, antenas y olas, de donde puedan localizarte sus sensibles instrumentos.

Quien se detenga quedará petrificado, quien se pare será disecado como un insecto, su corazón, atravesado por una aguja de madera, sus pies y manos, agujereados y clavados al umbral y al cielo raso.

Una muerte violenta encontró precisamente aquel que se rebeló. Fue atrapado y clavaron su cuerpo a una cruz, lo inmovilizaron como a un insecto, en presencia de ojos humanos e inhumanos, sobre todo los inhumanos, que sienten especial predilección por el espectáculo; no es de extrañar que lo reproduzcan y celebren todos los años, elevando sus plegarias hacia un cuerpo muerto.

Por eso tiranos de cualquier calaña, servidores del infierno, llevan en su sangre el odio a los nómadas, por eso persiguen a gitanos y judíos, por eso obligan a toda persona libre a asentarse, la marcan con una dirección que es para nosotros una condena.

Lo que persiguen es construir un orden inamovible, convertir el paso del tiempo en mera apariencia. Que los días sean repetibles e indistinguibles, persiguen construir una descomunal máquina en la que cada ser tendrá que ocupar su sitio y hacer movimientos aparentes. Instituciones y oficinas, sellos, circulares, jerarquías y cargos, rangos, solicitudes y desestimaciones, pasaportes, números, tarjetas, resultados electorales, ofertas y acumulación de puntos, coleccionismo, intercambio de unos objetos por otros.

Clavar el mundo mediante códigos de barras, marcar cada cosa con una etiqueta, que se sepa qué mercancía es esta y cuánto cuesta. Que esa nueva lengua extranjera sea ininteligible para el ser humano, que solo pueda ser leída por las máquinas, que durante la noche celebren estas en los grandes centros comerciales subterráneos sus ciclos de conferencias en torno a su poesía de barras.

Muévete, no pares de moverte. Bienaventurado es quien camina.

TERCERA CARTA DE JOSÉPHINE SOLIMAN A FRANCISCO I, EMPERADOR DE AUSTRIA

Guarda silencio Vuestra Majestad, sin duda reclamado por importantes asuntos de Estado. Yo, sin embargo, persevero y me dirijo de nuevo a Vuestra Majestad, suplicándoos misericordia. Han transcurrido ya más de dos años desde la fecha en que escribí mi última misiva a Vuestra Majestad y hasta hoy sigo sin recibir respuesta.

Reitero pues mi ruego.

Soy la única hija de Angelo Soliman, servidor de Vuestra Majestad, destacado diplomático del Imperio, hombre ilustrado, respetado y unánimemente reconocido. Suplico misericordia para mí porque no conoceré la paz, consciente como soy del hecho de que a mi padre, al cuerpo de mi padre, no le haya sido dada aún cristiana sepultura, sino que hállase –disecado y rellenado– expuesto en el Gabinete de Curiosidades Naturales de su Majestad Imperial.

Desde el nacimiento de mi hijo, una enfermedad que avanza me consume. Temo que este asunto resulte tan desesperado como el estado de mi salud, y que nada consiga aun dejándome la piel en el empeño. La palabra «piel» se revela aquí muy pertinente porque –me permito recordároslo– mi padre fue despellejado, luego rellenado, y ahora se exhibe como uno de los especímenes de la colección de Vuestra Majestad. Vuestra Majestad negó piedad a una joven madre, pero quizá no la niegue a una joven madre moribunda.

Visité ese terrible lugar antes de abandonar Viena. Entretanto contraje matrimonio con un servidor de Vuestra Majestad, el señor Von Feuchtersleben, ingeniero militar quien por servidumbres del servicio ha sido destinado a los confines septentrionales de nuestro país: a Cracovia. Fui pues a aquel terrible lugar. Puedo decir que visité a mi padre en el infierno, porque, como católica, creo que, despojado de su cuerpo, le será negado el privilegio de la resurrección en el Juicio Final. Esta fe me invita a pensar también que, en contra de lo que algunos opinan, es el cuerpo el mayor don que nos es concedido, que es sagrado.

Desde que Dios se hizo hombre, el cuerpo humano fue

por siempre santificado y el mundo entero tomó la forma de cuerpo individual. No existe más acceso al ser humano, tampoco al mundo, que no sea el corporal. Si Cristo no hubiese tomado cuerpo y forma humanos, nunca habríamos sido salvados.

A mi padre lo desollaron como a un animal, lo rellenaron con heno y lo expusieron en compañía de otros seres humanos disecados, entre restos de unicornios, sapos monstruosos, fetos bicéfalos flotando en alcohol y otras rarezas. Observé a aquellos que se apiñaban para ver con sus propios ojos la colección de Vuestra Majestad y vi cómo se les encendían las mejillas al mirar la piel de mi padre. Oí cómo elogiaban vuestro arrojo y valentía, Señor.

Cuando visitéis vuestros especímenes, Señor, acercaos a él, a Angelo Soliman, servidor de Vuestra Majestad, cuya piel sigue a vuestro servicio aun después de muerto. Esas mismas manos rellenadas con heno sin el suficiente celo hubo un tiempo en que me tocaban y tomaban en brazos; la mejilla, hoy reseca y hundida, rozaba mi cara. Ese cuerpo amaba y era amado, luego los ataques de reumatismo se cebaron con él. De ese brazo el galeno de Vuestra Majestad le extraía sangre cuando le practicaba sangrías. Esos restos humanos etiquetados con el nombre y apellido de mi padre un día fueron un ser humano vivo.

A menudo me pregunto –y la pregunta me quita el sueño noche tras noche– cuál es la verdadera razón de que al cadáver de mi padre, en paz descanse, le sea dado trato tan cruel.

¿Será tal vez por el color de su piel? ¿Por ser oscuro, negro? Un hombre de piel blanca, de recalar en un país exótico, ¿sería tratado de la misma manera: rellenado con heno y expuesto a la vista de curiosos? ¿Basta con que una persona sea diferente, por fuera o por dentro o de cualquier otra manera, para que no le sean aplicables las leyes y costumbres socialmente aceptadas por todo el mundo? ¿Acaso esas leyes fueron ideadas y creadas tan solo para personas iguales? ¡Pero si la diversidad es consustancial al mundo! Muchas millas al sur vive gente distinta a la que se asentó en el norte. Y en el este vive gente distinta a la del oeste. ¿Qué sentido tienen unas leyes que fijan las reglas solo para algunos? Allí hasta donde llegan nuestras naves y nuestro dinero, la ley debiera aplicarse a todo el mundo, sin excepción alguna. ¿Disecaríais, Majestad, a uno de vuestros cortesanos blancos? Incluso la persona de extracción más baja tiene derecho a la sepultura. Si se lo negáis a mi padre, ¿es porque acaso cuestionáis su condición humana?

Creo que a quienes nos gobiernan no les importa gobernar nuestras almas, como comúnmente se piensa. El del alma es hoy un concepto abstracto e incomprensible. Si es Dios quien dio cuerda al reloj –séame perdonada mi amargura–, el Relojero, o es el espíritu de la naturaleza quien en verdad se revela intangible y del todo impersonal, el concepto de alma se ha vuelto incómodo y vergonzoso. ¿Qué soberano querría gobernar algo tan lábil e indefinido? ¿Qué soberano ilustrado desearía gobernar algo cuya existencia no ha quedado demostrada en un laboratorio?

No cabe ni brizna de duda, Majestad, de que el verdadero poder humano puede solo ejercerse sobre el cuerpo humano: y así es como se ejerce. La creación de los Estados y las fronteras que los separan obliga al cuerpo humano a permanecer en un espacio netamente delimitado; la existencia de visados y pasaportes coarta su necesidad natural de moverse, de desplazarse. El soberano que fija los impuestos influye en qué podrán comer sus súbditos, sobre qué superficie dormirán y si se cubrirán con lino o con seda. Asimismo determina, Señor, la mayor o menor importancia de cada cuerpo. Los pechos llenos de leche de una nodriza reparten el alimento de forma desigual. El niño del palacio de la colina mamará hasta saciarse, mientras que el de la aldea del valle se tendrá que contentar con los restos. Cuando estampáis vuestra firma, Señor, en una declaración de guerra, arrojáis a miles de cuerpos humanos a charcos de sangre.

Tener poder sobre el cuerpo significa de veras ser amo y señor de la vida, y de la muerte, es más que ser emperador incluso del país más grande. Por eso me dirijo a vos, Señor, de este modo, como al amo de vida y muerte, tirano y usurpador, y ya no ruego sino que exijo. Devolvedme el cuerpo de mi padre para que pueda enterrarlo. Os perseguiré, Señor, aun muerta, cual voz de ultratumba, no permitiré que tengáis paz, seré un susurro que no cesa.

Joséphine Soliman von Feuchtersleben

COSAS HECHAS SIN CONCURSO DE MANO HUMANA

Después de visitar la exposición de śarīras, ya no me asombran las cosas hechas sin concurso de mano humana. Hay entre ellas libros espontáneamente crecidos entre las humedades de cuevas de la montaña que de vez en cuando se dejan encontrar por un hombre justo, entonces son llevados solemnemente a un templo. También iconos con la divina faz. Basta dejar un tiempo imprimada la superficie de una tabla de madera intacta y esperar. Una noche puede materializarse en ella la divina faz, mirando desde debajo, emergiendo de la más profunda oscuridad, desde los más anegados cimientos del mundo. Porque quizá habitemos una enorme cámara oscura, así, encerrados en una caja opaca, y en cuanto consigamos abrir un pequeño orificio, si logramos clavarle una aguja, la imagen del exterior entrará con un rayo de sol y dejará huella en la superficie fotosensible del interior del mundo.

También se habla de una estatuilla de Buda que dicen surgió por sí misma, perfecta, hecha del mejor metal. Tan solo hubo que limpiarla de tierra. Representa a un Buda sentado que sostiene la cabeza apoyada en una mano. El Buda esboza una sonrisa discreta, entre delicada e irónica, como quien acaba de escuchar un chiste sutil. Una chispa de ingenio cuyo desenlace no se desvela en la frase final, sino en el aliento de quien la dice.

PUREZA DE SANGRE

En un hotel de Praga conocí a una isleña del otro hemisferio que me contó lo siguiente:

La gente siempre arrastró tras de sí millones de bacterias, virus y enfermedades; imposible pararlo. Pero por lo menos se puede intentar. Después del pánico provocado en todo el mundo por la enfermedad de las vacas locas, algunos países introdujeron novedosas iniciativas legislativas. Todo aquel que abandonaba la isla rumbo a Europa nunca más podría donar sangre; se puede decir que la ley lo sentenciaba a cadena de contaminación perpetua. Era su caso: nunca más podría ser donante de sangre. Tal iba a ser el precio del viaje no incluido en el importe del billete. Pureza perdida. Honor perdido.

Le pregunté si merecía la pena, si tenía sentido sacrificar la pureza de su sangre a cambio de visitar varias ciudades, iglesias y museos.

Muy seria, contestó que todo se paga.

KUNSTKAMMER

Mi peregrinación es siempre en pos de otro peregrino. En esta ocasión reconocí inmediatamente la tierna mano de Charlotte. En un tarro alargado, con tapa, que recordaba a una escultura, flotaba un pequeño feto con los ojos cerrados, suspendido de dos crines de caballo. Sus minúsculos pies tocaban lo que quedaba de la placenta, coloreada en rojo. Cubría el tarro una diminuta naturaleza muerta de los fondos marinos: todo se asociaba al mar, incluido el principal protagonista de esa representación: el feto. Provenimos todos del agua. Por eso Charlotte debió de adornar la tapa de pizarra con conchas, estrellas de mar, corales y esponjas, y el centro, para el disfrute del ojo, con un caballito de mar seco, un *hippocampus.*

También me impresionó otro espécimen: gemelos siameses conservados en agua estigia y a su lado su esqueleto disecado. Qué demostración de economía de materiales: dos piezas de museo obtenidas de un mismo cuerpo duplicado.

LA MANO DI CONSTANTINO

Lo primero que me llamó la atención al pisar la Ciudad Eterna fueron unos atractivos negros que vendían bolsos y carteras. Les compré un pequeño monedero rojo, ya que me habían robado el anterior en Estocolmo. Lo segundo, los tenderetes rebosantes de tarjetas postales con las cuales, en realidad, se podría dar por cumplida la visita y pasar el resto del tiempo a la sombra a orillas del Tíber o tal vez tomando una copa de vino en uno de sus caros y coquetos cafés. Las postales de vastos paisajes, panorámicas de antiguas ruinas, postales con pretensión de mostrar en su limitado espacio plano cuanto más, mejor, se ven reemplazadas poco a poco por fotografías centradas en el detalle. Una idea sin duda acertada, que relaja las mentes cansadas. Hay demasiado mundo, así que es mejor concentrarse en el detalle, no en la totalidad.

El bonito detalle de una fuente, un gatito sentado sobre una cornisa romana, los genitales del *David* de Miguel Ángel, un pie enorme de una escultura de piedra, un torso mellado que obliga a preguntarse por el rostro de aquel cuerpo. Una ventana solitaria en una pared de color ocre y, finalmente –sí–, una mano solitaria con el dedo índice apuntando verticalmente al cielo, gigantesca, arrancada de un todo portentoso justo a ras de la muñeca: la mano del emperador Constantino.

Permanecí irremisiblemente infectada por esa postal. ¡La verdad es que hay que tener cuidado con qué es lo primero que mira una! Desde entonces no veía más que manos señalando algo, me convertí en esclava de ese detalle, se apoderó de mí.

La estatua semidesnuda de un guerrero, apenas un casco de gala en la cabeza y una lanza en una mano, mientras la otra señala algo allá en lo alto. Dos querubines de deditos gordezuelos dirigiendo la atención de la gente al hecho de que allí, encima de su cabeza..., pues eso: ¿qué? Más: dos señoras turistas tronchándose de risa, sus dedos, un grupo de personas delante de un hotel de lujo, porque precisamente de allí salían Richard Gere y Nicole Kidman, y dedos índice se podían contar por centenares en la plaza de San Pedro.

En Campo di Fiori vi a una mujer que quedó petrificada por el calor junto a un surtidor de agua, con un dedo pegado a la oreja, como rememorando una melodía de sus años de juventud de la que empezara ya a escuchar las primeras notas.

Divisé después a un anciano enfermo en una silla de ruedas empujada por dos muchachas. El hombre estaba paralizado, de su nariz salían dos finos tubos de plástico transparente que desaparecían en una mochila negra. Su rostro era la viva expresión del terror absoluto mientras con un dedo de ave rapaz de su mano derecha señalaba algo que se hallaba justo detrás de su hombro izquierdo.

CARTOGRAFIAR EL VACÍO

James Cook puso rumbo a los mares del Sur para observar desde allí el paso de Venus por encima del disco solar.

Venus no solo le reveló su belleza, sino también la tierra en la que reparara el holandés Tasman, por cuyas notas los marinos sabían cercana. A diario oteaban el horizonte en su busca y un día tras otro cometían el mismo error: tomar por tierra lo que solo eran nubes. Por las noches hablaban de una isla misteriosa, decían que a buen seguro sería bellísima, puesto que la protegía la mismísima Venus, y que poseería características extraordinarias como era natural en tierra de Venus. Cada uno se la imaginaba a su manera.

El primer oficial era oriundo de Tahití; estaba convencido de que sería como su Hawái: cálida, tropical, inundada por el sol, rodeada de playas largas, infinitas, llena de flores, hierbas curativas y hermosas mujeres de pechos desnudos. El capitán era de Yorkshire (de lo que se enorgullecía no poco) y, a decir verdad, no habría tenido nada en contra de que ese paraje fuese igual que aquel. Incluso se preguntaba si existiría alguna correspondencia que ligase las tierras de ambos lados del globo terráqueo, una intimidad planetaria, una semejanza, que quizá no fuera obvia y banal, pero que se manifestaría sin duda de una manera distinta, más profunda. El grumete Nils Jung soñaba con montañas, con que fuera aquella una tierra montañosa, de elevadas cumbres nevadas que alcanzaran el cielo, entreveradas de valles fértiles con ovejas pastando y torrentes cristalinos en los que abundaran las truchas (al parecer era de origen noruego).

Y fue con sus ojos con los que vieron Nueva Zelanda el 6 de octubre de 1769.

Desde aquel momento el *Endeavour* navegó poniendo proa hacia la tierra avistada que emergía de entre las nubes milla tras milla. Por la noche un emocionado capitán Cook trasladaba al papel sus contornos, trazando mapas.

Las innumerables peripecias que vivieron durante los años que llevó la confección de los mapas han sido prolijamente descritas. Al día siguiente de que alguien lanzara la idea de que una tierra así de increíble por fuerza debía de estar poblada, vieron humo elevándose sobre la selva. Entonces temieron las dificultades que sin duda se presentarían a la hora de conseguir provisiones en tierra firme e imaginaron aguerridos salvajes. Esa misma mañana desembarcaron, terribles y aterradores: con la cara tatuada, sacaban la lengua y blandían lanzas. A fin de dejar clara su superioridad y fijar la jerarquía desde el principio, mataron a tiros a unos cuantos autóctonos. En aquel momento los descubridores fueron atacados.

Todo parece indicar que Nueva Zelanda fue la última tierra que nos hemos inventado.

EL OTRO COOK

En el verano de 1841, Thomas emprendió la marcha desde su Loughborough natal hasta Leicester, a once millas de distancia, para asistir a una reunión de la Sociedad de la Sobriedad, pues era un gran defensor de la templanza. Junto con él caminaban algunos caballeros más. Durante el largo y fatigoso camino, Cook tuvo la idea –parece mentira que no se le hubiera ocurrido a nadie antes, y en eso precisamente consiste la famosa simplicidad de las ideas geniales– de alquilar la próxima vez un tren para ese trayecto que llevara a todos los viajeros desorganizados.

Un mes más tarde logró preparar la primera excursión para varios cientos de personas (lo que no se sabe es si todas iban a la reunión de la Sociedad de la Sobriedad). Así nació la primera agencia de viajes.

Dos cocineros, Thomas Cook y James Cook, que cocinan nuestra realidad.

Todos los habitantes de las localidades costeras australianas se acercaban a la orilla en cuanto volvía a correr la noticia de que alguna ballena desorientada había quedado varada en el bajío. La gente se turnaba, abnegada, para humedecer su delicada piel con agua e infundirle el ánimo necesario para volver a mar abierto. Unas señoras mayores ataviadas a lo hippy afirmaban saber cómo conseguirlo. Por lo visto bastaba con hablarle, decirle: ve, vete, hermana mía, o, si era el caso, hermano mío. Y, con los ojos cerrados, compartir con ella la propia energía.

Todo el día era un ir y venir por la playa de diminutas figuras a la espera de la pleamar: que las aguas la lleven de vuelta a las profundidades. Enganchaban redes a los botes en un intento de devolverla al agua por la fuerza. Pero el inmenso animal se convertía en un peso muerto, en un cuerpo al que la vida no le importaba en absoluto. No era de extrañar que la gente empezara a hablar de «suicidio». Acudió también un pequeño grupo de activistas que sostenían que había que permitirle morir. ¿Por qué el acto del suicidio iba a ser un dudoso privilegio reservado exclusivamente al ser humano? ¿Y si la vida de cada ser vivo tuviera unos límites bien determinados, invisibles para el ojo, y tras cruzarlos se extinguiera sola? Que esto se tuviera en cuenta en la Declaración de los Derechos de los Animales que se estaba redactando en Sidney o en Brisbane. Queridos hermanos, os concedemos el derecho a elegir vuestra muerte.

Iban a ver a la ballena moribunda sospechosos chamanes que realizaban sobre ella sus rituales, aparecían fotógrafos aficionados y cazadores de noticias sensacionalistas. Una maestra de un colegio rural llevó hasta allí a sus alumnos para que luego dibujasen «El adiós a la ballena».

Por lo general la cosa, es decir, la agonía, se prolongaba

durante varios días. Tiempo suficiente para que los lugareños se familiarizaran con ese ser tranquilo y majestuoso de voluntad inescrutable. Alguien le puso un nombre, por cierto, del todo humano. Acudió una emisora de televisión local, la agonía fue seguida por todo el país, incluso por el mundo entero, gracias a la televisión por satélite. El problema del individuo de la playa era el colofón de todos los noticiarios de tres continentes. Se aprovechó la ocasión para emitir películas sobre el calentamiento global y la ecología. En los platós debatían científicos, y los políticos incluían la protección del medioambiente en sus programas electorales. ¿Por qué? Respondían a esta pregunta ictiólogos y ecólogos, cada uno de ellos tenía una teoría propia.

Sistema de ecolocación destruido. Contaminación del agua. Explosiones termonucleares en el fondo marino que ningún Estado quería reconocer. O quizá, como los elefantes, las ballenas también eligieran el momento de morir. ¿Vejez? ¿Desencanto? El cerebro de los mamíferos es sensible a la presión de la oscuridad. No hace mucho se ha descubierto lo poco que se diferencia el cerebro de la ballena del humano; además de las similitudes, hay en él algunas áreas de las que el *Homo sapiens* carece, situadas en la mejor parte, la más desarrollada, la de los lóbulos frontales.

Al final la muerte fue un hecho y se hizo necesario retirar el cuerpo de la playa. La acción se llevó a cabo ya sin tanta gente, en realidad sin testigo alguno. Solo los servicios de limpieza con chaquetas verde chillón cortaban el cadáver y lo cargaban en remolques para acabar llevándoselo en dirección desconocida. Si existía un cementerio para esas ballenas, sin duda allí lo llevarían.

La orca Billy se ahogó en aire.

La gente, desconsolada en su dolor.

Pero también se dieron casos en los que se logró salvar alguna. Tras muchos esfuerzos y el abnegado trabajo de decenas de voluntarios, las ballenas tomaban impulso y regresaban a mar abierto. Se veía sus famosos chorros dispararse alegremente hacia el cielo y, luego, cómo se zambullían en las profundidades del océano. La playa estallaba en vítores.

Varias semanas después eran capturadas en las costas de Japón, y sus hermosos y delicados cuerpos se convertían en pienso para perros.

ZONA DE DIOS

Tiene la maleta hecha desde hace varios días. Sus cosas forman montículos sobre la alfombra de la habitación. Yendo hacia la cama pone los pies entre ellos, deambula entre los montoncitos de camisetas, bragas, calcetines enrollados, pantalones planchados y doblados por la raya, y algunos libros para el viaje, nada especial, novelas de moda que hasta ahora no ha tenido tiempo de leer. Hay también un jersey grueso y unas botas de invierno compradas para la ocasión: al fin y al cabo se va al corazón del invierno.

Las cosas no son más que eso, cosas: mudas blandas e impenetrables de uso múltiple, estuches protectores para un cuerpo frágil que ha dejado atrás la cincuentena, monos de faena para defenderse de los rayos del sol y del ojo de los curiosos. Imprescindibles en un viaje largo y una estancia de varias semanas lejos de casa, muy lejos, en los confines del mundo. Las ha ido colocando en el suelo según una lista confeccionada día tras día durante sus escasos ratos libres, sabedora de la inevitabilidad de ese viaje. Hay que cumplir la palabra dada.

Al llenar de cosas su maleta roja de ruedas se da cuenta, y lo reconoce honradamente, de que sus necesidades han menguado. Con el transcurso de los años se ha ido percatando de que estas encogían por momentos. Ha ido descartando: vestidos, espuma para el pelo, esmalte de uñas junto con todos los demás utensilios de manicura, pendientes, plancha de viaje, cigarrillos... Este año ha constatado que ya no necesita compresas.

–No me acompañes –le dice al hombre que vuelve su cara muerta de sueño hacia ella–. Tomaré un taxi.

Le acaricia los párpados, pálidos y suaves, con el dorso de la mano y le da un beso en la mejilla.

–Llama en cuanto llegues, si no, me moriré de inquietud –le contesta en un murmullo apenas inteligible mientras su cabeza vuelve a desplomarse sobre la almohada. Ha tenido guardia nocturna en el hospital, se produjo un accidente y el paciente ha muerto.

Se pone unos pantalones negros y una blusa negra de lino. Se calza y se echa el bolso al hombro. Queda inmóvil en medio del pasillo, sin siquiera saber por qué. En su familia se decía que antes de un viaje uno tenía que permanecer sentado un minuto, una antigua costumbre polaca de los confines orientales del país. Pero en la exigua entrada del piso no hay dónde sentarse, falta asiento. De manera que sigue de pie y pone en hora su reloj interno, programa el *timer,* dicho en lenguaje cosmopolita, arma el gran ahora, ese cronómetro carnoso con forma humana que emite un sordo tictac al ritmo de su respiración. Entonces se arma de coraje, agarra la maleta por el asa como a un niño que se ha despistado y abre impetuosamente la puerta. Listo. Ha llegado la hora. Se va.

Un taxista de tez morena colocó con sumo cuidado su bolsa en el portaequipajes. Algunos de sus gestos se le antojaron innecesarios, demasiado familiares, le dio la impresión de que al meter su maleta en el portaequipajes la acarició suavemente.

–Conque de viaje, ¿eh? –preguntó esbozando una sonrisa que dejó al descubierto sus grandes dientes blancos.

Lo confirmó. Él le dedicó otra sonrisa más amplia aún gracias a la amable mediación del espejo retrovisor.

–A Europa –añadió, y el taxista expresó su admiración con un sonido entre la exclamación y el suspiro.

Circulaban por una carretera que bordeaba la bahía; empezaba a bajar la marea y el agua iba desvelando poco a poco el pedregoso fondo de un mar sembrado de conchas. El sol deslumbraba, pegaba fuerte, era necesario protegerse la piel. Pensó apenada en las plantas de su jardín, preguntándose si su marido iba realmente a cuidarlas como había prometido, en sus mandarinas (¿aguantarían hasta su vuelta?, si así era, las confitaría), en los higos que apenas empezaban a madurar y las hierbas aromáticas expulsadas a lo más seco y pedregoso del jardín, pero debió de gustarles puesto que el estragón alcanzó este año un tamaño extraordinario. Incluso la colada tendida en el jardín se impregnaba de su áspero y fresco perfume.

–Diez –dijo el taxista.

Pagó.

En el mostrador del aeropuerto local enseñó el billete y facturó el equipaje a destino. Se quedó con la mochila y enfiló a paso lento directamente hacia el avión al que ya estaban subiendo personas medio dormidas, con niños, con perros, con bolsas de plástico llenas de provisiones.

Cuando el pequeño avión se elevó por encima de la tierra para transportarla al aeropuerto principal, vio un panorama tan extraordinariamente bello que se dejó llevar a un estado de elevación espiritual. «Elevación», una graciosa palabra antigua, cómica en este contexto, ya que realmente la habían elevado hasta la altura de las nubes. Las islas, las playas de arena, le pertenecían no en menor grado que sus propios pies y manos; el mar enroscándose en rizos de espuma al tocar la orilla, las motas de barcos y botes, la suave y ondulada línea de la costa, el interior verde de las islas, todo era de su propiedad. *God's zone*, decían de la isla sus habitantes. La Zona de Dios. Se ha mudado aquí trayendo consigo toda la belleza del mundo. Y ahora la regalaba a cada uno de sus habitantes, gratis, sin poner condición alguna.

En el aeropuerto grande, fue a los lavabos para refrescarse la cara. Después se quedó un buen rato contemplando una pequeña e impaciente cola a los puntos de acceso gratuito a internet. Los viajeros se detenían allí por un momento para comunicar a sus más y menos allegados: existo. Incluso pensó que ella también podría acercarse a las pantallas, teclear el nombre de su servidor, luego la dirección y comprobar quién le había escrito, pero sabía lo que encontraría. Nada de interés: una nota sobre el proyecto en que trabajaba, chistes de una compañera australiana, tal vez alguno de los infrecuentes correos de sus hijos. El remitente de aquellos que motivaron su expedición llevaba un tiempo sin dar señales de vida.

Le sorprendieron los rituales de seguridad; hacía mucho que no viajaba. La radiografiaron a ella y su mochila. Le quitaron el cortaúñas; le dio pena porque era de buena calidad, lo había usado durante años. Con mirada profesional, los empleados intentaban descubrir si alguno de los pasajeros no sería una bomba cargada de explosivos, sobre todo entre los hombres de tez oscura y las muchachas con el pañuelo en la cabeza, alegres, parlanchinas. Todo parecía indicar que el mundo hacia el cual se dirigía y en cuya frontera se encontraba, justo antes de una línea amarilla, se regía por otras leyes cuyo lóbrego y furioso gruñido llegaba hasta su tierra.

Tras pasar por el control de pasaportes, hizo unas pequeñas compras en el *duty free*. Encontró su puerta de embarque, la nueve, se sentó de cara a la entrada e intentó leer.

El avión despegó a la hora, sin sobresaltos; una vez más se produjo el milagro de una máquina grande como un edificio soltándose con gracia del abrazo terrestre para elevarse suavemente hasta las alturas.

Después de la comida de plástico que se sirve en los aviones, todo el mundo empezó a prepararse para dormir. Solo algunos pasajeros, con auriculares en los oídos, veían la película sobre el viaje fantástico de unos intrépidos científicos que, reducidos al tamaño de una bacteria en un misterioso «acelerador», viajaban por las interioridades del cuerpo de un paciente. Mirando la pantalla sin auriculares, la fascinaron las imágenes, espectaculares, escenarios como sacados de un fondo marino: las galerías carmesíes de los vasos sanguíneos, la pulsación de las arterias al angostarse y, en ellas, unos linfocitos agresivos que recordaban a extraterrestres, así como los glóbulos rojos, dulces cuenquitos, ovejitas inocentes. Un auxiliar de vuelo repartía discretamente agua con limón, una rodaja para toda la jarra. Se tomó un vaso.

Cuando llovía, el agua inundaba los senderos de los parques, los lavaba y los cubría con una fina capa de arena clara; se podía escribir en ella con la punta de una ramita: los tramos arenosos pedían inscripciones a gritos. Se podían dibujar casillas para jugar a la rayuela y princesas con vestidos abombados y talle de avispa, unos años más tarde, charadas, declaraciones, el álgebra amorosa de todos esos M + B = GA que se traducía en que un tal Marek o Maciek quería a una tal Basia o Bożena y donde GA significaba gran amor. Siempre se sentía así en un avión: contemplaba a vista de pájaro toda su vida, momentos que en tierra parecían del todo olvidados. El banal mecanismo de flashback, una reminiscencia mecánica.

Cuando recibió el email no sabía quién podía haberlo enviado, quién se ocultaba bajo aquel nombre y apellido y por qué se dirigía a ella con tanta familiaridad. La amnesia duró unos segundos apenas, debería haberle dado vergüenza. El correo, aparentemente –como concluiría más tarde–, era uno de tantos que se envían por Navidad. Llegó a mediados de diciembre, al comienzo del tórrido verano. Pero se alejaba claramente de todo habitual convencionalismo. Le pareció una llamada desde el otro extremo de un tubo, lejana, amortiguada, brumosa. No lo entendió todo, algunas frases la inquietaron, por ejemplo esta: «La vida se me antoja un vicio repugnante cuyo control se nos escapó hace tiempo. ¿Has intentado dejar de fumar?» Sí, lo hizo. Y fue difícil.

Llevó encima durante días ese extraño correo de un hombre al que había conocido más de treinta años atrás y a quien no había vuelto a ver desde entonces, un hombre a quien había olvidado por completo, pero al que a fin de cuentas había querido a lo largo de dos intensos años de su juventud. Le contestó amable y amistosamente, en un tono muy distinto al habitual, y los correos empezaron a llegar a diario.

La privaron de paz, esos emails. A todas luces despertaron un fragmento dormido de su cerebro en que guardaba aquellos años compartimentados en imágenes, retazos de diálogos, estelas de olores. Todos los días, cuando iba en coche al trabajo, nada más introducir la llave de contacto, se accionaban aquellas grabaciones, películas rodadas con una cámara de tres al cuarto, con colores desteñidos o en blanco y negro sin más, escenas cotidianas, momentos, sin orden ni concierto, cronologías alteradas con las que no sabía qué hacer. Por ejemplo: se van más allá de los confines de la ciudad, en realidad un pueblo grande, hacia las colinas, allí por donde pasa la línea de alta tensión, y desde ese momento sus palabras se ven acompañadas por un incesante zumbido, como un acorde que subraya la importancia de ese paseo, un sonido bajo y monótono, una tensión que ni sube ni baja. Van cogidos de la mano; es el tiempo de los primeros besos que no podrían ser calificados sino como extraños.

Su instituto de enseñanza media ocupaba un viejo y frío edificio de dos plantas en cuyos anchos pasillos se alineaban las aulas. Eran todas muy parecidas: tres hileras de pupitres dobles enfrentadas al escritorio del profesor. La pizarra cubierta de caucho verde oscuro se podía desplazar arriba y abajo. El alumno de guardia tenía la obligación de humedecer el borrador de esponja antes de cada clase. De las paredes colgaban retratos en blanco y negro de hombres, solo en el aula de física había un rostro femenino: el de Maria Skłodowska-Curie, dando fe de la existencia de la igualdad de sexos. Las filas de caras que colgaban por encima de las cabezas de los alumnos eran un recordatorio de que milagrosamente la escuela seguía formando parte de la gran familia científica a pesar de todo, que no por provinciana era menos heredera de la mejor tradición y pertenecía a un mundo en que todo se podía describir, explicar, demostrar y ejemplificar.

En séptimo de primaria empezó a interesarse por la biología. Encontró un artículo –a lo mejor se lo recomendó su padre– sobre las mitocondrias. Que lo más probable era que en tiempos inmemoriales hubieran vivido en el océano prehistórico como seres individuales antes de ser aprehendidas por otros organismos unicelulares y obligadas a trabajar para su huésped por los siglos de los siglos. La evolución sancionó esa esclavitud, y así seguíamos. Estaba escrito tal cual, en estos términos: «aprehendido», «obligado», «esclavitud». A decir verdad, siempre la había inquietado. La asunción de que en el principio era la violencia.

En el instituto ya sabía que sería bióloga, por lo que estudiaba biología y química con ahínco. En clase de ruso escribía notitas plagadas de chismorreos que sus serviciales compañeros pasaban a sus amigas por debajo de los pupitres. Las de lengua y literatura polacas la aburrían soberanamente hasta que, en décimo, se enamoró de un compañero de otro grupo del mismo curso cuyo nombre y apellido coincidía con el del autor del email y cuya cara intentaba recordar. Esta debió de ser la razón por la que se enteró más bien poco del positivismo y la Joven Polonia.

Su viaje diario es pendular y transcurre por un arco graciosamente curvado, ocho kilómetros de costa, ida y vuelta, de casa al trabajo y del trabajo a casa. Un viaje en el que el mar siempre está presente y que bien podría calificarse como marítimo sin miedo a equivocarse.

En el trabajo, sin embargo, dejaba de pensar en los emails, volvía en sí, allí no había lugar para brumosas remembranzas. En cuanto salía de casa, subía al coche y se incorporaba al tráfico de la carretera, siempre estaba un poco excitada por la gran cantidad de cosas que la aguardaban en el laboratorio y en la oficina. La tan familiar forma del edificio bajo y acristalado reconducía su mente y el cerebro empezaba a funcionarle con mayor eficiencia, concentrado como un motor bien engrasado, infalible, uno de esos que siempre lleva a destino.

Participaba en un gran proyecto de lucha contra las comadrejas y las zarigüeyas que –introducidas irreflexivamente por el hombre– causaban estragos en la población de especies endémicas de aves al alimentarse principalmente de sus huevos.

Trabajaba en un equipo que ensayaba venenos para combatir a esos pequeños mamíferos. El veneno se inyectaba en los huevos-cebo que, colocados en jaulas de madera construidas para la ocasión, se repartían por bosques y montes; debía ser rápido, humanitario y, por añadidura, degradable al instante para que los cadáveres no afectaran a la población de insectos. Un veneno cristalinamente puro, del todo seguro para el mundo, apuntando tan solo a un único parásito, un tipo de organismo determinado, autoneutralizado nada más cumplida su misión. El James Bond de la ecología.

A eso precisamente se dedicaba. Acabó creando una sustancia de tales características. Trabajó en ella siete años enteros.

271

De una u otra manera, él lo sabía. Se habría enterado por internet, donde está todo. Si no sales en internet es como si no existieras. Tienes que tener allí al menos una mención, aunque sea en la lista de bachilleres de tu instituto. Y la habría localizado sin problema, ya que nunca había cambiado de apellido. Así que lo más probable era que hubiera tecleado su nombre en Google y le salieran varias páginas, tanto sus artículos y su horario anual de clases en la universidad como su activismo en el campo de la ecología. En un principio pensó que era esto último lo que le interesaba. Por eso, inocentemente, se metió de lleno en debates vía email.

Resulta difícil dormir en este enorme avión transcontinental. Las piernas se entumecen y se hinchan. A ratos se sume en breves duermevelas que la desorientan y le hacen perder la noción del tiempo. ¿Puede acaso ser tan larga la noche?, se pregunta, asombrado, su humano cuerpo perdido, arrancado de la tierra, de su lugar donde el sol sale y se pone, y la glándula pineal, ese tercer ojo oculto, registra escrupulosamente su movimiento en el cielo. Por fin empieza a clarear y los motores del avión cambian de tono. Del tenor al que el oído ya se ha acostumbrado pasan a tesituras más bajas, barítonos y bajos, hasta que, antes de lo esperado, la inmensa máquina desciende con gracia hasta tocar tierra. Caminando por la pasarela del aeropuerto, siente lo tórrido que está el aire, cómo penetra por las rendijas, pegajoso, húmedo, los pulmones se rebelan negándose a aspirarlo. Pero por suerte no tendrá que lidiar con él. Su siguiente vuelo sale dentro de casi seis horas, tiempo que se dispone a pasar en el aeropuerto, durmiendo o dormitando, intentando ajustarse al horario. La aguardan después otras doce horas de vuelo.

Ha pensado a menudo en el hombre que le mandó aquel inesperado email. Y luego otros, hasta que acabaron por mantener una correspondencia llena de insinuaciones y medias palabras. Semejantes cosas no se escriben de forma explícita; a su entender, entre personas que han mantenido una relación carnal íntima debe existir, a fin de cuentas, una suerte de lealtad. ¿Se habrá dirigido a ella por eso? Sin duda. La pérdida de la virginidad constituye un acontecimiento único e irreversible, imposible repetirlo, por lo que se convierte en algo memorable, se quiera o no, más allá de cualquier ideología. Recordaba con exactitud cómo había sido: un dolor breve y agudo, una incisión, un corte, parece mentira que asestado por una herramienta tan suave y roma.

También recuerda las moles de color gris crema de los edificios adyacentes a la universidad, la lóbrega farmacia con la luz siempre encendida, independientemente del tiempo atmosférico y la estación del año, y sus viejos tarros de color marrón y etiqueta con la minuciosa descripción de su contenido. Blísteres amarillos de pastillas para el dolor de cabeza, seis por paquete, cada uno atado con una goma elástica. Recuerda la agradable forma oblonga de los aparatos de teléfono hechos de ebonita, casi siempre negra o caoba, no tenían disco sino una manivela y su sonido recordaba a un pequeño tornado que se desataba en algún lugar de los túneles de cables para invocar la voz deseada.

La sorprende verlo todo con tal nitidez; por primera vez en su vida. Debe de estar haciéndose vieja, ya que es por lo visto en la vejez cuando se activan aquellos rincones del cerebro que han apuntado escrupulosamente todo lo acontecido. Hasta ese momento no había tenido tiempo para pensar en asuntos tan añejos; veía el pasado como una estela borrosa. Ahora la película se ralentiza revelando mil y un detalles: el cerebro humano es inmenso. Ha permanecido en él incluso su pequeño bolso marrón, de antes de la guerra, heredado de su madre, con su forro blando de tela engomada y un precioso cierre de metal que asemejaba una joya. El interior era liso y tibio, y al sumergir en él la mano se tenía la impresión de tocar un ramal muerto del tiempo.

El siguiente avión, el que va a Europa, es más grande todavía, de dos pisos. A bordo vuelan turistas relajados y tostados por el sol. Intentan embutir excéntricos souvenirs en los compartimentos para el equipaje de mano: un tambor alto cubierto de dibujos étnicos, un sombrero hecho de hierba, un Buda de madera. Ella va apretujada entre dos mujeres, justo en medio de la fila, un asiento de lo más incómodo. Apoya la cabeza en el respaldo, aun a sabiendas de que no podrá pegar ojo.

Dejaron la misma pequeña ciudad para cursar sus respectivas carreras universitarias: él, filosofía; ella, biología. Se veían a diario después de clase, un poco asustados por la gran urbe, perdidos. A veces se colaban en sus respectivas residencias, en una ocasión –ahora le viene a la memoria– él se había encaramado al primer piso trepando por un bajante. También recuerda el número de su habitación: 321. Pero la ciudad y la universidad duraron solo un año, aún le dio tiempo de aprobar los exámenes finales y llegó la hora de tener que abandonar el país. Su padre puso a la venta por cuatro perras toda la consulta: el sillón de dentista, las vitrinas de metal acristaladas, las autoclaves y el resto del instrumental. A propósito, sería interesante saber adónde han ido a parar todos aquellos equipos. ¿A un vertedero? ¿Seguirá desconchándose la pintura crema? Su madre fue vendiendo muebles. No había ni desesperación ni tristeza, el ir desprendiéndose de los bienes generaba inquietud porque al fin y al cabo significaba volver a empezar desde cero. Los dos eran más jóvenes de lo que es ella en la actualidad (pero entonces le parecían unos auténticos viejos), estaban dispuestos a lanzarse a la aventura, daba igual dónde: Suecia, Australia, tal vez incluso Madagascar, cualquier parte con tal de alejarse lo

274

más posible de esa vida septentrional, corrompida y claustrofóbica en un absurdo y hostil país comunista de finales de los sesenta. El padre sostenía que ese país no estaba hecho para las personas, aunque, más tarde, pasara el resto de sus días muriéndose de añoranza. Ella, en cambio, sí quería marcharse, lo quería de veras, como cualquier muchacha de diecinueve años: soñaba con salir al ancho mundo.

Este país no está hecho para las personas, sino para pequeños mamíferos, insectos y polillas. Está dormida. El avión está suspendido en un aire puro y glacial que mata las bacterias. Cada vuelo nos desinfecta. Cada noche nos purifica. Ve una pintura, no conoce su título, la recuerda de la infancia: una mujer joven toca los párpados de un anciano arrodillado ante ella. Es un cuadro de la biblioteca de su padre, sabe dónde estaba el libro, abajo a la derecha, junto con otros libros de arte. Podría cerrar los ojos y entrar en esa estancia de ventanas saledizas que daban al jardín. A la derecha, a la altura de la cara, había un interruptor de ebonita negra que debía tomarse entre los dedos índice y pulgar y girarlo. Oponía poca resistencia antes de emitir un chasquido. La luz aparecía en una araña de cinco brazos coronados con tulipas alargadas en forma de cáliz, creando una especie de rueda vibratoria. Pero aquella luz cenital resultaba tenue y estaba a demasiada altura, no era santo de su devoción. Prefería encender la lámpara de pie cuya pantalla amarilla contenía briznas de hierba —no sabe cómo lo hicieron— y sentarse en la vieja y desgastada butaca. De niña pensaba que en ella moraban los *boboks,* unas criaturas aterradoras bastante indefinidas. El libro que le gustaría abrir sobre las rodillas sería —le viene a la memoria— el de reproducciones de Malczewski. Se abriría en la página en la que una mujer joven y bella con guadaña, con calma y amor, cierra los ojos a un anciano arrodillado ante ella.

La terraza da a un vasto herbazal tras el cual se vislumbran las azules aguas de la bahía; la marea juega con los colores mezclándolos, barniza las olas con brillo plateado. Siempre sale a la terraza después de cenar: reminiscencia de la época en que aún fumaba. Ahora está ahí de pie, contemplando a personas entregadas a un sinfín de juegos y diversiones. De pintarlas resultaría un Brueghel alegre, soleado, tal vez un tanto infantil. Un Brueghel meridional. La gente hace volar cometas, entre ellas, una con la forma de un enorme pez de colores que, con la gracia de la cola de un velo, surca el aire con sus largas y finas aletas. La segunda, un oso panda, grande, ovalado, se eleva por encima de las diminutas figuras humanas. La tercera, una gran vela blanca, arrastra por la hierba el carrito de su propietario. ¡Lo útil que puede resultar una cometa! Cuán útil es el viento. Qué bueno es.

La gente juega con los perros: les lanza pelotitas de colores chillones. Los perros van a buscarlas con ilimitado entusiasmo. Pequeñas figuras que corretean, montan en bici, van sobre patines, juegan al fútbol, al voleibol, al bádminton, hacen ejercicios de yoga. Por la carretera cercana se deslizan abigarrados coches con remolques y, sobre ellos, botes, catamaranes, bicicletas, casas móviles. Sopla una brisa suave, brilla el sol, unos pequeños pajarillos se pelean bajo un árbol por unas migajas olvidadas.

Ella lo entiende así: una poderosa fuerza contenida en cada átomo de la materia orgánica hace girar la vida del planeta. Es una fuerza de la que hasta la fecha se carece de pruebas físicas, no hay manera de captarla en las imágenes de microscopio más precisas ni en fotografías del espectro atómico. Es algo que no hace sino abrirse camino a codazos, avanzar cueste lo que cueste, salirse de lo que es. Un motor que fuerza los cambios, una energía ciega, poderosísima. Atribuirle objetivo o intención equivale a un malentendido. Darwin la interpretó como supo, pero no tenía razón. Nada de selección natural, ni de lucha, ni de victoria, ni de adaptación del más fuerte. Competición, mierdición. Cuanta más experiencia acumula como bióloga, cuanto más tiempo y atención dedica a observar las complicadas interrelaciones y conexiones presentes en el biosistema, tanto más convencida está de lo acertado de su intuición: todos los seres vivos cooperan en la labor de crecer y abrirse camino, se respaldan mutuamente. Los organismos vivos se entregan unos a otros, permiten que otros los usen. La rivalidad, cuando se da, no es más que un fenómeno puntual, un pequeño desequilibrio. Es cierto que las ramas de los árboles luchan por el acceso a la luz, que sus raíces compiten por llegar a las fuentes de agua, que los animales se comen unos a otros, pero en todo ello subyace una suerte de pacto, aterrador solo para el hombre. Podemos tener la impresión de participar en el teatro de un gran cuerpo, como si las guerras que libramos no fueran sino guerras civiles. Esta cosa –¿qué otra palabra podría usarse aquí?– está viva, tiene millones de características y atributos, de manera que lo contiene todo, no existe nada más allá de ella, cada muerte es parte de la vida y, en cierto sentido, la muerte no existe. No existe la equivocación. No hay culpables ni inocentes, no hay méritos ni pecados, tampoco bien ni mal. Quien inventó estos conceptos llamó a engaño a la gente.

Regresa a su habitación para leer el correo que un bip acaba de anunciar y rememora la desesperación a la que se vio abocada hace mucho, muchísimo tiempo, a causa del remitente. Desesperación porque él se quedaba y ella se iba. Acudió a la estación, pero no lo recuerda allí de pie en el andén, aunque es consciente de que hace años cultivó esa imagen, solo recuerda el movimiento del tren y las imágenes invernales de Varsovia huyendo más y más deprisa y que lo que pensaba arrancaba con las palabras: nunca más. Ahora aquello suena tan sentimentaloide que no comprende aquel dolor. Era un dolor bueno, como el de la menstruación. Algo culmina, finaliza un proceso interior y lo innecesario queda eliminado para siempre. Por eso duele, pero es un dolor que purifica.

Mantuvieron correspondencia durante un tiempo; sus cartas llegaban en sobres azules con sellos del color del pan negro. Claro que habían hecho planes: que un día él iría donde estuviera ella. Pero –claro– nunca lo hizo. De todos modos, ¿quién se creería semejante promesa? Hubo varias causas; hoy resultan dudosas y abstrusas: el no tener pasaporte, la situación política, la abismal crudeza de los inviernos en los que es posible quedarse atrapado como en una grieta de hielo, sin poder moverse.

En cuanto llegó a destino la asaltaron extraños accesos de nostalgia. Extraños porque concernían a nimiedades demasiado insignificantes como para echarlas de menos: el agua acumulada formando charcos en las concavidades de las aceras, el crisol de colores que la gasolina derramada dejaba en esa agua, el viejo y pesado portal que chirriaba al abrirse a una escalera oscura. También añoraba los platos de loza del comedor estudiantil, con banda marrón y el logotipo de la cooperativa Społem, en la que servían pasta de queso fresco aderezada con mantequilla derretida y espolvoreada con azúcar. Después, con el paso del tiempo, aquella nostalgia fue absorbida por la nueva tierra como leche derramada y desapareció sin dejar rastro. Terminó la carrera, hizo un posgrado en su especialización. Viajó por el mundo, conoció y se casó con el hombre con el que sigue hasta hoy y dio a luz a gemelos que dentro de poco serán padres. Así que la memoria parece un cajón repleto de papeles, algunos sin la menor importancia, documentos de un solo uso, recibos de la lavandería o facturas de la compra de unas botas de invierno o de una tostadora de las que en casa no queda ni rastro. Pero también hay otros, multiuso, que certifican no ya acontecimientos, sino procesos completos: el carnet de vacunación de la niña, el expediente estudiantil con las hojas llenas hasta la mitad con sus sellos semestrales, el certificado del examen de Estado, el del curso de corte y confección.

En uno de sus correos, él le comunicaba que, si bien era cierto que aún seguía ingresado en un hospital, se sabía ya que le darían el alta por Navidad y que no lo volverían a ingresar. Ya habían hecho, examinado y previsto todo lo posible, así que a partir de entonces estaría en casa, en el campo a las afueras de Varsovia, donde había nieve y temperaturas gélidas como en el resto de Europa y donde se habían dado casos de muerte por congelación. Le dio también el nombre de su enfermedad, pero en polaco, de modo que no sabía de qué se trataba: simplemente desconocía esa palabra. «¿Te acuerdas de la promesa que nos hicimos?», escribió. «¿Te acuerdas de la última noche antes de tu partida? Estábamos sentados en el césped del parque, hacía muchísimo calor, junio, los cinco exámenes superados con nota máxima, la ciudad recalentada por el día devolvía ese calor impregnado de olor a hormigón, como si sudara. ¿Te acuerdas? Trajiste una botella de vodka, pero no fuimos capaces de apurarla. Prometimos que nos veríamos. Que, pasara lo que pasara, nos volveríamos a reunir. Y una cosa más: ¿te acuerdas?»

Claro que se acuerda.

Él tenía una pequeña navaja suiza con cachas de hueso y uno de sus accesorios era un sacacorchos, el mismo con el que abrió la botella de vodka (en aquella época las botellas se tapaban con un corcho sellado con lacre), tras lo cual se clavó la afilada punta del sacacorchos en la mano, cree recordar que entre el pulgar y el índice, se hizo un corte alargado, y ella le arrebató la serpenteante herramienta e hizo otro tanto. Después se tocaron con sendas manchas de sangre, uniendo las dos heridas. Este juvenil gesto romántico se llama hermandad de sangre y procede de una película en boga en aquella época o tal vez de algún libro tipo *Winnetou*.

Examina cuidadosamente sus manos, las dos, porque no recuerda en cuál fue: ¿derecha o izquierda?, pero no encuentra nada. El tiempo cura tales heridas.

Claro que se acuerda de aquella noche de junio: con la edad la memoria empieza a abrir poco a poco sus abismos holográficos, un día tira del siguiente, como con una cuerda, y de este emergen horas y minutos. Las imágenes estáticas se ponen en movimiento, primero despacio, repitiendo una y otra vez los mismos momentos, y todo recuerda a la labor de sacar esqueletos antiguos de la arena: primero se ve un solo hueso, pero el pincel no tarda en descubrir otros; finalmente sale a la luz toda la compleja estructura: las articulaciones, las conexiones, la construcción en la que se apoya el cuerpo del tiempo.

De Polonia se marcharon a Suecia. Corría 1970, ella tenía diecinueve años. Dos años más tarde decidieron que estaban demasiado cerca, que extraños fluidos, añoranzas, miasmas, un aire desagradable atravesaban el Báltico. Su padre era un buen dentista; su madre, protésica dental, profesionales como ellos serían acogidos por cualquier país del mundo. Siempre hay que multiplicar el número de habitantes por el número de dientes y resulta así fácil evaluar las posibilidades de uno. Y cuanto más lejos, mejor.

También contestó a ese email, confirmando, no sin sorprenderse, su extraña promesa. Y ya a la mañana siguiente recibió la respuesta, como si allá, al otro lado del mundo, él estuviera esperando, impaciente, con el texto guardado en el escritorio de su ordenador, listo para ser adjuntado.

«Intenta imaginarte un dolor incesante y una parálisis progresiva que va a más de día en día. Pero incluso esto sería soportable si no fuese por la convicción de que más allá de ese dolor no hay nada, ninguna reparación, y que cada hora será peor que la anterior, lo que significa que uno se dirige a una oscuridad inimaginable, a un infierno construido de alucinaciones, con diez círculos de sufrimiento. Y que no existe ningún guía, nadie te guiará de la mano ni te explicará las causas, porque las causas no existen, como tampoco existe castigo ni premio alguno.»

En el correo siguiente se quejaba de lo mucho que le costaba escribir y de que empleara generalidades: «Ya sabes que por aquí no se estila. Nuestra tradición no favorece este tipo de pensamiento, a lo que cabe añadir el innato rechazo a cualquier reflexión un poco profunda de mis compatriotas (¿serán aún también los tuyos?). El fenómeno suele atribuirse a nuestra dolorosa historia, que no nos ha tratado con benevolencia, al contrario, a menudo se ha burlado de nosotros: a lo mejor el país debería llamarse Burlonia. Tras el gran entusiasmo llegaba el derrumbe, siempre, de ahí que cierto nivel de miedo y de desconfianza en el mundo se convirtieran en norma, como esa fe en el poder salvífico de la regla estricta al tiempo que la clara tendencia a desobedecerla.

»Mi situación es la siguiente: estoy divorciado y no mantengo contacto con mi exmujer, me cuida mi hermana, pero ella jamás me haría ese favor. No tengo hijos, cosa que lamento mucho, hay que tenerlos precisamente para estos casos. Soy una persona impopular y, por desgracia, pública. Ningún médico se atreverá a ayudarme. Fui desacreditado en una de las numerosas broncas políticas y ya no tengo el llamado buen nombre, lo sé y me importa un pepino. En el hospital recibí alguna que otra visita, pero sospecho que no porque realmente quisieran verme o por compasión, sino por pura satisfacción (eso creo) tal vez no del todo consciente. ¡Quién lo ha visto y quién lo ve! Y menear la cabeza junto a mi cama. Entiendo este sentimiento, es humano. Tampoco yo por mi parte soy cristalinamente puro, he enredado muchas cosas en mi vida. Tengo una sola virtud: siempre he sido bien organizado. Me gustaría sacar provecho de ello hasta el final.»

Le costó trabajo entenderlo todo, había olvidado por completo algunas palabras. No sabía, por ejemplo, qué significaba «persona pública», tuvo que pensarlo, ahora ya cree saberlo. ¿Qué significaba «enredar cosas en la vida»? ¿Causar un desorden? ¿Perjudicarse a uno mismo?

Intentó imaginárselo escribiendo este correo: ¿sentado o acostado, qué aspecto tendría, llevaría pijama? Pero la figura del hombre permanecía en su cabeza como un mero contorno, una silueta vacía a través de la cual veía el herbazal y la bahía. Después de ese largo correo sacó las cajas de cartón en las que guardaba las viejas fotografías de Polonia y, finalmente, lo encontró: un muchacho peinado como un niño bueno, con una sombra de pelusa en la cara muy propia de la edad, unas gafas graciosas y un jersey de montaña estirado, con una mano cerca de la cara: debía de estar hablando cuando le sacaron aquella foto en blanco y negro.

Acontecimiento sincrónico: pocas horas después llegó otro correo con una foto adjunta. «Por desgracia, escribir se me da cada vez peor. Date prisa, por favor. Mira qué aspecto tengo. Debes saberlo, aunque esta foto es de hace un año»: un hombre corpulento, la cabeza cubierta de pelo gris cortado al cepillo, pulcramente afeitado, de facciones suaves, un tanto borrosas, aparece sentado en una estancia con estanterías repletas de papeles; ¿la redacción de un periódico? Las dos instantáneas no guardan ni pizca de parecido, se podría pensar que son dos personas del todo diferentes.

No sabía de qué enfermedad se trataba. Tecleó su nombre polaco en Google y lo comprendió. Ahora sí. Por la noche preguntó por ella a su marido, que le explicó detalladamente el mecanismo de la enfermedad, su incurabilidad, la parálisis progresiva.

—¿Por qué lo preguntas? —dijo al concluir.

—Por curiosidad. Un amigo de un amigo la tiene —contestó evasivamente y luego, sorprendida de sí misma, mencionó como quien no quiere la cosa un congreso en Europa, un accidente repentino, la invitaron en el último momento.

El último vuelo fue lo de menos, duró tan solo una hora: Londres-Varsovia. Apenas lo notó. Un montón de gente joven que volvía del trabajo a casa. Qué sensación tan rara: todos hablaban en polaco de forma natural. En un principio, el descubrirlo fue para ella una conmoción, como si se hubiera encontrado en medio de unos griegos de la Antigüedad. Todos bien abrigados: gorros, guantes, bufandas, parkas de plumón del tipo que se lleva para ir a esquiar, solo en ese momento comprendió lo que significaba aterrizar en el corazón del invierno.

Un cuerpo extenuado, semejante a un único tendón, tendido en la cama. No la reconoció cuando entró, por supuesto. La miró atentamente, sabía que era ella, pero no la reconocía, al menos así le pareció.

–Hola –lo saludó.

Él esbozó una débil sonrisa y cerró los ojos durante largo rato.

–Eres grande.

Una mujer, seguramente la hermana a la que él había aludido, se apartó para dejarle sitio junto a la cama, así que pudo poner la mano sobre la de él, huesuda y del color de la ceniza; su sangre ya llevaba ceniza en lugar de fuego.

–¿Ves? –le dijo la hermana como si se dirigiera a un niño–, tienes visita. ¿Ves quién ha venido a verte? Por favor, tome asiento, señora.

Estaba en una habitación cuyas ventanas daban a un patio nevado con cuatro pinos enormes, al fondo se veían una cerca y una carretera, y un poco más allá unos chalets de un lujo arquitectónico que no dejó de asombrarla. Los recordaba muy distintos. Columnas, verandas, entradas de coche iluminadas. Oyó el gemido de un motor: un vecino intentaba en vano ponerlo en marcha. En el aire flotaba un olor tenue a fuego y humo de leños de conífera.

La miró y sonrió, pero solo con los labios; sus comisuras se elevaron ligeramente, los ojos permanecían serios. Había un gotero a la izquierda de la cama. Un catéter estaba clavado en una vena abultada de color azul pálido, casi desahuciada.

Cuando su hermana hubo salido, preguntó:

—¿Eres tú?

Ella sonrió.

—Ya lo ves, he venido. —Se había preparado esta sencilla frase mucho antes. Y no le salió mal.

—Gracias. No me lo acababa de creer —dijo, y tragó saliva como si estuviera a punto de romper a llorar.

Ella se asustó ante la perspectiva de presenciar una escena embarazosa.

—Venga —dijo—. No dudé ni un minuto.

—Tienes un aspecto magnífico, joven. Solo has cambiado de color de pelo —intentó bromear.

Tenía los labios resecos; ella vio en la mesilla de noche un vaso de agua con un palito envuelto en gasa.

—¿Quieres beber?

Asintió con la cabeza.

Mojó la gasa en el agua y se inclinó sobre el postrado; percibió su olor: dulzón, desagradable. Él entornó los ojos cuando, con delicadeza, le humedeció los labios.

Continuamente fracasaban en sus intentos de mantener una conversación. Cuando él cerraba los ojos por unos instantes, ella no sabía si seguía despierto o se alejaba hacia alguna parte. Empezó por algo tipo: ¿Te acuerdas de...?, pero no funcionó. Cuando calló, él le tocó la mano y pidió:

—Cuéntame algo. Háblame.

—¿Cuánto tiempo va a... —buscó la palabra— durar esto?

Contestó que quizá varias semanas.

–¿Qué es esto? –preguntó mirando el gota a gota.

Volvió a sonreír.

–Tres en uno. La comida, el desayuno y la cena: chuleta de cerdo empanada, col, pastel de manzana y cerveza de postre.

Repitió «chuleta» en voz baja, y esa palabra, casi olvidada, le hizo darse cuenta de que tenía hambre. Le tomó la mano y frotó con cuidado sus fríos dedos. Manos extrañas, hombre extraño, nada reconocía de él, cuerpo extraño, voz extraña. Con la misma verosimilitud podía tratarse de una equivocación, podía haber recalado en otra casa.

–¿De verdad me reconoces? –preguntó.

–Claro que sí. No has cambiado tanto.

Sabía, sin embargo, que no era cierto, que no la había reconocido. Tal vez si pudieran pasar más tiempo juntos, tiempo para desplegar todos sus gestos, muecas, movimientos habituales... Pero ¿para qué? Le pareció que de nuevo se había alejado, entornó los ojos como si se hubiese dormido. No lo importunó. Se dedicó a observar su cara ceniciente y sus ojos hundidos, sus uñas blancas como la nieve, como hechas de cera, y no muy bien porque se estaba borrando el límite entre ellas y la piel de los dedos.

No tardó mucho en volver, la miró como si apenas hubiera transcurrido un segundo.

–Te encontré en internet, hace ya tiempo. Leí tus artículos, aunque entendí bien poco. –Y sonrió débilmente–. Una terminología demasiado complicada.

–¿De verdad los leíste? –le preguntó, atónita.

–Debes de ser feliz. Al menos eso dice tu aspecto.

–Lo soy.

–¿Qué tal el viaje? ¿Cuántas horas?

Le habló de transbordos y aeropuertos. Intentó contabilizar las horas, pero no le salían las cuentas porque al volar hacia el oeste, el tiempo se había expandido. Le describió su casa y la vista a la bahía. Habló de las zarigüeyas y del hijo que se había marchado un año a Guatemala para dar clases de inglés en una escuela rural. De sus padres, muertos uno detrás del otro hacía poco, satisfechos de lo vivido, con su pelo gris y sus susurrantes conversaciones en polaco. De su marido, que realizaba complicadas operaciones neurológicas.

—Matas a animales, ¿verdad? —oyó de pronto.

Lo miró, sorprendida por la pregunta. Y comprendió.

—Es doloroso, pero hay que hacerlo —contestó—. ¿Quieres agua?

Negó con la cabeza.

—¿Por qué?

Movió la mano en un gesto vago, impaciente. Estaba claro el porqué. Porque habían importado a la isla animales de cría del todo ajenos al ecosistema autóctono. Unos hacía mucho, irreflexivamente, doscientos años atrás; otros, aparentemente libres de toda culpa, escaparon. Los conejos. Zarigüeyas y comadrejas criadas en granjas peleteras. De los jardines de las casas huyeron las plantas: hacía poco había visto el lado de una carretera cubierto de geranios rojo sangre. Huyó el ajo y se asilvestró en tierra de nadie. Sus flores empalidecieron; quién sabe, tal vez al cabo de miles de años creen una mutación local propia. Personas como ella trabajaron duro para impedir que el resto del mundo contaminara la isla, para que en bolsillos extraños no fueran a parar a la isla semillas extrañas, para que en la piel de plátano no llegaran hongos extraños, por culpa de los cuales se habría venido abajo todo el ecosistema. Y para que en las botas, en sus suelas de senderismo, no se colaran otros inmigrantes indeseables: bacterias, insectos, algas. Había que vigilar todo aquello, aunque fuera una lucha condenada al fracaso de antemano. Era necesario resignarse al hecho de que no volvería a haber ecosistemas cerrados. El mundo se había fundido en un solo lodazal.

Había que cumplir las normas aduaneras. Estaba prohibido introducir en la isla sustancias biológicas de ningún tipo; las semillas requerían un permiso especial.

Notó que la escuchaba con suma atención. «¿Realmente es un tema para un encuentro como este?», se preguntó antes de interrumpirse.

—Cuenta, sigue hablando —pidió él.

Le arregló el pijama que se le había entreabierto en el pecho descubriendo un pedazo de piel blanca con varias canas.

—Mira, este es mi marido y estos son nuestros hijos —dijo al sacar del bolso el billetero donde guardaba las fotos en un compartimento transparente. Le mostró a los hijos. Como no podía mover la cabeza, se la levantó un poco. El hombre sonrió.

—¿Has venido por aquí antes?

Ella negó con la cabeza.

—Pero sí a Europa, a congresos científicos. En total tres veces.

—¿No anhelabas venir?

Reflexionó antes de contestar.

—Pasaban tantas cosas en mi vida, ya sabes, la carrera universitaria, los hijos, el trabajo. Construimos una casa a orillas del océano —empezó, pero dentro de la cabeza oía la voz de su padre: «... sirve para pequeños mamíferos, para polillas e insectos...»—. Olvidé el pasado, así de sencillo.

—¿Sabes cómo hacerlo? —preguntó él tras un buen rato de silencio.

—Sí —contestó.

—¿Cuándo?

—Cuando quieras.

Volvió con dificultad la cabeza hacia la ventana.

—Cuanto antes. ¿Mañana?

—De acuerdo. Mañana.

—Te lo agradezco —dijo al tiempo que la miraba como si acabara de declararle su amor.

Mientras salía la olisqueó un perro viejo y sobrealimentado. La hermana estaba en el porche, fumando a la gélida intemperie.

–¿Le apetece un cigarrillo?

Comprendió que era una invitación a hablar y, ante su sorpresa, aceptó uno. Era finísimo, mentolado. La primera calada la dejó mareada.

–Le administran parches de morfina, de ahí que no esté del todo consciente –dijo la mujer–. ¿Ha venido usted desde lejos?

En aquel momento se dio cuenta de que él no había puesto al corriente a su hermana. No sabía qué decir.

–No, en absoluto. Hemos trabajado juntos durante un tiempo –dijo sin vacilar; acababa de descubrir que sabía mentir–. Soy una corresponsal extranjera. –Se inventó otra mentira para justificar su ya marcado acento.

–Dios es injusto, injusto y cruel. Condenar a alguien a sufrir tanto –dijo la hermana con expresión iracunda en la cara–. Qué bien que haya venido a verlo, está tan solo. Hasta el mediodía lo cuida una enfermera de nuestro ambulatorio. Dice que sería mejor ingresarlo en una residencia para enfermos terminales. Pero él no quiere.

Apagaron al mismo tiempo sus cigarrillos en la nieve; ni siquiera emitieron un silbido.

–Volveré mañana –dijo– para despedirme. Porque ya me marcho.

–¿Mañana? ¿Tan pronto? Lo contento que estaba al saber que venía a verlo... Y usted viene solo por dos días. –Y la mujer hizo un movimiento como si quisiera retenerla, como si quisiera añadir: No nos dejes.

Tuvo que cambiar la reserva, no esperaba que fuera tan rápido. La más importante, de Europa a casa, ya no se pudo cambiar, de manera que se encontró con una semana libre por delante. Sin embargo, decidió no quedarse: era mejor marcharse cuanto antes, además se sentía rara en medio de la nieve y la oscuridad. Había plazas a Ámsterdam y Londres para el día siguiente; eligió Ámsterdam. Visitaría la ciudad durante esa semana.

Cenó sola y enfiló la calle principal rumbo a la Ciudad Vieja. Fue contemplando los escaparates de las pequeñas tiendas que principalmente ofrecían souvenirs y joyas de ámbar. No le gustaron. Y la ciudad en sí se le antojó intocable, demasiado grande y demasiado fría. La gente iba abrigadísima, con la cara medio oculta por bufandas y cuellos levantados, y de su boca salían nubecillas de vapor. Las aceras aparecían salpicadas por pequeños montículos de nieve congelada. Renunció a visitar las residencias estudiantiles donde había vivido en tiempos. A decir verdad, todo le disgustaba. Le sorprendía que las personas tuviesen esa tendencia a visitar los lugares de su juventud por voluntad propia. ¿Qué buscarían, de qué se cerciorarían: de que habían vuelto a pisarlos? ¿De si habían hecho bien en abandonarlos? Tal vez las empujaba la esperanza de que el recuerdo exacto de los lugares de antaño funcionara como una cremallera, creando una sutura metálica que, diente tras diente, uniera el pasado y el futuro en una superficie estable.

También ella disgustaba a la gente; nadie la miraba, evitaban detener en ella la mirada. Todo apuntaba a que se cumplía su anhelo infantil: ser invisible. Un dispositivo de los cuentos de hadas: el gorrito «no te veo» que, calado en la cabeza, te hacía desaparecer por un tiempo de la vista de los demás.

En los últimos años se dio cuenta de que, pura y simplemente, bastaba con ser una mujer de mediana edad, sin ningún rasgo distintivo, para volverse invisible en el acto. No solo para los hombres, también para las mujeres, porque estas ya no la consideraban una rival en competición alguna. Una sensación nueva y sorprendente: notaba cómo las miradas de la gente se deslizaban por su cara, sus mejillas y su nariz sin siquiera rozarlas. Esas miradas atravesaban su cuerpo y la gente debía de ver a través de él anuncios, paisajes urbanos, horarios de transporte público. Estaba claro, se había vuelto transparente, y pensó que en el fondo la invisibilidad no era mala, que ofrecía grandes posibilidades; solo tenía que aprender a aprovecharlas. En una situación dramática nadie la recordaría, los testigos declararían: «una mujer como tantas...», «había alguien más por ahí...». Los hombres son más implacables en estos asuntos que las mujeres, que a veces se fijan en un pendiente; ellos, en cambio, no ocultan nada: su mirada no dura más que un segundo. De cuando en cuando algún niño, por una razón inexplicable, clavaba la vista en sus ojos, examinaba su rostro con meticulosa indiferencia para, a continuación, volver la cara hacia... el futuro.

Pasó la tarde en la sauna del hotel, después se durmió, demasiado rápido, cansada por el *jet lag,* rara, como un naipe solitario que sacado de su baraja acaba introducido en otra que le es ajena, exótica. A la mañana siguiente se despertó demasiado temprano y la embargó una sensación de miedo. Acostada boca arriba en medio de la oscuridad, recordó a su marido, muerto de sueño, despidiéndose de ella. Presa del pánico, pensó que nunca más volvería a verlo. Y se imaginó a sí misma dejando la bolsa en la escalera, desnudándose y tumbándose a su lado, como a él le gustaba, pegada a su espalda desnuda y con la nariz contra su nuca. Lo llamó; allí ya era de noche y él acababa de volver del hospital. Mencionó de pasada el congreso. Habló del tiempo, de que hacía mucho frío, él no lo aguantaría. Le recordó la promesa de regar las plantas del jardín, sobre todo el estragón del pedregoso rincón. Preguntó varias veces por las llamadas del trabajo. Después se dio una ducha, se maquilló y fue la primera comensal en bajar a desayunar.

Sacó de su estuche de maquillaje una ampolla que parecía una muestra de perfume. En una farmacia por el camino compró una jeringuilla. La cosa resultó bastante divertida porque había olvidado esa extraña palabra y dijo «jeringar»; las dos palabras sonaban parecido.

Mientras atravesaba la ciudad en taxi, se iba dando cuenta poco a poco de dónde venía su sensación de no pertenencia: era una ciudad del todo diferente que en nada recordaba a aquella que guardaba en su cabeza, imposible para la memoria aferrarse a algo. Nada le resultaba familiar. Los edificios, unos mamotretos, eran demasiado achaparrados, las calles, demasiado anchas; las puertas, demasiado sólidas; coches distintos recorrían calzadas distintas y, para colmo, por el lado al que no estaba acostumbrada. Por eso no la abandonaba la sensación de haber recalado al otro lado del espejo en un país ficticio donde nada era real, de manera que, hasta cierto punto, todo estaba permitido. Nadie podía agarrarla de la mano, retenerla. Se movía por esas calles congeladas como un ser llegado de otra dimensión, como un ser superior; debió encogerse para encajar en esa realidad. Y lo único que debía hacer era cumplir una misión, obvia y aséptica: una misión de amor.

El taxista se perdía a ratos recorriendo esa localidad de chalets que tenía un nombre de cuento, Zalesie Górne, traducible como «más allá de los bosques y de los montes». Le pidió que se detuviese a la vuelta de una esquina, junto a un pequeño bar, y pagó.

A paso ligero recorrió unos cientos de metros, lucharía después por abrirse paso a través de la nieve acumulada en el familiar sendero entre la cancela y la puerta de entrada. Al empujarla, de la cancela cayó un gorro de nieve dejando al descubierto el número de la casa: uno.

Le volvió a abrir la hermana, con los ojos enrojecidos por el llanto.

—La está esperando —dijo, y desapareció diciendo—: Incluso pidió que lo afeitasen.

Yacía en la cama recién hecha, consciente, con la cabeza

vuelta hacia la puerta: era cierto que la estaba esperando. Cuando se sentó a su lado en la cama y tomó sus manos, notó algo extraño: estaban empapadas de sudor, también por fuera. Le sonrió.

—¿Cómo va?

—Bien.

Mentía. No iba bien.

—Pégame este parche —pidió mientras señalaba con los ojos una caja plana de la mesilla de noche—. Duele. Tendremos que esperar a que empiece a hacer efecto. No sabía a qué hora vendrías y quería estar consciente cuando llegaras. No te habría reconocido. Te hubiese tomado quizá por otra persona. Eres tan joven y bella.

Le acarició la sien hundida. El parche se adhirió como una segunda piel, misericordiosa, encima de los riñones. La conmocionó la visión de su cuerpo martirizado y extenuado. Se mordió los labios.

—¿Voy a notar algo? —preguntó, a lo que ella le contestó que no se preocupara.

—Dime lo que quieres. ¿Te gustaría quedarte solo un par de minutos?

Negó con la cabeza. Su frente estaba seca como el papel.

—No voy a confesarme. Ponme tan solo las manos en la cara —pidió y esbozó una débil sonrisa teñida de cierta picardía.

Lo hizo sin dudar. Sintió su piel fina, sus huesos menudos y las cavidades de sus globos oculares. Percibió bajo los dedos una pulsación, un temblor, como producto de cierta tensión. La calavera: una delicada estructura reticular de hueso, una forma perfecta, fuerte y frágil a un tiempo. Se le hizo un nudo en la garganta, y fue la primera y la última vez que estuvo a punto a llorar. Sabía que el tacto de sus manos lo aliviaba, sentía que mitigaba aquel temblor subcutáneo. Finalmente apartó las manos, y él seguía con los ojos cerrados. Despacio, se inclinó sobre él y lo besó en la frente.

—He sido un hombre decente —susurró clavando en ella los ojos.

Asintió.

Le pidió:

—Cuéntame algo.

Pillada por sorpresa, se limitó a carraspear. Él insistió:

—Háblame del lugar donde vives.

Así que empezó:

—Estamos en pleno verano, los limones están madurando...

La interrumpió:

—¿Ves el océano desde tu ventana?

—Sí —contestó—. Cuando baja la marea el agua deja conchas sobre la arena.

Pero, evidentemente, fue una treta: no tenía intención de escuchar, por un momento se le nubló la vista aunque no tardó en recuperar la agudeza, y la miró desde una distancia enorme, hasta que comprendió que ya no pertenecían a un mismo mundo. No habría sabido definir qué encerraba aquella mirada: ¿pavor y pánico o, todo lo contrario, alivio? Susurró torpemente un agradecimiento o algo por el estilo y se durmió. Entonces sacó del bolso la ampolla y llenó la jeringuilla con su contenido. Desconectó el gota a gota del catéter y, lentamente, inyectó las gotas del líquido. No ocurrió nada excepto que su respiración se detuvo, repentina y naturalmente, como si aquello que antes hacía que su tórax se moviera fuese una extraña anomalía. Pasó la mano por su cara, volvió a conectar el gota a gota y alisó la sábana donde había estado sentada. Y salió.

Su hermana volvía a estar en el porche, fumando.

—¿Un pitillo?

Esta vez rechazó el ofrecimiento.

—¿Volverá a visitarlo? —preguntó la mujer—. La estaba esperando con tanta ilusión.

—Me marcho hoy mismo —dijo y, mientras bajaba la escalera, añadió—: Cuídese.

En cuanto despegó el avión, su memoria se cerró. Ya no pensaba en aquello. Todos los recuerdos se desvanecieron. Pasó varios días en Ámsterdam –donde a estas alturas del año hacía frío y soplaba el viento–, que se reducía básicamente a la combinación de tres colores: blanco, gris y negro. Deambuló por varios museos y durmió en un hotel. Mientras paseaba por la calle principal dio con una exposición de especímenes anatómicos humanos. Intrigada, entró y pasó allí dos horas observando el cuerpo humano en todas las configuraciones posibles, preservado gracias a las técnicas más recientes. Y puesto que se hallaba en un estado de ánimo extraño y estaba muy cansada, lo veía como a través de una neblina, sin prestar atención, meros contornos. Veía terminaciones nerviosas y conductos deferentes que se asemejaban a plantas exóticas que habían escapado al control del jardinero, bulbos, orquídeas, encajes y puntillas de tejidos, redes neuronales, pedazos de pizarra, estambres, antenas y bigotes, racimos, arroyitos, pliegues, olas, dunas, cráteres, colinas, montañas, valles, altiplanos, meandros de vasos sanguíneos...

En el aire, sobrevolando el océano, encontró en el bolso un folleto a todo color de la exposición; se veía en él un cuerpo humano, sin piel, en una pose que imitaba una escultura de Rodin: la mano apoyada en la rodilla sosteniendo la cabeza, un cuerpo reflexivo, casi pensante, y pese a carecer de piel y de rostro (la cara resulta una de las características del cuerpo más superficiales), se veía que sus ojos habían sido oblicuos, exóticos. Después, sumida en un duermevela arrullado por el discreto y sombrío murmullo de los motores, imaginó para sus adentros que al cabo de poco, con el abaratamiento de esta tecnología, todo el mundo podría permitirse la plastinación. Sería posible colocar los cuerpos de los allegados en lugar de la lápida, acompañados de esta inscripción: «Con este cuerpo viajó XY durante varios años.

Lo abandonó a tal y tal edad.» Cuando el avión empezó la maniobra de descenso, la embargó un súbito pavor rayano en el pánico. Sus manos se aferraron con fuerza a los reposabrazos.

Cuando, cansada, por fin llegó a su país, a su preciosa isla, al pasar por la aduana, el funcionario le hizo una serie de preguntas rutinarias: si había tenido contacto con animales, si había viajado a zonas rurales, si podría haber estado expuesta a contaminación biológica.

Se vio a sí misma sacudiéndose la nieve de las botas en el porche y al perro sobrealimentado restregándose contra sus piernas mientras corría escaleras abajo. Y también las manos abriendo la ampolla que parecía una muestra de perfume. De modo que asintió.

El aduanero le pidió que pasara a un lado, a un lugar donde, solemnemente, lavarían sus pesadas botas de invierno con un desinfectante.

NO TENGAS MIEDO

Recogí a un joven autostopista serbio llamado Nebojša en una carretera checa. Estuvo hablándome de la guerra durante todo el trayecto, hasta tal punto que empecé a arrepentirme de haberle parado.

Según él, la muerte marca lugares al igual que el perro su territorio con los orines. Algunas personas lo perciben de inmediato, otras, en cambio, simplemente se sienten incómodas al cabo de un tiempo. Toda permanencia prolongada descubre la sutil omnipresencia de los muertos. Dijo:

–Primero ves siempre lo vivo, lo bello. Te maravilla la naturaleza, la policromía de la iglesia del lugar, los olores, etcétera. Pero al permanecer ahí por más tiempo se va desvaneciendo el encanto. Te preguntas quién ha vivido antes en esa casa o en ese piso que ocupas, a quién pertenecieron aquellos objetos, quién arañaría la pared encima de la cama y qué madera se usó para tallar los alféizares. Qué manos esculpieron los finos adornos de la chimenea y adoquinaron el patio. Y adónde habrán ido a parar. Qué forma habrán adoptado. A quién se debe la idea de trazar senderos rodeando el estanque y la de plantar un sauce bajo la ventana. Todos los edificios, paseos, parques, jardines y calles están impregnados de la muerte de otras personas. Al advertirlo, hay algo que empieza a tirar de ti hacia otro lugar, te parece que ha llegado la hora de marcharte a otra parte.

También según él, cuando nos movemos no hay tiempo para meditaciones así de estériles. Por eso la gente que está de viaje lo percibe todo como nuevo y puro, virgen y –en cierto sentido– inmortal.

Y cuando se hubo bajado en Mikuleč, no paraba de repetirme su extraño nombre: Ne-boj-ša, en polaco *Nie bój się*, no tengas miedo.

DÍA DE DIFUNTOS

La guía sostiene que dura tres días. Cuando cae a mediados de la semana, el gobierno redondea su duración y en los centros de educación y las oficinas públicas la festividad se alarga hasta una semana entera. La radio no para de emitir música de Chopin al considerarla favorecedora de la concentración y la reflexión profunda. Se espera que durante este período no quede un solo habitante del país que no visite las tumbas de sus muertos. Habida cuenta de que en las últimas dos décadas el país ha vivido un desarrollo e industrialización sin precedentes, esto significa que casi todos los residentes de las grandes ciudades modernas las abandonarán rum-

296

bo a la vasta provincia. Hace meses que han sido reservados todos los vuelos, trenes y autobuses. Los que no han espabilado a tiempo tendrán que conducir sus propios coches para visitar las tumbas de sus antepasados. Las salidas de las urbes aparecen congestionadas ya en la víspera de la festividad. Puesto que esta cae en agosto, no resulta agradable quedarse atrapado en un embotellamiento con altas temperaturas. Por eso la gente, previendo toda clase de inconvenientes, lleva consigo televisores de plasma portátiles y neveras de viaje. Si se cierra las ventanillas tintadas y se pone la climatización, hasta se puede disfrutar de las horas de espera, sobre todo cuando se está bien acompañado, por familiares o amigos, junto al bufé de viaje. Y aprovechar el tiempo para hacer llamadas telefónicas. Gracias a la universalización del uso de móviles con transmisión de vídeo, es posible recuperar la vida social rezagada. Estando en un embotellamiento de esos, incluso se puede montar una videoconferencia con los amigos, contarse chismorreos y quedar en verse tras la vuelta a casa.

A los espíritus de los antepasados se les lleva regalos: galletas horneadas especialmente para la ocasión, fruta, plegarias copiadas en un pedazo de tela.

Los que se han quedado en la ciudad experimentan sensaciones de lo más inauditas: los centros comerciales echan el cierre e incluso se apagan las enormes pantallas de anuncios luminosos. Se reduce el número de convoyes de metro y algunas estaciones quedan anuladas (por ejemplo Universidad y Bolsa). Echan el cierre bares de comida rápida y discotecas. La ciudad se queda tan desierta que las autoridades han decidido desconectar este año el sistema electrónico de regulación de las fuentes públicas, cosa que se espera suponga un gran ahorro.

RUTH

Después de la muerte de su mujer, un hombre confeccionó una lista de lugares que llevan el mismo nombre que ella: Ruth.

Encontró bastantes, no solo localidades sino también torrentes, asentamientos, colinas e incluso una isla. Dijo que lo hacía por ella y que le infundía ánimo la fe en que ella, de una u otra manera, seguía en este mundo, aunque solo fuera a través de su nombre. Y, además, que cuando se detenía al pie de una colina llamada Ruth, tenía la sensación de que su mujer no había muerto en absoluto, que seguía existiendo, solo que de otra manera.

Financiaba ese viaje con el dinero del seguro de vida de ella.

VESTÍBULOS DE HOTELES DE LUJO

Entro en ellos a paso ligero, la amable sonrisa del portero me da la bienvenida. Miro a uno y otro lado como en busca de alguien con quien he quedado. Actúo. Impaciente, consulto el reloj, me arrellano en una de las butacas y enciendo un cigarrillo.

Los vestíbulos son mejores que los cafés. No hay que pedir nada, ni entrar en discusiones con los camareros, ni comer. El hotel despliega ante mí sus ritmos, es un remolino cuyo centro ocupa la puerta giratoria. La corriente del río de personas se detiene, gira sobre su eje una o varias noches para, después, seguir fluyendo hacia delante.

Quienquiera que tuviera que venir no vendrá, pero ¿acaso pone tal cosa en tela de juicio el *ethos* de mi espera? Es una actividad semejante a la meditación. El tiempo corre sin aportar grandes novedades, las situaciones se repiten (se acerca un taxi, de él se baja un nuevo huésped, el portero saca su maleta del portaequipajes, se dirigen a la recepción, con la llave al ascensor). A veces se duplican (se acercan dos taxis desde direcciones opuestas, de ellos se bajan dos huéspedes, dos porteros sacan sus maletas de dos portaequipajes) o se multiplican, se crea una pequeña multitud, la situación se vuelve tensa, el caos pende de un hilo, pero no es más que una figura compleja, resulta difícil discernir a primera vista su complicada armonía. Otras veces el vestíbulo se vacía inesperadamente, momento que el portero aprovecha para flirtear con la recepcionista, aunque solo a medias, de pasada, sin abandonar el estado de plena alerta a las necesidades del hotel.

Permanezco así aposentada alrededor de una hora, no más. Veo a los que salen del ascensor disparados como un cohete hacia su reunión, a los que llegan tarde desde que nacieron, la propia prisa les hace girar en la puerta como en un molinillo capaz de pulverizarlos en cualquier momento. Veo a los que caminan con parsimonia, arrastrando los pies como si se obligaran a dar el siguiente paso, sopesando antes cada movimiento. A mujeres que esperan a hombres y a hombres esperando a mujeres. Ellas, con un maquillaje recién puesto que la noche se encargará de borrar y una nube de perfume, una aureola sagrada. Ellos, aunque finjan total desenvoltura, en el fondo están tensos; en estos momentos moran en los pisos inferiores de su cuerpo, en el bajo vientre.

La espera a veces trae bonitos regalos. He aquí un señor acompañando al taxi a una señora. Han salido del ascensor. Bajita y menuda, de pelo oscuro y falda corta ceñida, pero sin pizca de vulgaridad en su atuendo. Una prostituta elegante. Él, siguiéndola, un hombre alto, entrecano, traje gris y manos metidas en los bolsillos del pantalón. No conversan, mantienen la distancia; y pensar que hace poco sus respectivas membranas mucosas se frotaban la una contra la otra, que la lengua de él habría explorado a conciencia el interior de la boca de ella. Caminan uno al lado de la otra, él le cede el paso al molinillo de la puerta giratoria. El taxi, previamente avisado, ya está esperando. La mujer sube sin pronunciar palabra, como mucho esboza una leve sonrisa. No hay ningún «hasta pronto» ni «ha sido un placer», nada de eso. Él aún se inclina ligeramente sobre la ventanilla, pero creo que no dice nada. O tal vez un inútil «hasta la vista», a lo mejor no ha podido dominar el hábito. Ella se va. Y él regresa, liviano y satisfecho, con las manos en los bolsillos y una sombra de sonrisa en los labios. Ya empieza a hacer planes para la tarde, ya recuerda la existencia del email y el teléfono, pero aún tardará en usarlos, aún disfrutará de esa ligereza, tal vez simplemente se vaya a tomar una copa.

EL PUNTO

Al pasar por estas ciudades, ya sé que finalmente tendré que detenerme en alguna por más tiempo, tal vez incluso instalarme. Las sopeso en la cabeza, las comparo y evalúo, y siempre me da la impresión de que cada una de ellas está o demasiado lejos o demasiado cerca.

De manera que todo parece confirmar la existencia de un punto fijo en torno al cual realizo mis circunvalaciones. Demasiado lejos ¿de qué? Demasiado cerca ¿de qué?

SECCIÓN TRANSVERSAL COMO MÉTODO DE APRENDIZAJE

Ir aprendiendo capa a capa; cada una de ellas recuerda a la anterior o la posterior pero solo en parte, por lo general suele ser una variación, una versión modificada, juntas forman el orden de un todo que no puede ser aprehendido observándolas por separado, sin tener en cuenta la totalidad.

300

Aun rigiéndose cada una según sus reglas, cada lámina forma parte de un todo. El orden tridimensional, apresado y reducido a una capa bidimensional, se antoja abstracto. Se puede pensar incluso que no existe ningún todo, que nunca ha existido.

EL CORAZÓN DE CHOPIN

Es sabido que Chopin murió a las dos de la madrugada *(in the small hours,* según reza la versión inglesa de la Wikipedia) un 17 de octubre. Junto a su lecho de muerte se encontraban algunos de sus familiares y amigos más próximos, entre ellos su hermana Ludwika, que lo cuidó abnegadamente hasta el final, y el cura Jełowicki, que, conmocionado por la silenciosa agonía animal de aquel cuerpo consumido, por la prolongada lucha por cada bocanada de aire, primero se desmayó en la escalera y después, en el marco de una rebelión no del todo consciente, inventó en sus memorias una versión mejorada de la muerte del virtuoso. Escribió, entre otras cosas, que las últimas palabras de Fryderyk fueron: «Ya estoy en el manantial de la felicidad», lo que era a todas luces falso, pero indudablemente bello y conmovedor. La verdad es que, tal como lo recordaba Ludwika, su hermano no dijo nada, además llevaba horas inconsciente. Lo que sí salió al final de su boca fue un reguerito de sangre oscura y espesa.

Ludwika, cansada y aterida de frío, viaja en una diligencia de correo. Están a punto de alcanzar Leipzig. Es un invierno húmedo, en el oeste se acumulan pesados nubarrones de vientre oscuro, seguramente nevará. Han pasado meses desde el entierro, pero a Ludwika la aguarda un segundo funeral, en Polonia. Fryderyk siempre había repetido que quería ser enterrado en su tierra, y como sabía que no tardaría en morir, planeó cuidadosamente su muerte. Y su entierro.

Apenas murió, llegó el marido de Solange. Llegó enseguida, como si, con el abrigo y los botines puestos, hubiera estado a la espera de una llamada de nudillos en la puerta, preparado desde hacía tiempo. Apareció con todos los utensilios de su oficio metidos en una bolsa de piel. Primero untó de grasa la mano inerte del muerto, la colocó con cuidado y respeto en un molde de madera y la cubrió de yeso. Después, ayudado por Ludwika, hizo lo propio para la máscara mortuoria, antes de que la muerte irrumpiera con su rigidez en las líneas del rostro, ya que esta suele modelar las caras, todas, de manera muy parecida.

En silencio, sin aspaviento alguno, cumplieron otro deseo de Fryderyk. Al día siguiente de la muerte, un galeno recomendado por la condesa Potocka mandó desnudar el cuerpo de cintura para arriba y a continuación, tras rodear el tórax desnudo con una corona de sábanas, lo abrió con un movimiento experto de su afilado bisturí. A Ludwika, presente en el acto, le pareció que el cuerpo había temblado e incluso dejó escapar una especie de suspiro. Después, cuando las sábanas se tiñeron de coágulos casi negros, volvió la cara hacia la pared.

El galeno enjuagó el corazón en una palangana, y Ludwika se sorprendió por lo grande, informe e incoloro que era. Cupo con dificultad en un tarro lleno de alcohol puro, por lo que el galeno recomendó sustituirlo por uno más grande. El tejido no debía estar comprimido ni tocar las paredes de cristal.

Mientras Ludwika, acunada por el rítmico traqueteo de la diligencia, dormita, en el asiento de enfrente, junto a su compañera de viaje Aniela, aparece una dama, desconocida aunque extrañamente familiar, como si se hubieran conocido mucho tiempo atrás, en Polonia. Ataviada con un polvoriento vestido de luto de los que llevaban las viudas de los sublevados de 1830, luce una cruz en el pecho. Tiene la cara hinchada, ennegrecida por los glaciales fríos siberianos; sus manos, embutidas en unos desgastados guantes de color gris, sostienen un tarro. Ludwika se despierta gimiendo y comprueba el contenido de su cesto. Todo en orden. Se arregla la cofia, que le ha caído sobre la frente. Y suelta una palabrota en francés porque la nuca se le ha quedado totalmente rígida. Aniela también se despierta de su modorra y descorre las cortinillas. El llano paisaje invernal resulta desgarradoramente triste. A lo lejos se divisan pequeños asentamientos, colonias humanas bañadas por el gris de la humedad. Ludwika se imagina a sí misma arrastrándose por una mesa enorme como si fuera un insecto bajo la atenta mirada de un entomólogo monstruoso. Estremecida, pide una manzana a Aniela.

–¿Dónde estamos? –pregunta mirando por la ventanilla.

–Aún faltan unas horas –responde Aniela en tono tranquilizador al tiempo que tiende a su compañera de viaje una pequeña manzana marchita del año anterior.

Estaba previsto celebrar el funeral en La Madeleine, ya habían encargado la misa, pero a la plaza Vendôme, donde estaba expuesto el cuerpo, no paraban de acudir en masa amigos y conocidos. Pese a las ventanas tapadas, el sol pugnaba por penetrar en el interior para jugar con los cálidos colores de las flores de otoño: asteres de color violeta y crisantemos del color de la miel. Dentro reinaba la luz de las velas que creaba la ilusión de que el color de las flores era profundo y jugoso, y la palidez del rostro del difunto menor que a la luz del día.

Resultó que iba a ser difícil cumplir el deseo de Fryderyk de que en su entierro se interpretara el *Réquiem* de Mozart. Los amigos del difunto echaron mano de toda su influencia para reunir a los mejores músicos y cantantes, incluido el bajo más célebre de Europa, Luigi Lablache, un italiano graciosísimo capaz de imitar a la perfección a quien se propusiera. Y en efecto, durante una de esas tardes de espera anteriores al funeral, en un encuentro informal, imitó a Fryderyk tan soberbiamente que los reunidos rieron a carcajadas, no sin preguntarse si era decoroso hacerlo: a fin de cuentas la tierra aún no había recibido el cuerpo del difunto. Pero, finalmente, alguien dijo que era una muestra de amor y respeto. Y que de esta manera permanecería más tiempo con los vivos. Todos recordaban con cuánta habilidad y malicia Fryderyk sabía parodiar a otros. ¡La de talentos que tenía!

En resumidas cuentas, todo se complicaba por momentos. En la iglesia de La Madeleine no podían cantar las mujeres, ni como solistas, ni en el coro. Una tradición secular: ninguna mujer. Solo voces masculinas, si acaso de *castrati* («para la Iglesia es mejor un hombre sin huevos que una mujer», comentó la situación la señorita Graziella Panini, cantante italiana encargada de las partes de soprano), pero en 1849, ¿de dónde iban a sacar a los *castrati*? Así que ¿cómo cantar el «Tuba mirum» sin soprano y contralto? El párroco de La Madeleine dijo que era imposible renunciar a esa tradición, ni siquiera por Chopin.

–¿Hasta cuándo tendremos que mantener el cuerpo? ¿Habrá que recurrir a Roma para solucionar el asunto? ¡Por el amor de Dios! –gritaba Ludwika fuera de sus casillas.

Puesto que corría un cálido octubre, trasladaron el cuerpo al frescor de la morgue. Rodeado de flores recién cortadas, casi no se lo veía. Yacía en la penumbra, menudo, demacrado, sin corazón; bajo una camisa blanca como la nieve se ocultaban las poco finas suturas con que se había vuelto a cerrar la caja torácica.

Mientras tanto los ensayos del *Réquiem* continuaban y los amigos de alto rango del fallecido llevaban a cabo delicadas negociaciones con el párroco. Finalmente se acordó que las mujeres, tanto las solistas como el coro, cantarían desde detrás de un pesado cortinaje negro, invisibles para los feligreses. La única en protestar airadamente fue Graziella, nadie más, así que en vista de lo extraordinario de la situación se pensó que era la mejor solución.

Mientras el funeral se hacía esperar, los amigos íntimos de Fryderyk se reunían por la noche en casa de su hermana o en la de George Sand para recordar al difunto. Cenaban juntos, compartían chismorreos de sociedad. Eran días extrañamente tranquilos, como si no pertenecieran al calendario ordinario.

La pequeña Graziella, de tez oscura y frondosa melena rizada, era amiga de Delfina Potocka y juntas visitaron varias veces a Ludwika. Graziella, mientras saboreaba el licor, se burlaba del barítono y del director de orquesta y se complacía, en cambio, en hablar de sí misma. Cosas de artistas. Cojeaba de una pierna porque el año anterior había sido víctima de los disturbios callejeros en Viena. La multitud volcó su carruaje, seguramente al haberla tomado por una rica aristócrata, no por una artista. Graziella sentía debilidad por los carruajes caros y los atavíos lujosos, probablemente porque venía de una familia de zapateros lombarda.

–¿No puede un artista circular con un carruaje caro? Si uno ha llegado a tener éxito en la vida, ¿no puede acaso permitirse un poco de lujo? –se quejaba con un acento italiano que sonaba a un leve tartamudeo.

Para su desgracia, se había encontrado en el momento y el lugar inadecuados. Una multitud en pleno fervor revolucionario, al no atreverse a atacar el palacio imperial custodiado por numerosísimos guardias, la emprendió con las colecciones del emperador. Graziella vio cómo vaciaban las salas de todo aquello que el pueblo llano asociaba con la decadencia de la aristocracia, la fastuosidad y la crueldad. Mujeres y hombres encolerizados arrojaban sillones por las ventanas, despanzurraban canapés, arrancaban de las paredes sedas exquisitas. Preciosos espejos de cristal de roca se resquebrajaban con estruendo. Asimismo destrozaban vitrinas con colecciones arqueológicas. Al arrojar al empedrado los fósiles, rompían los cristales de las ventanas. La colección de piedras semipreciosas fue saqueada en un abrir y cerrar de ojos. A continuación, la emprendieron con los esqueletos y animales disecados. Un tribuno de la plebe llamó a organizar un verdadero entierro cristiano de todos los especímenes humanos y demás momias o destruir de una vez para siempre esas pruebas de usurpación de poder sobre el cuerpo humano. Así que levantaron una gran pira y fueron quemando todo lo que encontraban a su paso.

El carruaje volcó con tan mala fortuna que los alambres del miriñaque le hirieron la pierna, cercenando quizá algunos nervios, ya que la extremidad acusaba cojera. Mientras relataba esos dramáticos acontecimientos, se levantó la falda mostrando a las señoras la pierna inmovilizada por una manga de cuero con ballenas de camisa sostenida por los aros que también sostenían su vestido.

–¡He aquí un nuevo uso del miriñaque!

Fue precisamente esta cantante –cuya voz e interpretación pudo apreciar en su esplendor en la misa fúnebre– quien le dio a Ludwika la idea. Aquel gesto: levantar la campana del vestido para desvelar el misterio de la compleja cúpula fijada sobre bastidores de ballena y alambre de paraguas.

Acudieron al funeral varios miles de personas. Se hizo necesario detener el tráfico de landós en el trayecto de la comitiva fúnebre y desviarlos a otras calles. París entera se detuvo a causa del funeral. Cuando sonó el introito preparado con tanto sacrificio, y las voces del coro golpearon la bóveda de la iglesia, la gente se echó a llorar. Sonó poderoso el «Requiem aeternam» emocionando profundamente a todos, excepto a

Ludwika, que no sintió tristeza –ya la había gastado y llorado toda– sino ira. Pues ¿qué miserable y deplorable mundo era este, qué colosal desbarajuste, que obligaba a morir tan joven, que, simplemente, obligaba a morir? ¿Y por qué él? ¿Por qué de esta manera? Se llevó el pañuelo a los ojos, pero no para secarse las lágrimas, sino para tener algo que agarrar con todas sus fuerzas y poder taparse los ojos, llenos de fuego, no de agua.

> *Tuba mirum spargens sonum*
> *Per sepulcra regionum,*
> *Coget omnes ante thronum...*

Su ira se apaciguó un poco con el emotivo y cálido arranque del bajo Luigi Lablache. Después entró el tenor y la contralto desde detrás del cortinaje:

> *Mors stupebit, et natura,*
> *Cum resurget creatura,*
> *Judicanti responsura.*
> *Liber scriptus proferetur,*
> *In quo totum continetur,*
> *Unde mundus judicetur.*
> *Judex ergo cum sedebit*
> *Quidquid latet apparebit:*
> *Nil inultum remanebit.*

Finalmente oyó la voz pura de Graziella disparada a las alturas cual fuego de artificio, como la revelación de su pierna lisiada, de la verdad desnuda. Graziella era la que mejor cantaba, estaba claro, el cortinaje apenas amortiguaba su voz, y Ludwika imaginó a la pequeña italiana emocionada, haciendo un esfuerzo vigoroso con la cabeza bien alta y las venas del cuello abultadas –así la había visto en los ensayos– extrayendo desde lo más profundo de su ser esa voz extraordinaria, cristalinamente pura, diamantina, pese al cortinaje, pese a la pierna, ¡al infierno con este mundo maldito!:

Quid sum miser tunc dicturus
Quem patronus rogaturus.

A una media hora de la frontera con el Gran Ducado de Posen, la diligencia se detuvo en una fonda. Allí las viajeras se refrescaron y comieron un tentempié: un poco de carne fría, pan y fruta, y luego se adentraron en el bosque, al igual que otros pasajeros necesitados de un baño, y desaparecieron en la espesura. Por unos instantes admiraron las anémonas en flor, después Ludwika sacó del cesto el ventrudo tarro que contenía un pedazo de músculo marrón y lo colocó en una red ingeniosamente tejida con tiras de cuero. Aniela ató a conciencia sus puntas al andamio del miriñaque a la altura del monte de Venus. Al dejar caer el vestido, no se veía ni por asomo que guardaba bajo su superficie tamaño tesoro. Ludwika dio varias vueltas haciendo frufrú y se encaminó hacia el carruaje.

–No llegaría muy lejos con esto –dijo a su compañera–. Me golpea las piernas.

Pero no tuvo que ir lejos. Ocupó su asiento, la espalda recta, tal vez demasiado, pero a fin de cuentas era una dama, hermana de Fryderyk Chopin. Polaca.

Cuando los gendarmes prusianos les mandaron apearse del carruaje en la frontera a fin de comprobar meticulosamente que las mujeres no intentasen introducir en la Polonia rusa algo que pudiese alentar las ridículas aspiraciones de liberación nacional de los polacos, obviamente no encontraron nada.

Pero al otro lado de la frontera, en la ciudad de Kalisz, las esperaba otro carruaje enviado desde Varsovia y varios amigos. Y testigos de esa triste ceremonia. Ataviados de frac negro y tocados con sombrero de copa, formaron una fila,

308

volvían reverentemente sus pálidas caras de duelo hacia cada paquete descargado. Aun así, Ludwika, ayudada por Aniela, cómplice desde un principio en el asunto, consiguió alejarse por unos momentos y sacar el tarro de las cálidas interioridades de su vestido. Aniela, buceando entre los encajes, lo recuperó sin menoscabo alguno y lo entregó a Ludwika de la misma manera en que se entrega a una madre al hijo que acaba de alumbrar. Ludwika se echó a llorar.

Escoltado por varios carruajes, el corazón de Chopin llegó a la capital.

ESPECÍMENES SECOS

Mi peregrinación es siempre en pos de otro peregrino. En esta ocasión del detalle de lo dispuesto en unos estantes de roble sobre los cuales pende una inscripción primorosamente caligrafiada:

Eminet in minimis
Maximus ille Deus

Han reunido aquí los llamados especímenes secos de órganos internos. Para realizarlos, se toma una parte del cuerpo, un órgano determinado, se limpia y a continuación se rellena de algodón y se seca. Una vez seco, se barniza su superficie, con el mismo tipo de barniz que se usa para la conservación de la superficie de un cuadro. Dándole varias capas. Una vez retirado el algodón, también se barniza el interior de la muestra.

Desafortunadamente, el barnizado no es suficiente para proteger el tejido del proceso de envejecimiento, por lo que, con el tiempo, todas las muestras cobran un mismo color: parduzco, amarronado.

309

Por ejemplo, un estómago humano perfectamente conservado, hinchado, abombado, finísimo como hecho de pergamino; a continuación los intestinos, grueso y delgado; me pregunto qué frutos de la naturaleza habrá digerido este aparato digestivo, cuántos animales habrán pasado por él, cuántas semillas se habrán deslizado y cuántas frutas habrán rodado.

Al lado, como aliciente adicional, están expuestos un pene de tortuga y un riñón de delfín.

EL ESTADO DE LA RED

Soy una ciudadana del Estado de la Red. Ocupada en un constante ir y venir de un lado para otro, últimamente ando desorientada en lo que atañe a los asuntos políticos de mi país. Ha habido conversaciones, negociaciones, sesiones, conferencias, cumbres... Las mesas se han llenado de grandes mapas con banderitas marcando las posiciones tomadas y vectores señalando la dirección de nuevas conquistas.

Hace apenas un par de años, cuando cruzaba una frontera ya invisible o meramente convencional, la pantalla de mi teléfono móvil anunciaba nombres exóticos de redes extrañas, caídos hoy en el olvido. Ni vimos golpe de Estado alguno perpetrado con nocturnidad ni nos comunicaron el contenido de ningún tratado de capitulación. Tampoco se informó a los súbditos de los movimientos imperiales de ejércitos formados por obedientes y solícitos burócratas.

Mi móvil, también solícito, en cuanto bajo de un avión me comunica sin dilación en qué provincia del Estado de la Red he recalado. Proporciona información útil y se muestra dispuesto a ayudarme si me pasa algo. Al disponer de números que ofrecen todo tipo de servicios, de vez en cuando, con ocasiones como la Navidad o San Valentín, me anima a participar en loterías y campañas de promoción. Esto me desarma hasta tal punto que mi espíritu anarquista se derrite al instante.

Recuerdo con sentimientos encontrados un largo viaje durante el cual me encontré fuera del alcance de cualquier red. El teléfono buscó frenéticamente un punto al que aferrarse, pero no encontró ninguno. Sus mensajes parecían cada vez más histéricos. «No se ha encontrado ninguna red», repetía una y otra vez. Hasta que se dio por vencido y se limitó a mirarme con su cuadrada pupila inerme; no era más que un artilugio inútil, un trozo de plástico.

Me recordó vívidamente un antiguo grabado de un caminante que había llegado hasta el fin del mundo. Emocionado, dejó caer su hatillo de viaje y dirigió su mirada hacia el más allá, más allá de la red. El viajero de aquella litografía puede considerarse un hombre feliz: ve estrellas y planetas primorosamente dispuestos en la bóveda celeste. Y oye la música de las esferas.

Nosotros hemos sido despojados de este regalo de fin de viaje. Más allá de la Red solo hay silencio.

ESVÁSTICAS

En una ciudad del Lejano Oriente se suele señalar los restaurantes vegetarianos con una esvástica roja, el ancestral signo del Sol y la fuerza vital. Esto resulta de gran ayuda para cualquier vegetariano en una ciudad extraña: basta con levantar la cabeza y dirigirse hacia esa señal. Sirven allí curry de verdura (muchas variedades), pakora, samosa y korma, pilaf, pequeñas croquetas y —mis favoritos— palitos de arroz envueltos en hojas de algas secas.

A los pocos días estoy condicionada como un perro de Pávlov: empiezo a salivar en cuanto diviso una esvástica.

He visto en una calle tienduchas donde se venden nombres para niños que pronto llegarán al mundo. Hay que acudir con tiempo suficiente y solicitar la adjudicación. Se requiere la fecha exacta de la concepción, así como una copia de la ecografía, pues el sexo del nonato es de suma importancia a la hora de elegir un nombre. El vendedor toma nota de estos datos y te dice que vuelvas en unos días. Durante este tiempo preparan el horóscopo del futuro niño y se entregan a la meditación. A veces el nombre viene fácilmente, dos o tres sonidos que se materializan en la punta de la lengua fundidos por la saliva en sílabas que la experta mano del maestro convertirá en signos rojos sobre un papel. Otras veces el nombre se resiste, aparece desdibujado, un mero contorno; se hace de rogar. Resulta difícil plasmarlo en palabras. Entonces entran en acción técnicas auxiliares que, sin embargo, constituyen el secreto de todo vendedor de nombres.

Se los ve por la puerta abierta de sus tienduchas, llenas hasta los topes de papel de arroz, estatuillas de Buda y textos de plegarias caligrafiadas a mano, apuntando con un pincel a la hoja de papel durante horas. En ocasiones el nombre cae del cielo como un borrón, por sorpresa, nítido, perfecto. Ante tal revelación nada se puede objetar. A veces los padres no quedan nada contentos, hubieran preferido un nombre amable y lleno de optimismo como Brillo de Luna o Río Benévolo para las niñas, y para los niños, por ejemplo, El que Siempre Avanza, Impávido o El que Ha Alcanzado su Objetivo. De nada sirve que el vendedor les explique que Buda en persona llamó Traba a su propio hijo. Los clientes, descontentos, se van y, refunfuñando, se dirigen a la competencia.

Lejos de casa, mientras rebusco en las estanterías de un videoclub, suelto un taco en mi lengua materna. Y de repente se detiene a mi lado una mujer de baja estatura que ronda la cincuentena y habla un polaco atropellado.

–¿Eso era polaco? ¿Hablas polaco? Buenos días.

Ahí termina, lamentablemente, su reportorio de frases en polaco.

Ya en inglés, me dice que llegó hasta allí a la edad de diecisiete años, con sus padres, y presume de la palabra *mamusia*, mami. Y después, haciéndome sentir un poco incómoda, se echa a llorar al tiempo que señala su mano, su antebrazo, y habla de la sangre, dice que ahí reside su alma, que su sangre es polaca.

Este gesto torpe, su dedo índice señalando las venas, recuerda al de un drogadicto mostrando dónde clava la aguja. Dice que se casó con un húngaro y que ha olvidado su lengua materna. Me da un abrazo y se aleja rumbo a las estanterías etiquetadas como «Drama» y «Action».

Me cuesta creer que sea posible olvidar la lengua gracias a la cual han sido dibujados los mapas del mundo. Lo más probable es que, pura y simplemente, la haya extraviado en alguna parte. A lo mejor la tiene guardada, enrollada y polvorienta, en un cajón de ropa interior, entre bragas y sostenes, metida en un rincón recóndito, como aquel tanga sexy comprado en un momento de entusiasmo y que no hubo ocasión de lucir.

PRUEBAS

He conocido a unos ictiólogos para quienes su condición de creacionistas no supone un obstáculo al ejercicio de su profesión. Comemos en una misma mesa curry con verduras y disponemos de mucho tiempo antes del próximo vuelo. Por eso nos trasladamos a un bar donde un muchacho de rasgos orientales, con coleta, interpreta éxitos de Eric Clapton con su guitarra.

Cuentan cómo Dios creó sus peces, esos rodaballos, lenguados, truchas y lucios tan bellos, junto con todas las pruebas de su desarrollo filogenético. Completando la creación de peces, al parecer al tercer día, preparó sus esqueletos para ser excavados con posteridad, sus audaces huellas en piedra caliza, sus fósiles.

–¿Para qué? –les pregunto–. ¿Qué necesidad hay de aportar pruebas falsas?

Preparados para mi escepticismo, uno de ellos me contesta:

–Describir a Dios y sus intenciones es como si un pez intentara describir el agua en la que vive.

Y un segundo añade:

–Y a su ictiólogo.

NUEVE

En un hotelito barato situado encima de un restaurante de la ciudad X me asignaron la habitación número nueve. Al entregarme la llave (una de lo más común y corriente con el número prendido a un aro), el portero dijo:

–Tenga cuidado con esta llave. La nueve es la que se pierde más a menudo.

Me quedé de una pieza con el bolígrafo suspendido encima de las casillas del formulario.

–¿Qué significa eso? –pregunté en estado de alerta interior. El hombre del mostrador había dado en el clavo conmigo, detective autodidacta, investigadora privada de casualidades y señales.

No cabe duda de que advirtió mi inquietud, porque me explicó de manera tranquilizadora, casi amistosa, que no significaba nada. Sencillamente, rigiéndose por las seculares leyes de la casualidad, la llave de la habitación número nueve era la que los viajeros despistados perdían más a menudo. Lo sabía a ciencia cierta porque cada año le tocaba renovar las existencias de llaves y recordaba que era de la nueve de la que tenía que encargar más copias. Ante el asombro del cerrajero.

Estuve pendiente de la llave durante los cuatro días de mi estancia en la ciudad X. Al volver al hotel siempre la dejaba en un lugar visible y al salir la depositaba en las seguras manos de los recepcionistas. Cuando en una ocasión me la llevé sin querer, la metí en mi bolsillo más seguro y a lo largo del día fui comprobando con los dedos su presencia.

Me preguntaba qué ley regía la llave número nueve, qué causas y qué efecto. ¿Y si tenía razón el recepcionista, espontáneo e intuitivo, atribuyendo el hecho a la casualidad? O tal vez todo lo contrario: que era por su culpa, por escoger, inconscientemente, para ocupar la habitación número nueve a personas despistadas poco dignas de confianza, fácilmente sugestionables.

Tras la precipitada salida de la ciudad X a causa de un repentino cambio de horario del tren, varios días más tarde encontré, atónita, la llave en un bolsillo del pantalón: de modo que sin querer me la llevé. Se me ocurrió devolverla por correo, pero a decir verdad ya se me había olvidado la dirección de aquel hotel. Lo único que me consolaba era que había más personas como yo, personas que abandonaban la ciudad X con un nueve en el bolsillo. A lo mejor formamos inconscientemente una comunidad el objetivo de cuya existencia no logramos desentrañar. Tal vez el futuro dé una respuesta. Sin embargo, lo vaticinado por el portero ha resultado ser un hecho incontestable: tendrá que volver a

315

encargar una copia de la llave nueve ante el incesante asombro del cerrajero.

INTENTOS DE ESTEREOMETRÍA DE VIAJE

A bordo de un enorme avión intercontinental un hombre despierta de un sueño desapacible y acerca la cara a la ventanilla. Abajo divisa una tierra inmensa y oscura, solo de cuando en cuando emergen de esa oscuridad tenues grupos de luces: son las grandes ciudades. Por el mapa que muestra la pantalla sabe que es Rusia, algún lugar de la Siberia central. Se arrebuja en la manta y se vuelve a dormir.

Abajo, en una de esas manchas oscuras, otro hombre sale de una casa de madera y levanta la vista hacia el cielo a fin de prever el tiempo del día siguiente.

Si trazásemos desde el centro de la Tierra una hipotética línea recta, resultaría que durante una fracción de segundo esos dos hombres serían sendos puntos de ella, y quién sabe si sus respectivas miradas no se fundirían una sobre otra.

Por un instante son vecinos en vertical, al fin y al cabo ¿qué son once mil metros? Apenas un poco más de diez kilómetros. Para el hombre que está en tierra mucho menos que la distancia al asentamiento más próximo, menor que la que separa algunos barrios de una gran ciudad.

INCLUSO

Mientras voy conduciendo paso junto a grandes vallas publicitarias que anuncian negro sobre blanco *Jesus loves even you.* Me reconforta sobremanera esa inesperada declaración de amor. Lo único que me inquieta es ese «*even*», incluso.

Tras varias horas de marcha por la escarpada orilla del océano entre afiladas hojas de yuca, descendemos siguiendo manchas de sombra a una pedregosa playa. Hay allí un pequeño cobertizo provisto de toma de agua dulce. En este gran desierto se levanta un techo apoyado sobre tres paredes. Dentro hay bancos donde sentarse o dormir. En uno de ellos –cosa extraña– hay un cuaderno con tapas de plástico negro y un bolígrafo Bic. Naranja. Es el libro de visitas. Suelto mi mochila y mis mapas y leo con avidez, desde el principio. Columnas, estilos de escritura, palabras extranjeras, datos lacónicos de todos aquellos que por obra del inescrutable destino han recalado allí antes que yo. Número de orden, fecha, nombre y apellido, Tres Preguntas Peregrinas: país de origen, lugar de salida, lugar de destino. Resulto ser la visitante número ciento cincuenta y seis. Antes han pasado por aquí noruegos, irlandeses, estadounidenses, dos coreanos, australianos, alemanes, los que más, pero también suizos e incluso –quién lo iba a decir– eslovacos. Después mi mirada se detiene en un apellido: Szymon Polakowski, Świebodzin, Polonia. Contemplo hipnotizada esta entrada escrita deprisa y corriendo. Pronuncio en voz alta este nombre, Świebodzin, y a partir de entonces tengo la impresión de que alguien ha desplegado un plástico lechoso sobre el océano, las yucas y el empinado sendero. Este nombre gracioso y difícil ante el cual se rebela, perezosa, la lengua, esa «ś» palatal y perversa que inmediatamente suscita una sensación de vaguedad, algo así como el frescor del hule desplegado sobre una mesa de cocina, una cesta de tomates recién recolectados en el jardín del chalet, el olor a gas de combustión del calentador Junkers. Todo esto hace que Świebodzin sea la única realidad, nada más. Durante el resto del día pende sobre el océano un gran espejismo. Y aunque nunca visité esa pequeña ciudad, creo ver sus callejuelas, su parada de autobús, una carnicería y la torre de la iglesia. Por la noche me embarga una ola de nostalgia, desagradable como un espasmo intestinal, y diviso en un duermevela una boca desconocida componiendo impecablemente esa inaudita «św».

KUNICKI. TIERRA

El verano se cerró tras él dando un portazo. Kunicki se va adaptando, cambia las sandalias por unas zapatillas, las bermudas por el pantalón largo, afila los lápices de su escritorio, ordena facturas. El pasado ha dejado de existir, se convierte en retazos de vida: nada que lamentar. Así que eso que siente debe de ser un dolor fantasma, irreal, un dolor de toda forma incompleta, mellada, que por su propia naturaleza tiende a un todo. No hay otra manera de explicarlo.

No logra conciliar el sueño últimamente. Es decir, sí se duerme por la noche, agotado, pero se despierta hacia las tres o cuatro de la madrugada, como tras la gran inundación de hace años. Solo que entonces sabía el porqué de su insomnio: le había asustado el cataclismo. Ahora es distinto, no se ha producido ningún desastre. Sin embargo, se ha abierto un agujero, una interrupción. Kunicki sabe que las palabras podrían recomponerlo; si encontrase un número razonable de palabras sensatas, adecuadas para explicar lo sucedido, del agujero no quedaría ni rastro y él dormiría hasta las ocho. Algunas veces, pocas, le parece oír dentro de su cabeza una o dos palabras pronunciadas en voz alta, lacerantes. Palabras arrancadas tanto de la noche de insomnio como del frenesí del día. Algo chispea en las neuronas, impulsos saltando de un lugar a otro. ¿No es eso lo propio del proceso de pensar?

Se trata de espectros *prêt-à-porter* apostados a las puertas de la razón, fabricación en serie. No resultan nada aterradores, no son comparables con ningún diluvio bíblico, no encierran escenas dantescas. Se trata simplemente de la terrible inevitabilidad del agua, de su omnipresencia. Impregna las paredes del piso. Kunicki examina con el dedo el enfermo revoque empapado, la pintura húmeda deja huella en su piel. Las manchas trazan en la pared mapas de países que no conoce, que no sabe nombrar. Las gotas se filtran por el marco de las ventanas, se cuelan bajo la alfombra. Clava una alcayata en la pared y verás salir un reguerito, abre un cajón y oirás un chapoteo. Levanta una piedra y me descubrirás a mí, susurra el agua. Chorros incontrolables inundan los teclados, se apaga la pantalla bajo el agua. Kunicki sale corriendo de su bloque de pisos y constata que han desaparecido los cajones de arena para niños y los parterres, el bajo seto vivo ha dejado de existir. Con el agua hasta los tobillos, va hacia su coche, con él intentará salir del barrio y alcanzar un terreno más elevado, pero no le dará tiempo. Resultará que están sitiados, es una ratonera.

Alégrate de que todo haya acabado bien, se dice al levantarse en la oscuridad para ir al cuarto de baño. Claro que me alegro, se contesta. Pero no se alegra. En absoluto. Vuelve a acostarse entre las sábanas aún calientes y permanece tumbado con los ojos abiertos, hasta la mañana. Sus pies, inquietos, se dirigen a alguna parte en un paseo irreal e impedido por los pliegues del edredón, escuecen por dentro. A ratos descabeza un sueñecito del que lo despierta su propio ronquido. Ve clarear el día al otro lado de la ventana, oye el ruido de los basureros y los primeros autobuses; los tranvías salen de sus cocheras. A primera hora de la mañana se pone en movimiento el ascensor, se oyen sus chirridos desesperados, chillidos de una existencia encerrada en un espacio bidimensional, arriba y abajo, nunca en diagonal o a los lados. El mundo sigue adelante, con ese agujero irreparable, lisiado. Cojea.

Kunicki cojea junto con él hacia el cuarto de baño, después, de pie, toma un café junto a la encimera de la cocina. Despierta a su mujer. Medio dormida, desaparece en el baño.

Le ha encontrado una ventaja a su insomnio: escuchar lo que ella pueda decir mientras duerme. Así se desvelan los mayores secretos. Escapándose involuntariamente cual diminutos haces de humo para enseguida desaparecer; hay que atraparlos justo al asomar por la boca. Así que piensa y aguza el oído. Ella duerme boca abajo, silenciosamente, su aliento es apenas perceptible, suspira a veces, pero esos suspiros no contienen palabras. Cuando se da la vuelta para cambiar de lado, su mano busca instintivamente otro cuerpo, intenta abrazarlo, su pierna aterriza en las caderas de él. Por un instante se queda petrificado, pues ¿qué querrá decir? Finalmente concluye que se trata de un movimiento mecánico y se lo consiente.

Aparentemente nada ha cambiado salvo que el sol le ha aclarado el pelo y salpicado con unas cuantas pecas su nariz. Pero al tocarla, al pasar la mano por su espalda desnuda, le parece haber descubierto algo. No acierta a saber qué. Esa piel le opone resistencia, se ha vuelto más dura, más compacta, como una lona.

No puede permitirse nuevas búsquedas, tiene miedo, retira la mano. En un duermevela imagina que su mano da con un terreno ignoto, algo que pasó por alto en los siete años de su matrimonio, algo vergonzoso, un estigma, una tira de piel peluda, una escama de pez, un plumón de pollo, una estructura atípica, una anomalía.

Por eso se aparta hasta el borde de la cama y mira desde ahí esa forma que es su mujer. A la tenue luz del barrio que penetra por la ventana, su cara no es más que un pálido contorno. Se queda dormido con los ojos clavados en esa mancha y ya clarea en el dormitorio cuando despierta. La luz del amanecer, metálica, cubre de ceniza los colores. Por un instante le asalta la estremecedora sensación de que está muerta:

ve su cadáver, un cuerpo vacío y reseco del que el alma ha volado tiempo atrás. No le da miedo, solo le sorprende, y acto seguido, a fin de ahuyentar esta imagen, le toca la mejilla. Ella suspira y se vuelve hacia él poniéndole una mano sobre el pecho, el alma regresa. Su respiración recupera el ritmo acompasado, pero él no osa moverse. Espera a que el despertador lo libre de tan incómoda situación.

Le preocupa su propia inacción. ¿No debería apuntar todos estos cambios para no pasar nada por alto? Levantarse en silencio, escurrirse de la cama y en la mesa de la cocina dividir una hoja de papel en dos columnas y escribir: antes y ahora. ¿Qué escribiría? La piel, más áspera: a lo mejor envejece, sin más, o a causa del sol. ¿Camiseta en vez de pijama? A lo mejor los radiadores están regulados a mayor potencia que antes. ¿Su olor? Ha cambiado de crema.

Recuerda el pintalabios que tenía en la isla. ¡Ahora usa otro! El anterior era claro, beis, suave, del color de los labios. Este es rojo intenso, carmesí, no sabe cómo definirlo, nunca ha sido bueno en esto, nunca ha sabido cuál es la diferencia entre rojo y carmesí y ya no digamos púrpura.

Abandona con cuidado las sábanas, toca el suelo con los pies desnudos y, a oscuras, para no despertarla, va al cuarto de baño. Solo en él se deja deslumbrar por su cegadora luz. En el estante de debajo del espejo está su estuche de maquillaje bordado con cuentas. Lo abre con delicadeza para cerciorarse de sus suposiciones. El pintalabios es diferente.

Por la mañana consigue llevar a cabo una actuación perfecta, eso cree: perfecta. Que ha olvidado algo y tiene que quedarse en casa, cinco minutos más.

—Ve sola, no me esperes.

Finge tener prisa por encontrar unos papeles. Ella, mientras tanto, se pone la chaqueta frente al espejo, se envuelve el cuello con una bufanda roja y coge al niño de la mano. La puerta se cierra de golpe. Los oye bajar corriendo la escalera.

Se queda inclinado encima de los papeles mientras el eco del portazo resuena repetidas veces en su cabeza como si rebotase un balón, bum, bum, bum, hasta que vuelve el silencio. Respira hondo y se yergue. Silencio. Nota cómo lo envuelve, a partir de este momento se mueve despacio y con precisión. Se dirige al armario, descorre su puerta acristalada y se sitúa frente a los vestidos de ella. Alarga el brazo hacia una blusa blanca, nunca se la ha puesto, es demasiado elegante. La roza con la punta de los dedos, después la toca con toda la mano, que desaparece en sus pliegues de seda. Pero como la blusa no le dice nada, continúa; reconoce un traje chaqueta de cachemira, también casi sin usar, y unos vestidos de verano, así como unas cuantas camisas, una encima de otra; un jersey de invierno, envuelto aún en la bolsa de plástico de la tintorería, y el largo abrigo negro. Tampoco la ha visto a menudo con él puesto. Se le ocurre que esta ropa colgada está ahí para confundirlo, despistarlo, llamarlo a engaño.

Están en la cocina hombro con hombro. Kunicki corta el perejil. No quiere volver a empezar, pero no consigue contenerse. Siente cómo las palabras se le agolpan en la garganta, no se ve capaz de tragarlas. Así que vuelta a empezar:

–Venga, ¿qué pasó?

Ella responde con voz cansada, su tono es de quien repite lo mismo por enésima vez, que él es un pelma y un aburrido:

–Otra vez: me mareé, debí de intoxicarme, ya te lo dije.

Pero él no se rendirá tan fácilmente:

–No te encontrabas mal al salir del coche.

–Es verdad, pero luego me sentí mal, muy mal –repite con sorna–. Creo que por un momento perdí el conocimiento, el pequeño se puso a chillar y sus gritos me hicieron volver en mí. Se asustó y yo también me asusté. Quisimos ir hacia el coche, pero con la confusión tomamos otra dirección.

–¿Qué dirección? ¿Hacia Vis?

–Sí, hacia Vis. No, no sé si hacia Vis, ¿cómo iba a saberlo?, de haberlo sabido habría regresado al coche, te lo dije mil veces –levanta la voz–. Cuando comprendí que me había perdido, nos sentamos en una floresta, el pequeño se durmió y yo seguía mareada...

Kunicki sabe que miente. Sigue cortando el perejil sin levantar la vista de la tabla y dice con voz de ultratumba:

–Por allí no había ninguna floresta.

Y ella casi gritando:

–¡Claro que sí!

–No, había olivos solitarios y viñedos. ¿Qué floresta?

Se hace un silencio. Ella lo interrumpe diciendo en tono mortalmente grave:

–Pues bien. Lo has descubierto todo. Bravo. Se nos llevó un platillo volante, experimentaron con nosotros, nos insertaron chips, mira, aquí. –Y levanta la cabellera enseñando la nuca; su mirada es fría.

Kunicki ignora su sarcasmo.

–De acuerdo, sigue.

Y ella sigue:

–Encontré una casita de piedra. Nos dormimos, se hizo de noche...

–¿Así, de repente? ¿Y en qué se os fue el día? ¿Qué hicisteis?

Ella no hace caso, continúa su relato:

–... Por la mañana nos gustó. Pensé que te preocuparías un poco y te acordarías de nuestra existencia. Una especie de terapia de choque. Comíamos uva y salíamos a nadar...

–¿Tres días sin comer?

–Comíamos uva, te lo acabo de decir.

–¿Y qué bebíais?

Ella tuerce el gesto.

–El agua del mar.

–¿Por qué no me dices simplemente la verdad?

–Esta es la verdad.

Kunicki se esmera en cortar los carnosos tallos.

–Vale, ¿qué pasó después?

–Nada. Finalmente volvimos a la carretera y paramos un coche que nos llevó hasta...

–¡Tres días más tarde!

–¿Y qué?

Él lanza el cuchillo contra el perejil. La tabla cae al suelo.

–¿Te das cuenta del lío que armaste? Te buscaron con un helicóptero. ¡Movilizaste toda la isla!

–Innecesariamente. Que las personas desaparezcan por un tiempo es algo que sucede, ¿no es cierto? No hacía falta desatar el pánico. Digamos que me encontré mal y luego mejoré.

–¿Dónde está mi mujer de siempre? ¿Qué demonios te ocurre? ¿Cómo piensas explicarlo?

–No hay nada que explicar. Te he dicho la verdad, pero tú no quieres escucharla.

Le grita y enseguida, bajando la voz:

–Dime lo que piensas, cómo te imaginas que pasó todo.

Pero él no contesta. Semejante conversación se ha repetido ya varias veces. Y no parece que ninguno de los dos tenga el ánimo para mantener otra.

En ocasiones, ella se apoya en la pared, entorna los ojos y se burla de él:

–Se acercó un autobús lleno de proxenetas y me llevaron a un burdel. Mantenían al pequeño en el balcón a pan y agua. Tuve sesenta clientes en aquellos tres días.

Entonces él se aferra con las manos a la mesa para no golpearla.

Nunca se lo había planteado ni se ha preocupado por no recordar el transcurso de los días uno tras otro. No sabe qué hizo tal o cual lunes, no solo tal o cual, sino el último o el penúltimo. No sabe qué hizo anteayer. Intenta evocar el jueves anterior a que salieran de Vis y... no ve nada. Pero cuando se concentra, los ve caminar por el sendero, oye el crujido de arbustos y hierbajos secos al ser pisados, que la hierba estaba tan reseca que quedaba reducida a polvo bajo sus pies. También recuerda la pequeña tapia baja, pero seguramente tan solo porque allí vieron una serpiente que escapó al verlos. Ella le mandó coger al niño en brazos. Y mientras él lo llevaba cuesta arriba, arrancó algunas hojas de una planta y las restregó entre los dedos. «Ruda», dijo. Entonces es cuando recuerda que toda la isla olía así, precisamente a esa hierba, incluso el rakia, metían en las botellas ramitas enteras. Pero ya no sabe decir cómo volvían ni lo que sucedió aquella tarde. Tampoco recuerda otras tardes. No recuerda nada, lo pasó todo por alto. Y lo que no se recuerda, es que nunca existió.

Los detalles, la importancia de los detalles; antes no los había tomado en serio. Ahora está seguro de que, si logra organizarlos en una cadena coherente de causa efecto, todo se aclarará. Debería sentarse tranquilamente en su despacho, desplegar un papel, a poder ser de gran tamaño, el más grande que encuentre, tiene uno así, en paquetes de libros, y anotarlo todo punto por punto. Al fin y al cabo, la verdad existe.

Pues bien. Corta las cintas de plástico de un paquete de libros, los apila sin siquiera mirarlos. Es uno de esos superventas recientes, al cuerno con él. Saca la hoja de papel gris y la extiende sobre la mesa. La vasta superficie gris, un poco arrugada, lo intimida. Con un rotulador negro escribe: frontera. Allí se pelearon. ¿Debería remontarse a los días anteriores al viaje? No, se quedará en la frontera. Habrá enseñado el pasaporte sacando la mano por la ventanilla del coche. Fue entre Eslovenia y Croacia. Recuerda que después circularon por una carretera entre aldeas abandonadas. Casas de piedra sin tejado, con huellas de incendios o bombardeos. Inconfundibles vestigios de la guerra. Campos de cultivo cubiertos de malas hierbas, una tierra seca y yerma, desamparada. Sus propietarios, desterrados. Senderos muertos. Mandíbulas apretadas. Nada, no pasa absolutamente nada, están en el purgatorio. Circulan contemplando en silencio estos desolados paisajes. Pero no se acuerda de ella, estaba sentada a su lado, demasiado cerca. Tampoco recuerda si se detuvieron por allí o no. Sí, repostan en una gasolinera pequeña. Le parece que compran helados. Y el tiempo: bochorno bajo un cielo lechoso.

Kunicki tiene un buen empleo. Le permite ser un hombre libre. Trabaja como representante comercial de una gran editorial capitalina; representante, que quiere decir que vende libros. Tiene asignados varios puntos en la ciudad que debe visitar de vez en cuando, promocionando ofertas, recomendando novedades, tentando con descuentos.

Detiene su coche delante de una pequeña librería de los suburbios y saca del maletero el pedido realizado. La librería se llama «Librería. Papelería», es demasiado pequeña para permitirse un nombre propio, de todos modos la mayor parte de su facturación la constituye la venta de cuadernos y libros de texto. El pedido cabe en una caja de plástico: manuales, dos ejemplares del sexto tomo de una enciclopedia, las memorias de un actor famoso y el último superventas de un título que no dice nada: *Constelaciones,* la friolera de tres ejemplares. Kunicki se promete a sí mismo leerlo más adelante. Le sirven un café y bizcocho casero, les cae bien. Da cuenta de los bocados de bizcocho con unos sorbos de café, muestra el nuevo catálogo de la editorial. Esto se vende bien, dice, y se lleva un nuevo pedido. En esto consiste su trabajo. Antes de salir, compra un calendario rebajado.

Por la tarde, en su minúscula oficina, anota los datos del pedido en formularios corporativos; los envía por correo electrónico. Al día siguiente recibirá los libros.

Qué alivio, disfruta de una calada, ha terminado su jornada laboral. Ha estado esperando este momento desde la mañana para poder mirar tranquilamente las fotos. Conecta la cámara al ordenador.

Son sesenta y cuatro. No elimina ninguna. Aparecen en modo presentación, unos segundos cada una. Las fotos son aburridas. Su único mérito radica en que inmortalizan instantes que de otro modo se perderían para siempre. Pero ¿vale la pena copiarlas? Pues sí. Kunicki las copia en un CD, apaga el ordenador y se va a casa.

Todos sus movimientos obedecen a actos reflejos: girar la llave de contacto, desactivar la alarma, abrocharse el cinturón de seguridad, encender la radio con el toque de un dedo, meter la primera. El coche rueda despacio desde el aparcamiento hacia la concurrida calle, en segunda. La radio da el pronóstico del tiempo: va a llover. Y precisamente en este momento empieza a llover, como si las gotas de la lluvia, preparada de antemano, estuvieran a la espera del conjuro de la radio. Arrancan los limpiaparabrisas.

Y de repente algo cambia. No se trata del tiempo ni de la lluvia ni de lo que ve desde el coche, sino de él, todo se le aparece de manera diferente. Es como si se acabara de quitar las gafas de sol o como si los limpiaparabrisas hubieran quitado algo más que el polvo de la ciudad. Sufre un acceso de calor y por un reflejo quita el pie del acelerador. Le pitan. Se obliga a recuperar el autocontrol y acelera hasta alcanzar a un Volkswagen negro. Empiezan a sudarle las manos. De buena gana se apartaría a un lado, pero no hay donde meterse, tiene que seguir.

Constata con estremecedora clarividencia que todo el camino, tan de sobra conocido, está lleno de señales chillonas. Una información destinada tan solo a él. Círculos sobre una pata, triángulos amarillos, cuadrados azules, paneles verdes y blancos, flechas, indicadores. Rojo, verde, naranja. Líneas pintadas sobre el asfalto, letreros informativos, advertencias, recordatorios. La sonrisa de una valla publicitaria, también importante. Las ha visto por la mañana, pero entonces no le decían nada, podía ignorarlas, ahora ya no podrá. Le hablan en tono bajo y categórico, son más numerosas que nunca, en realidad no dejan espacio para nada más. Rótulos de comercios, anuncios, logos de Correos, de farmacias, de bancos, la paleta STOP de una maestra de infantil que vigila a los niños en el paso cebra, una señal superponiéndose a otra, cruzando una segunda, indicando la de más allá; un poco más adelante, una señal tomando el relevo de otra y esta última relevando la siguiente, un contubernio de señales, una red de señales, una connivencia de señales a sus espaldas. Nada es inocente ni carente de significado, es un gran rompecabezas sin fin.

Presa del pánico, busca sitio para aparcar, tiene que cerrar los ojos, si no, se volverá loco. ¿Qué le pasa? Empieza a temblar. Divisa una parada de autobús y, aliviado, allí se detiene. Intenta controlarse. Piensa que tal vez haya tenido un derrame. Teme mirar a su alrededor. A lo mejor ha encontrado otra forma de ver, otro Punto de Vista, con mayúsculas, todo con mayúsculas.

La respiración no tarda en normalizarse, pero las manos le siguen temblando. Enciende un pitillo, sí, se envenenará un poco con nicotina, se aturdirá con el humo, fumigará los demonios. Ya sabe que no va a seguir conduciendo, no podría con ese nuevo conocimiento que lo abruma. Jadea con la cabeza apoyada en el volante.

Aparca el coche en la acera —seguro que le pondrán una multa— y sale con cuidado. La calzada de asfalto le parece viscosa.

—Señor Intocable —dice ella.

Kunicki no cae en la provocación: no contesta. Ella abre ruidosamente la puerta de un armario de cocina, saca un paquete de té y espera el lapso de tiempo que le ha concedido para que reaccione.

—¿Qué te ocurre? —pregunta agresivamente esta vez. Kunicki sabe que si tampoco contesta a esta pregunta, ella le lanzará un ataque en toda regla, de manera que, con calma, dice:

—No ocurre nada. ¿Qué quieres que ocurra?

Ella pega un bufido y enumera con voz monótona:

—No me hablas, no permites que te toque, te apartas a la otra punta de la cama, no duermes por las noches, no ves la tele, vuelves tarde de no se sabe dónde oliendo a alcohol...

Kunicki sopesa cómo comportarse. Sabe que haga lo que haga, estará mal. Así que se queda quieto. Se incorpora sobre la silla, clava los ojos en la mesa. Está tan incómodo como si hubiera algo negándose a pasar por su garganta. Detecta un movimiento amenazador en la cocina. Intenta una vez más:

—Hay que llamar a las cosas por su nombre... —arranca, pero ella le interrumpe:

—Vaya, pues ojalá supiéramos ese nombre.

—De acuerdo. No me contaste lo que de verdad...

Pero no termina, porque ella tira el té al suelo y sale corriendo de la cocina. Un segundo después se oye el portazo de la entrada.

Kunicki piensa que es una actriz consumada. Podría hacer carrera.

Siempre ha sabido qué quería. Ahora no lo sabe. No sabe nada, ni siquiera sabe qué debería saber. Va abriendo secciones del catálogo general y, sin prestar demasiada atención, ojea las fichas atravesadas por una varilla. No sabe ni cómo ni qué buscar.

Pasó la última noche en internet. ¿Y qué encontró? Un mapa no muy exacto de Vis, una página del departamento de turismo croata, un horario de ferrys. Cuando tecleó el nombre de Vis, aparecieron decenas de páginas. Solo un par sobre la isla. Precios de hoteles y atracciones turísticas. Asimismo, Visible Imaging System, con fotografías de satélite, le pareció entender. Y Vaccine Information Statements. Victorian Institute of Sport. Y una más: System for Verification and Synthesis.

Internet lo conducía de una palabra a otra, ofrecía enlaces, señalaba con el dedo. Cuando no sabía algo, callaba discretamente o mostraba las mismas páginas hasta aburrir. Fue cuando Kunicki tuvo la impresión de haber alcanzado los límites del mundo conocido, el muro, la membrana de la bóveda celeste. Imposible romperlo a cabezazos y asomarse al exterior.

Internet es un estafador. Promete mucho: que cumplirá la tarea que le encomiendes, que encontrará aquello que busques; tarea, cumplimiento, premio. Pero a la hora de la verdad la promesa no es más que un reclamo, pues enseguida caes, hipnotizado, en trance. Los senderos se bifurcan, se multiplican a gran velocidad, los enfilas persiguiendo un objetivo que no tarda en desdibujarse y sufrir una serie de metamorfosis. Pierdes el suelo bajo los pies, el punto de partida queda olvidado y el objetivo desaparece definitivamente de tu vista, se extravía en el parpadeo de más y más páginas y tarjetas de visita que siempre prometen más de lo que pueden dar, fingen descaradamente que detrás de la superficie de la pantalla existe un cosmos. Nada más ilusorio, querido Kunicki. ¿Qué estás buscando, Kunicki? ¿Hacia dónde crees que vas? Tienes ganas de extender los brazos y lanzarte a él, a ese abismo, pero no existe nada más ilusorio: el paisaje resulta ser el fondo de la pantalla, no puedes dar un solo paso más.

Su pequeño despacho ocupa una sola habitación que alquila por cuatro perras en la cuarta planta de un desconchado edificio de oficinas. Al lado hay una agencia inmobiliaria y un poco más allá un salón de tatuajes. Tiene un escritorio y un ordenador. Paquetes de libros por el suelo. En el alféizar de la ventana hay una tetera eléctrica y un bote de café.

Arranca el ordenador y espera a que la máquina se recupere del susto. Mientras tanto enciende su primer pitillo. Vuelve a mirar las fotos, y esta vez las examina prestando mucha atención y dedicando tiempo a cada una, hasta que llega a las últimas que hizo: el contenido de su bolso desparramado por encima de la mesa y esa entrada con la palabra *kairós,* sí, incluso la aprendió de memoria: καιρός. Sí, esta palabra se lo explicará todo.

De modo que ha encontrado algo que antes pasó por alto. Necesita fumar otro cigarrillo, hasta tal punto está excitado. Observa la palabra misteriosa que a partir de ahora lo guiará, la soltará al viento como una cometa y la seguirá. «*Kairós*», lee Kunicki, «*kairós*», repite sin estar seguro de cómo se pronuncia. Debe de ser griego clásico, piensa contento, ¡griego!, y se lanza hacia las estanterías de su biblioteca, donde no hay ningún diccionario griego, solo uno titulado *Proverbios útiles en latín,* al que apenas ha dado uso. Ya sabe que sigue la pista correcta. No podrá parar. Coloca las fotografías del contenido de su bolso, qué bien que las haya hecho. Las dispone una al lado de otra en filas iguales, como en un solitario. Enciende otro cigarrillo y da vueltas alrededor de la mesa como si fuera un detective. Se detiene, da una calada, clava los ojos en el pintalabios y el bolígrafo fotografiados.

De repente percibe que hay diferentes maneras de mirar. Con una solo se ven objetos, cosas útiles para la persona, concretas e inofensivas, y enseguida se sabe para qué sirven y cómo utilizarlas. Pero también existe una manera de mirar panorámica, generalizadora, gracias a la cual se descubren vínculos entre los objetos, su red de reflejos. Las cosas dejan de ser cosas, el hecho de que sirvan para algo es irrelevante, mera apariencia. Se convierten en señales, indican algo que no aparece en la fotografía, remiten más allá del marco de la instantánea. Hay que concentrarse mucho para mantener esa mirada, que en esencia es un don, un estado de gracia. El corazón de Kunicki late cada vez más fuerte. El bolígrafo rojo con la palabra «Septolete» aparece profundamente enraizado en un significado oscuro, inescrutable.

Reconoce ese lugar, estuvo en él por última vez cuando bajaban las aguas, justo después de la inundación. La biblioteca, la honorable Ossolineum, está situada junto al río, frente a él, y es un error. Los libros deberían guardarse en terreno elevado.

Recuerda aquella imagen, el momento en que salió el sol y bajaron las aguas. La inundación había dejado cieno y fango, pero ya habían limpiado algunos lugares y los trabajadores de la biblioteca ponían allí los libros a secar. Los colocaban medio abiertos en el suelo; eran cientos, miles. En esa posición tan poco natural para ellos, recordaban a seres vivos, un cruce entre pájaro y anémona. Manos enfundadas en finos guantes de látex despegaban pacientemente las páginas unas de otras para que frases y palabras se secaran por separado. Lamentablemente, las páginas se habían marchitado, oscurecido por el cieno y el agua, retorcido. La gente se movía entre ellas con sumo cuidado, mujeres con bata blanca, como en un hospital, dejaban los volúmenes abiertos hacia el sol, que fuera el sol quien leyese. Pero en el fondo era un panorama desolador, algo así como un encontronazo entre dos elementos. Kunicki lo contempló con horror hasta que, animado por el ejemplo de un transeúnte, se unió al grupo de voluntarios entusiastas.

Hoy se siente incómodo en esa biblioteca del centro de la ciudad, espléndidamente reconstruida tras el desastre de la inundación y oculta en una serie de edificios que circundan un claustro. Al entrar en la espaciosa sala de lectura ve mesas dispuestas en filas regulares y distancia discreta entre una y otra. Ante casi todas ellas hay sentada una espalda: inclinada, jorobada. Árboles sobre tumbas. Un cementerio.

Los libros colocados en los estantes solo muestran el lomo,

es como si, piensa Kunicki, se pudiera mirar a la gente solo de perfil. No seducen con abigarradas cubiertas, no presumen de fajas que invariablemente rezan «el mayor», «la más grande»; disciplinados cual reclutas, solo presentan sus insignias básicas: autor y título, nada más.

Catálogos en lugar de reclamos publicitarios, carteles y bolsas con su logo. La igualdad de las fichas embutidas en cajones estrechos infunde respeto. Información básica, número, breve descripción, ningún alarde.

Nunca había estado allí. Durante la carrera frecuentaba únicamente la moderna biblioteca de la universidad. Entregaba una hoja con el título y el autor y al cabo de un cuarto de hora le traían el libro. Tampoco es que la frecuentara muy a menudo, en situaciones excepcionales más bien, porque la gente fotocopiaba la mayoría de los textos. Una nueva generación de la literatura: texto sin lomo, una fotocopia fugaz, una especie de kleenex que se hizo con el poder tras la abdicación del pañuelo de algodón tradicional. Los pañuelos de papel hicieron una modesta revolución: abolieron las diferencias de clase. Un solo uso y a la basura.

Tiene delante tres diccionarios. *Diccionario griego-polaco.* Autor: Zygmunt Węclewski, Lvov, 1929. Librería Samuela Bodeka, calle Batorego 20. *Pequeño diccionario griego-polaco.* Teresa Kambureli, Thanasis Kambureli, Wiedza Powszechna, Varsovia, 1999. Y los cuatro volúmenes del *Gran diccionario griego-polaco,* Zofia Abramowiczówna (ed.), 1962, Editorial PWN. En él descifra no sin dificultad la palabra καιρός, ayudándose con un cuadro comparativo de alfabetos.

Lee solo lo que está escrito en polaco, en alfabeto latino: «1. "De la medida", medida correcta, adecuación, moderación; diferencia; importancia. 2. "Del lugar", lugar vital, sensible del cuerpo. 3. "Del tiempo", tiempo crítico, adecuado, oportunidad, ocasión, momento favorable, el momento propicio es fugaz; los que han aparecido inesperadamente; perder la ocasión; cuando llega el momento adecuado, ayudar a tiempo en caso de tormenta, cuando se presenta la ocasión, prematuramente, períodos críticos, estados periódicos, orden cronológico de los hechos, situación, estado de cosas, posición, peligro definitivo, provecho, utilidad, ¿con qué fin?, ¿qué te ayudaría?, ¿dónde sería conveniente?»

Esto pone en el primer diccionario. En el segundo, más antiguo, Kunicki echa un vistazo somero a las diminutas entradas saltándose los términos griegos y tropezando con maneras de expresión anticuadas: «buena medida, moderación, relación correcta, alcanzar un objetivo, desmesura, instante correcto, tiempo adecuado, momento oportuno, maestría, asimismo, solamente, tiempo, hora, y en pl.: circunstancias, relaciones, tiempos, casos, incidentes, momentos revolucionarios decisivos, peligros; buena es la ocasión, la ocasión se brinda, a tiempo se presenta». El diccionario más reciente ofrece la pronunciación entre paréntesis cuadrados: [keirós]. Además: «tiempo atmosférico, tiempo cronológico, temporada, ¿qué tiempo hace?, temporada de uva, pérdida de tiempo, de cuando en cuando, una vez, ¿cuánto tiempo?, hace mucho que se debía hacer».

Desesperado, Kunicki pasea la vista por la sala de lectura. Ve las coronillas de cabezas inclinadas sobre libros. Vuelve a los diccionarios, lee la entrada anterior, que se parece mucho, en realidad solo difiere en una letra: καιριος. También difiere la explicación: «ejecutado a tiempo, certero, eficaz, mortal, fatal, pregunta decisiva» y: «sitio vulnerable del cuerpo, allí donde las heridas son eficaces, lo que siempre se produce a tiempo, será lo que tenga que ser».

Kunicki recoge sus cosas y regresa a casa. Por la noche encuentra en la Wikipedia una página dedicada a Kairós por la que se entera de que se trata de un dios, de poca importancia, olvidado, helénico. Y de que fue descubierto en Trogir. Su efigie estaba en aquel museo, por eso su mujer apuntó esta palabra. Nada más.

Cuando su hijo era pequeño, cuando era un lactante, Kunicki no pensaba en él como persona. Y eso estaba bien porque se encontraban muy cerca el uno del otro. La persona siempre está lejos. Aprendió a cambiarle los pañales con mucha destreza, lo hacía con un par de movimientos de manos, casi imperceptibles, solo se oía el débil sonido de los pañales. Sumergía su pequeño cuerpo en la bañera, le enjabonaba la barriga, después, envuelto en una toalla, lo llevaba a la habitación y le ponía el buzo. Aquello era fácil. Cuando se tiene un niño pequeño, no hace falta preguntarse nada, todo resulta obvio y natural. El niño abrazándose a tu pecho, su peso y su olor, tan familiar y enternecedor. Pero el niño no es una persona. Lo es a partir del momento en que se libra del abrazo y dice *no*.

Ahora le preocupa el silencio. ¿Qué hará el pequeño? Kunicki se planta en la puerta y ve a su retoño en el suelo entre juguetes Lego. Se sienta a su lado y toma entre las manos uno de los cochecitos de plástico. Lo conduce por una carretera pintada. Tal vez debería empezar por el cuento de érase una vez un cochecito que se perdió. Está a punto de abrir la boca cuando el niño le arrebata el juguete para entregarle otro: un camión de madera cargado de bloques.

—Vamos a construir —dice.

—¿Qué quieres construir? —Kunicki entra en el juego.

—Una casa.

Muy bien, una casa pues. Forman un cuadrado con los bloques. El camión va trayendo materiales.

—¿Y si construyéramos una isla? —pregunta Kunicki.

—No, una casa —contesta el pequeño y coloca más bloques sin orden ni concierto, uno encima de otro. Kunicki los arregla con delicadeza para que la construcción no se derrumbe.

—Esto..., ¿recuerdas el mar?

El niño asiente, el camión descarga una nueva remesa de suministros. Kunicki ya no sabe qué decir ni por qué preguntar. Señalando la alfombra, dirá que es una isla, que ellos se encuentran en esa isla, que papá está muy preocupado porque no sabe dónde puede estar su hijito. Pensado y hecho, pero no resulta convincente.

—No —se obstina el niño—. Construyamos la casa.

—¿Recuerdas cómo os perdisteis mamá y tú?

—¡No! —espeta el pequeño y, alegremente, descarga más bloques para la construcción.

—¿Te perdiste alguna vez? —insiste Kunicki.

—No —responde el pequeño, momento en que el camión se empotra con ímpetu en la casa recién levantada, las paredes se derrumban—. Bum, bum. —El niño se ríe.

Kunicki, con paciencia, se pone a reconstruirla.

Cuando ella vuelve a casa, Kunicki la ve desde la alfombra, como el niño. Es grande, está sospechosamente excitada. Tiene la cara encendida por el frío y la boca roja. Arroja al respaldo de la silla su chal rojo (¿no será carmesí o púrpura?) y abraza el niño. «¿Tenéis hambre?», pregunta. Kunicki tiene la impresión de que con ella ha irrumpido el viento en la habitación, un viento marino racheado. Le gustaría preguntarle «¿Dónde has estado?», pero no puede permitírselo.

Por la mañana tiene una erección y se ve obligado a darle la espalda, a ocultar esas vergonzantes ideas del cuerpo, para que no las lea como una invitación, un intento de reconciliación, un gesto de intimidad. Se vuelve hacia la pared y celebra esa erección, esa disposición inútil, ese estado de alerta, esa extremidad glutinosa dura; la tiene para sí mismo.

La punta del pene, como un vector, apunta a lo alto, a la ventana, al mundo.

Piernas. Pies. Incluso cuando se sienta, ellos siguen caminando, se mueven virtualmente, no pueden parar, salvan cada distancia con precipitados pasitos. Cuando intenta detenerlos, se rebelan. Kunicki teme que sus piernas estallen y echen a correr, llevándolo por derroteros que él no elegiría, que en contra de su voluntad peguen saltos como si bailasen una cracoviana o se internen en lúgubres patios de bloques mohosos, suban escaleras ajenas, lo arrastren por una escotilla a tejados empinados y resbaladizos, obligándole a pasear como un sonámbulo por las escamas de sus tejas.

Kunicki no puede dormir, probablemente a causa de esas piernas tan inquietas; de cintura para arriba está tranquilo, relajado y soñoliento; de cintura para abajo, imparable. A todas luces se compone de dos personas. Arriba anhela paz y justicia; abajo se muestra transgresor y quebranta todos los principios. Arriba tiene nombre, apellido, dirección y número de carnet de identidad; abajo no tiene nada que decir sobre su persona, en realidad está harto de sí mismo.

Quisiera sosegar las piernas, untarlas con una pomada calmante; en realidad el cosquilleo interno resulta doloroso. Acaba tomando un somnífero. Llama al orden a sus piernas.

Kunicki intenta dominar sus extremidades. Inventa un método: les permite moverse ininterrumpidamente, incluso a los dedos de los pies dentro del zapato cuando el resto del cuerpo está quieto. Y cuando se sienta, también los libera, que se debatan solitos. Mira las puntas de los zapatos y ve el suave movimiento del cuero, señal de que sus pies siguen su obsesiva marcha sin moverse del sitio. Aunque también da largos paseos por la ciudad. Le parece que esta vez ha cruzado todos los puentes sobre el Odra y sus canales. Que no se ha dejado ni uno.

La tercera semana de septiembre trae lluvia y viento. Habrá que bajar del altillo la ropa de otoño, chaquetas y botas de goma del niño. Lo recoge de la guardería y se dirigen deprisa hacia el coche. El niño salta en medio de un charco y el agua lo salpica todo a su alrededor. Kunicki no se da cuenta, piensa en lo que va a decir, barrunta frases. Por ejemplo: «Temo que el niño haya podido ser víctima de un shock» o, más seguro de sí mismo: «Me parece que nuestro hijo sufrió un shock.» Se acuerda de la palabra «trauma»: «sufrir un trauma».

Atraviesan la ciudad mojada, los limpiaparabrisas funcionan a cien por hora para quitar el agua, por unos instantes muestran un mundo sumido en la lluvia, desdibujado.

Es su día: el jueves. Los jueves recoge a su hijo de la guardería. Ella está ocupada, trabaja por la tarde, frecuenta sus cenáculos, regresa tarde, así que Kunicki tiene al pequeño para él solo.

Se acercan a un edificio recién renovado sito en el corazón de la ciudad y pasan un rato buscando sitio para aparcar.

—¿Adónde vamos? —pregunta el niño, y ya que Kunicki no contesta, se pone a repetir la pregunta machaconamente—: ¿Adondevamos, adondevamos?

—Cállate —dice el padre, pero poco después le explica—: Vamos a ver a una señora.

El niño no protesta, debe de picarle la curiosidad.

No hay nadie en la sala de espera; enseguida aparece ante ellos una mujer alta que ronda la cincuentena y los invita a pasar a su consulta. La estancia es luminosa y agradable, una mullida alfombra multicolor en el centro exhibe juguetes y bloques Lego. Un poco más allá hay un tresillo, un escritorio y una silla. El niño, prudente, se sienta en la punta de un sillón, pero sus ojos viajan hacia los juguetes. La mujer sonríe y estrecha la mano de Kunicki, y también saluda al niño. Habla precisamente con él, como si ignorara por completo al padre. Así que Kunicki es el primero en tomar la palabra, adelantándose a sus posibles preguntas:

—Mi hijo lleva un tiempo con problemas de insomnio, se ha vuelto nervioso y... —miente, pero la mujer no le deja terminar.

—Primero vamos a jugar —dice.

Suena absurdo, Kunicki no sabe si también piensa jugar con él. Atónito, se queda de una pieza.

—¿Cuántos años tienes? —pregunta la mujer al niño, que enseña tres dedos.

—Cumplió tres en abril —dice Kunicki.

Se sienta sobre la alfombra junto al niño, le pasa unos bloques y dice:

—Papá se quedará un rato leyendo en el pasillo mientras tú y yo jugamos. ¿Te parece?

—No —contesta el pequeño, se levanta y corre hacia su padre. Kunicki ha entendido. Convence al niño para que se quede.

—La puerta estará abierta —asegura la mujer.

El ala de la puerta se cierra suavemente, pero no del todo. Kunicki se queda en la sala de espera, desde donde oye sus voces, si bien muy amortiguadas; no sabe lo que dicen. Esperaba muchas preguntas, incluso lleva encima el historial médico del chico; ahora lee que nació dentro del plazo, de parto natural, diez puntos en la escala Apgar, vacunas, peso 3,750 kg, longitud 57 centímetros. Las personas adultas son «altas», los niños «largos». Coge de la mesa una revista, la abre mecánicamente y enseguida encuentra anuncios de novedades editoriales. Reconoce títulos, compara precios. Le embarga una agradable oleada de adrenalina: él las vende más baratas.

—Dígame, por favor, qué ha pasado. ¿Qué espera de mí? —le pregunta la mujer.

Kunicki se siente avergonzado. ¿Qué se supone que debe decir? ¿Que su mujer y su hijo desaparecieron durante tres días? Cuarenta y nueve horas, las ha contabilizado desde la primera hasta la última. Y que no sabe dónde estuvieron. Siempre lo había sabido todo de ellos y ahora no sabe lo más importante. En una fracción de segundo se imagina diciendo:

–Ayúdeme, por favor. Hipnotícelo y reconstruya minuto a minutos aquellas cuarenta y nueve horas. Tengo que saber.

Ella, esa mujer alta y erguida como un mástil, se le acerca tanto que Kunicki percibe el olor a antiséptico de su jersey –así olían las enfermeras cuando era niño– y tomándole la cabeza entre sus grandes y cálidas manos la estrecha contra su pecho.

Sin embargo, la realidad es muy distinta. Kunicki miente:

–Últimamente está muy inquieto, se despierta en plena noche, llora. En agosto estuvimos de vacaciones, he pensado que tal vez haya vivido algo que no alcanzamos a comprender, que se haya llevado un susto...

Está convencido de que no le creerá. La mujer toma un bolígrafo entre los dedos y juega con él. Esboza una sonrisa cálida y encantadora, y dice:

–Tiene usted un hijo más que espabilado, inteligente y sociable. Efectos como estos los puede causar una simple película de dibujos animados. Que no abuse del consumo de televisión. A mi juicio no le ocurre nada, nada en absoluto.

Y lo mira con preocupación, así se lo parece.

Cuando salen, mientras el pequeño acaba de despedirse de la doctora agitando el brazo, empieza a llamarla «puta» para sus adentros. Su sonrisa se le antoja falsa. También ella oculta algo. No se lo ha dicho todo. Ahora sabe que no debería haberla visitado. ¿Acaso no hay en la ciudad psicólogos infantiles hombres? ¿Acaso las mujeres ostentan el monopolio de los niños? Nunca resultan inequívocas, nunca se sabe a primera vista si son débiles o fuertes, ni cómo reaccionarán, ni qué quieren; hay que permanecer alerta. Recuerda el bolígrafo en su mano. Bic naranja, idéntico al de la foto del bolso.

Hoy es martes, el día libre de ella. Agitado desde primera hora, no duerme, finge no mirarla en su deambular matutino entre el dormitorio y el cuarto de baño, entre la cocina y la entrada, y otra vez el cuarto de baño. Un breve e impaciente grito del niño: debe de atarle los zapatos. El silbido del desodorante. El pitido de la tetera.

Cuando por fin se van, se planta junto a la puerta, aguzando el oído, atento a si ya ha llegado el ascensor. Cuenta hasta sesenta, el tiempo que les llevará bajar. Después se calza deprisa y saca de una bolsa de plástico la chaqueta que ha comprado en una tienda de segunda mano. Servirá de camuflaje. Cierra la puerta silenciosamente tras de sí. Ojalá no tenga que esperar el ascensor demasiado rato.

De momento todo sale a pedir de boca. La sigue a una distancia prudencial, con la chaqueta de otro. No quita la vista de su espalda, se pregunta si sentirá alguna incomodidad, lo más probable es que no, pues camina deprisa, con garbo, él podría decir: con alegría. Madre e hijo saltan por encima de los charcos, no los bordean, sino que saltan por encima de ellos, ¿por qué? ¿De dónde sacará tanta energía en una lluviosa mañana de otoño? ¿O ya habrá surtido efecto el café? Los demás le parecen lentos y soñolientos, ella destaca, su chal rosa rabioso constituye una mancha llamativa sobre el fondo del día. Kunicki se agarra a él como a un clavo ardiendo.

Finalmente llegan a la guardería. La ve despedirse del pequeño, pero el adiós no lo conmueve. A lo mejor mientras lo envuelve con sus tiernos mimos y abrazos deja caer un susurro en el oído del niño, quién sabe si precisamente esa palabra que Kunicki busca con tanta desesperación. Si la conociera, podría teclearla en el buscador cósmico, el cual le proporcionaría en una fracción de segundo una respuesta sencilla y concreta.

Ahora la está viendo esperar el semáforo verde en un paso de peatones, sacar el móvil y marcar un número. Por un momento Kunicki abriga la esperanza de que el móvil empiece a sonar en su bolsillo; el sonido asignado a ella es el canto de la cigarra, un insecto tropical. Pero su bolsillo permanece en silencio. Ella cruza la calle, manteniendo una breve conversación con alguien. Ahora es él quien tiene que esperar a que cambie el semáforo, cosa peligrosa porque ella dobla la esquina y desaparece, así que él, en cuanto puede, aprieta el paso, temiendo haberla perdido, furioso consigo mismo y con los semáforos. Vaya, perderla a doscientos metros de casa. Pero no, ahí está, el chal entra en la puerta giratoria de una gran tienda. Más que tienda, es un centro comercial, lo acaban de inaugurar, está casi desierto, de modo que Kunicki duda de si debe entrar tras ella, si logrará ocultarse entre las diferentes secciones. Pero no tiene más remedio, porque hay una segunda salida que da a otra calle, así que se cala la capucha –gesto justificado, al fin y al cabo está lloviendo– y entra. La ve caminar entre los puestos, despacio, como si la retuviese algo; mira cosméticos y perfumes, se detiene ante una estantería y alarga el brazo en busca de algo. Sostiene un frasco en la mano. Kunicki rebusca entre calcetines rebajados.

Mientras, absorta en sus pensamientos, avanza hacia la sección de bolsos, Kunicki coge el frasco. Carolina Herrera, lee. ¿Grabar este nombre en la memoria o desecharlo? Algo le dice que grabar. Todo significa algo, solo que no sabemos el qué, repite para sus adentros.

La ve desde lejos, plantada ante un espejo con un bolso rojo en la mano, contemplando su imagen ya de un lado, ya del otro. Después se dirige hacia la caja, precisamente hacia donde se encuentra Kunicki, que, presa del pánico, se oculta tras el aparador de los calcetines, agacha la cabeza. Ella pasa a su lado. Como un fantasma. Pero no tarda en volverse, como si se hubiera olvidado de algo, y su mirada cae directamente sobre él, encorvado y con la capucha tapándole la frente. Kunicki ve sus pupilas dilatadas por el asombro, siente su mirada tocándolo, escrutándolo, palpándolo.

–¿Qué haces aquí? ¿Sabes qué pinta tienes?

Pero enseguida sus ojos pierden dureza, los envuelve una neblina, parpadean.

–¡Dios! ¿Qué te ocurre? ¿Ha sucedido algo malo?

Qué extraño, no es eso lo que se esperaba Kunicki. Sí una bronca. Ella, en cambio, lo abraza y se acurruca contra él, hunde la cara en su estrafalaria chaqueta de segunda mano. Él deja escapar un suspiro, un pequeño «oh» redondo, no sabe si de sorpresa ante tan inesperada reacción o de verse llorando con ganas en su fragante parka de plumón.

Llama un taxi, lo esperan en silencio. Solo en el ascensor ella le pregunta:

–¿Cómo te encuentras?

Kunicki contesta que bien, pero sabe que van hacia el enfrentamiento definitivo. El campo de batalla será la cocina; ocuparán sendas posiciones de ataque: él probablemente ante la mesa, ella de espaldas a la ventana, como de costumbre. Y sabe que no debe tomar a la ligera ese momento crucial, tal vez el último posible para enterarse de lo que pasó. Conocer la verdad. Pero también sabe que se halla en un campo minado. Cada pregunta será una bomba. No es ningún cobarde y no cejará en su empeño de intentar establecer los hechos. Según el ascensor va subiendo, se siente un poco como un terrorista portador de una bomba bajo la ropa, bomba que estallará en cuanto abran la puerta del piso y lo reducirá todo a escombros.

Sujeta la puerta con el pie para primero meter las bolsas con la compra, después, entra. En realidad no nota nada raro, enciende la luz y vacía las bolsas sobre la encimera de la cocina. Pone agua en un vaso en el que mete un manojo de perejil, un tanto marchito. Es lo que lo espabila: el perejil.

Deambula como un fantasma por su propio piso, le parece atravesar las paredes. Las habitaciones están vacías. Kunicki es el ojo que juega al pasatiempo «Encuentra las X diferencias». Y las busca. No le cabe duda de que los dibujos, el piso antes y el piso después, difieren en detalles. Es un juego para los poco observadores. Al fin y al cabo en el colgador no está el abrigo de ella, ni su chal, ni la cazadora del pequeño, ni el desfile de zapatos (solo quedan las solitarias chancletas de él), tampoco el paraguas. La habitación del niño parece totalmente abandonada, de hecho solo quedan los muebles. Sobre la alfombra yace un cochecito de juguete cual vestigio de una colisión cósmica inimaginable. Pero Kunicki debe saber a ciencia cierta, así que avanza hacia el dormitorio con el brazo extendido, hacia el armario acristalado que, al descorrer Kunicki su pesada puerta, emite un triste gemido de disgusto. Tan solo queda la blusa de seda, demasiado elegante para llevarla. Cuelga solitaria en el armario. El movimiento de la puerta mueve suavemente la manga: parece alegrarse de que por fin la han encontrado, abandonada. Kunicki observa los estantes vacíos del cuarto de baño. Solo quedan sus accesorios de afeitado, arrinconados. Y el cepillo de dientes a pilas.

Necesitará mucho tiempo para comprender lo que ve. Toda la tarde, toda la noche y, además, la mañana siguiente.

Hacia las nueve se prepara un café muy cargado y luego mete en la bolsa de viaje unas cuantas cosas del cuarto de baño, unas camisetas y unos pares de pantalones del armario. Antes de salir, en realidad cuando ya está ante la puerta, comprueba el contenido del billetero: los documentos y las tarjetas de crédito. Después baja corriendo al coche. Como durante la noche ha nevado, tiene que quitar la nieve del parabrisas. Lo hace de cualquier manera, con la mano. Espera poder llegar a Zagreb al anochecer y al día siguiente a Split. O sea, mañana verá el mar.

Emprende camino por una carretera recta como una aguja rumbo al sur, en dirección a la frontera checa.

SIMETRÍA DE LAS ISLAS

La psicología del viaje sostiene que la impresión de semejanza entre dos lugares es directamente proporcional a la distancia que los separa. Lo cercano no se antoja parecido, más bien extraño. En cambio –según la psicología del viaje– solemos encontrar mayores similitudes en el otro extremo del mundo.

Resulta fascinante, por ejemplo, el fenómeno de la simetría de las islas. Inescrutable y carente de una explicación, es un fenómeno digno de una monografía. Gotland y Rodas. Islandia y Nueva Zelanda. Vista sin su pareja, cada una de ellas parece incompleta, imperfecta. Las desnudas rocas calizas de Rodas se complementan con las cubiertas de musgo de Gotland; el brillo cegador del sol se vuelve más real cuando se contrasta con la suave tarde dorada del norte. Las murallas de las ciudades medievales se presentan en dos versiones: dramática y melancólica. Lo saben los turistas suecos que fundaron en Rodas su propia colonia informal, sin informar a la ONU.

BOLSA DE MAREO

Para matar el tiempo a bordo de un avión Varsovia-Ámsterdam, jugaba con una bolsa de papel en la que solo al cabo de un buen rato vi un texto escrito a bolígrafo:

«12-10-2006. Vuelo a ciegas a Irlanda. Destino Belfast. Estudiantes de la Universidad Politécnica de Rzeszów.»

La inscripción se veía en el fondo de la bolsa, allí donde habían dejado un espacio vacío entre los dos laterales impresos. En el exterior aparecía impresa una misma información en varios idiomas: *air-sickness bag... sac pour mal de l'air... Spuckbeutel... bolsa de mareo.* Una mano humana insertó entre esas pocas palabras algunas propias, con un uno de trazo grueso al principio, como si el autor se hubiera planteado si dejar tras de sí esa expresión anónima de inquietud. ¿Habrá sospechado que su texto en la bolsa hallaría un lector? ¿Que de esta manera me iba a convertir en testigo de un viaje ajeno?

Me conmovió aquel acto unilateral de comunicación, me habría gustado saber qué mano lo había escrito, cómo eran los ojos que la conducían a lo largo de la letra impresa. Me pregunté si los estudiantes de Rzeszów tendrían éxito allí, en Belfast. A decir verdad, esperaba encontrar una respuesta en algún avión que tomase en el futuro. Me habría gustado que escribieran: «Todo ha salido a pedir de boca. Volvemos a casa.» Pero sé que solo la inquietud y la incertidumbre inducen a escribir en bolsas de mareo. Ni la derrota ni el mayor de los éxitos estimulan la escritura.

LOS PEZONES DE LA TIERRA

Una joven pareja, la muchacha de diecinueve años a lo más, estudiante de lenguas escandinavas, y su compañero, un muchacho menudo, rubio y con rastas, se empeñó en viajar en autostop de Reikiavik a Ísafjörður. Se lo desaconsejaron vivamente sobre todo por dos motivos: en primer lugar, porque el tráfico –sobre todo en el norte– era más bien escaso, podían quedar atrapados en algún lugar por el camino, y en segundo lugar, porque la temperatura podía bajar de golpe vertiginosamente. Pero los jóvenes hicieron oídos sordos. Las dos advertencias –como se vería más tarde– se cumplieron a pies juntillas: quedaron atrapados en medio de ninguna parte, junto a la salida a una carretera secundaria conducente a un pueblo remoto, donde los había dejado el coche anterior, y no apareció ningún otro; por si fuera poco, en una hora el tiempo cambió bruscamente, empezó a nevar. Cada vez más asustados, esperaron junto a la carretera que atravesaba de punta a punta una llanura llena de rocas de lava y entraron en calor fumando cigarrillos y abrigando la esperanza de que por fin pasara algún coche. Pero no pasó. Por lo visto la gente había renunciado a viajar a Ísafjörður aquella tarde.

No había con qué montar una hoguera: solo musgo húmedo y matojos ralos que el fuego se negaba a lamer, ya no digamos a consumir. Metidos en sus sacos de dormir, se acomodaron sobre el musgo entre las rocas, y cuando las nubes cargadas de nieve se alejaron dejando al descubierto un cielo estrellado, vieron cómo las piedras de lava adquirían rostro y todo empezaba a susurrar, murmurar y silbar. Asimismo resultó que bastaba con meter la mano bajo el musgo y las piedras para tocar la tierra y descubrir que estaba caliente.

La mano percibe vibraciones tenues y lejanas, un movimiento remoto, un aliento; no cabe duda: la tierra es un ser vivo.

Después se enteraron por boca de unos islandeses de que no les habría pasado nada malo: a quienes se pierden como ellos, la tierra es capaz de ofrecer sus cálidos pezones. Hay que pegarse a ellos con gratitud y mamar su leche. Se dice que sabe a leche de magnesio, la misma que se vende en farmacias para la hiperacidez y el ardor de estómago.

POGO

Mañana toca sabbat. Jasidíes imberbes bailan el pogo en un bulevar al ritmo de una alegre música sudamericana de moda. «Bailar» no es la palabra adecuada. Se trata más bien de pegar saltos salvajes y extáticos, girar sobre el propio eje sin moverse del sitio, los cuerpos rebotando unos contra otros, es un baile con el que saltan todos los adolescentes del mundo ante el escenario de un concierto de rock. Ahí la música sale de los altavoces colocados sobre un coche desde cuyo interior supervisa la escena un rabino.

Unas turistas escandinavas la mar de alegres se unen a los muchachos, y, torpemente, mano sobre hombro, intentan bailar un cancán. Sin embargo, uno de los adolescentes no tarda en llamarlas al orden:

–Las mujeres que deseen bailar, hagan el favor de hacerlo a un lado.

EL MURO

Hay quienes creen que hemos llegado hasta el final del viaje.

La ciudad aparece totalmente blanca, como huesos abandonados en el desierto, lamidos por una lengua de calor abrasador, pulidos por la arena; como una colonia de coral calcificado que cubre las colinas de un mar inmemorial de las eras prehistóricas.

Se dice asimismo que esta ciudad constituye una pista de despegue, desigual y difícil para cualquier piloto, de la cual en tiempos habrían despegado de la tierra los dioses. Los que saben algo de aquellas épocas remotas repiten, lamentablemente, opiniones contradictorias. No hay manera de acordar una única versión.

Tened cuidado todos, peregrinos, turistas y errantes que hasta aquí habéis llegado, los que habéis hecho el viaje en barco o en avión, o atravesado a pie estrechos y puentes, cordones de ejércitos y de alambradas. Muchas veces han revisado vuestros coches y caravanas, examinado vuestros pasaportes, os han mirado a los ojos. Tened cuidado, caminad por el laberinto de callejones siguiendo señales y estaciones, que os guíe el dedo índice de una mano extendida, la numeración de los versículos en el Libro, los números romanos pintados en las paredes de las casas. Que no os engañen los tenderetes llenos de abalorios, kilims, narguilés, monedas desenterradas (dicen) de las arenas del desierto, especias picantes formando pirámides de colores; que no desvíen vuestra atención multitudes abigarradas de personas iguales que vosotros, de todos los géneros posibles, matices del color de la piel, rostros, pelo, ropa, gorras y mochilas.

En el centro del laberinto no hay tesoro ni minotauro con el que librar batalla; el camino termina abruptamente en un muro, blanco como toda la ciudad, alto, una muralla insalvable. Se dice que es la pared de un templo invisible, pero el hecho es el hecho: hemos llegado al final, más allá no hay nada.

Por eso mismo, no os extrañe la imagen de aquellos que, pillados por sorpresa, se plantan ante el muro o de aquellos que se refrescan la frente tocando la piedra fría, o los de más allá, que, cansados y decepcionados, se han sentado y se acurrucan junto al muro como si fueran niños.

Es hora de volver.

EL ANFITEATRO SOÑADO

En mi primera noche en Nueva York soñé que deambulaba por las calles de la ciudad en plena noche: Tengo un plano de la ciudad, es cierto, y lo consulto de vez en cuando en busca de una salida de ese laberinto cuadriculado. De pronto me veo en una plaza enorme ante un anfiteatro griego antiguo igual de enorme. Me detengo, atónita. En ese momento se me acerca una pareja de turistas japoneses y me lo indican en el plano. Sí, en efecto, ahí está, respiro aliviada.

En la maraña de calles paralelas y perpendiculares que se cruzan como urdimbre y trama, en su monótona red, veo un enorme ojo redondo clavado en el cielo.

349

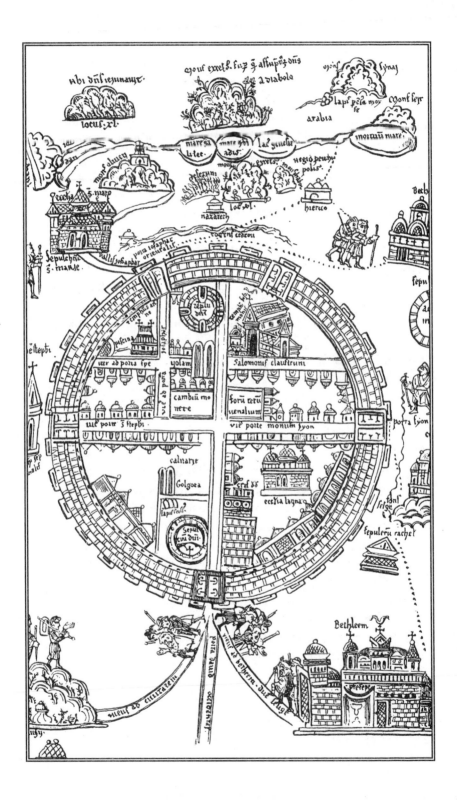

Recuerda a un gran tao: si se mira con atención, se puede descubrir un gran tao compuesto de tierra y agua. Pero en ningún lugar un elemento predomina sobre el otro, los dos se abrazan: la tierra y el agua. El estrecho del Peloponeso constituye lo que la tierra entrega al agua, y Creta, lo que el agua entrega a la tierra.

En mi opinión, el Peloponeso tiene la forma más hermosa. Es la forma de una gran mano materna, seguro que no humana, que se sumerge en el agua para comprobar si su temperatura es apta para el baño.

KAIRÓS

—Somos los que salen al encuentro –dijo el catedrático mientras esperaban un taxi tras abandonar la enorme terminal del aeropuerto. Con sumo placer aspiró el cálido y suave aire griego.

Tenía ochenta y un años y una esposa veinte años más joven, con la que se casó, oportunamente, cuando su anterior matrimonio había perdido fuelle y los hijos se habían marchado de casa. Y acertó, porque su exmujer también necesitaba de cuidados y vivía el llamado otoño de la vida en una residencia bastante decente.

Aguantó bien el vuelo, la diferencia horaria no revestía ninguna importancia; el ritmo de sueño del profesor llevaba tiempo recordando a una sinfonía cacofónica que combinaba horas en las que le vencía el sopor con otras de increíble lucidez. La diferencia horaria solo desplazó siete horas esos acordes caóticos de sueño y vigilia.

Un taxi climatizado los trasladó al hotel, donde Karen, que es como se llamaba la joven esposa del profesor, gestio-

nó diligentemente la descarga de los equipajes, recabó en la recepción la información dejada por los organizadores del crucero, recogió las llaves y, no sin dificultad y contando con la ayuda de un amable portero, llevó a su marido en ascensor hasta la segunda planta, a su habitación. Una vez dentro, lo acomodó suavemente en la cama, le aflojó el fular y le quitó los zapatos. Cayó dormido en el acto.

¡Por fin estaban en Atenas! Muy contenta, se acercó a la ventana que la obligó a batallar con su ingenioso pestillo. Atenas en abril. La primavera avanzaba a toda máquina, las hojas de los árboles se abrían camino invadiendo febrilmente el espacio. El polvillo estaba ya presente en las calles, pero sin resultar aún molesto. Sí el ruido, desde siempre. Cerró la ventana.

En el baño, Karen desordenó su corta melena gris y se metió en la ducha. Enseguida sintió cómo su tensión bajaba con la espuma hacia los pies y desaparecía para siempre por el desagüe.

«No hay motivo para ponerme nerviosa», dijo para sus adentros, «todo cuerpo tiene que adaptarse al mundo, no hay otra salida.»

—Ya estamos llegando a la meta —dijo en voz alta, inmóvil bajo el chorro de agua caliente. Y puesto que no lograba pensar sino con imágenes, lo cual, según ella, había obstaculizado su carrera académica, vio una especie de gimnasio de la Antigua Grecia con su característico taco de salida elevado por correas y dos corredores, ella y su marido, corriendo torpemente hacia la meta, pese a que acababan de iniciar la carrera. Después se envolvió en una mullida toalla y se dio crema hidratante en la cara y el escote. El olor familiar del cosmético acabó por calmarla del todo, hasta tal punto que, tras echarse un momento junto a su marido sobre la cama sin deshacer, se quedó inmediatamente dormida, sin saber siquiera cuándo.

Mientras cenaban en el restaurante de la planta baja (lenguado al vapor y brócoli hervido para él, ensalada con feta para ella), el profesor no paraba de preguntar por sus apuntes y sus libros, si no se habrían olvidado su bloc de notas, hasta que entre todas esas preguntas rutinarias se oyó la que tarde o temprano tenía que caer, poniendo de manifiesto la más rabiosa actualidad del frente de batalla:

–En realidad, ¿dónde estamos, querida?

Reaccionó con calma. Se lo explicó todo con unas pocas frases sencillas.

–Oh, sí, por supuesto –dijo, visiblemente contento–. Sí que ando un poco despistado.

Pidió para sí una botella de retsina y paseó la mirada por el restaurante. Solían frecuentarlo turistas ricos –estadounidenses, alemanes, británicos...– y también aquellos que siguiendo el flujo de un dinero que ya circulaba libremente habían perdido todo rasgo diferenciador. Eran, simplemente, guapos, estaban sanos y pasaban con naturalidad de un idioma a otro.

La mesa de al lado, por ejemplo, la ocupaba un grupo de gente agradable, personas tal vez algo más jóvenes que ella, cincuentones alegres, rubicundos y saludables. Tres hombres y dos mujeres. Entre sus estallidos de risa (el camarero acababa de servirles otra botella de vino griego), Karen habría sin duda encontrado un sitio para ella. Pensó que podría dejar a su marido, que con tenedor tembloroso rasgaba el cuerpo blanco del pescado, coger su retsina y, de forma natural como una semilla de diente de león, posarse en una silla de la mesa vecina para incorporar su contralto mate a los últimos acordes de la risa.

Pero, por supuesto, no lo hizo. En cambio recogió de la mesa el brócoli que, indignado por la ineptitud del profesor, había abandonado su plato en señal de protesta.

–¡Dioses! –dijo, irritada, y pidió al camarero una infusión–. ¿Te ayudo?

–No permitiré que me den de comer –respondió, y su tenedor atacó el pescado con redoblado esfuerzo.

354

A menudo se enfadaba con él. Ese hombre dependía de ella por completo y, sin embargo, se comportaba como si fuera al revés. Pensó en su fuero interno que los hombres, los más espabilados, empujados por una suerte de instinto de conservación, buscaban –a ciegas y casi con desespero– a mujeres mucho más jóvenes, pero no por las razones que les atribuían los sociobiólogos. No, no se trataba de la reproducción, de los genes, de llenar con su ADN los finos canalillos de la materia por donde discurre el tiempo. Se trataba más bien del presentimiento que los acompaña a lo largo de su vida, presentimiento celosamente callado y escondido, de que, abandonados a su suerte tan solo en compañía del silencioso y soporífero paso del tiempo, sucumbirían a una atrofia precipitada. Como si hubiesen sido diseñados para un lapso de tiempo breve e intenso: obertura, arriesgadísima carrera, triunfo y extenuación. Que lo que los mantenía con vida era la excitación, una estrategia vital muy costosa; las reservas de energía no tardarían en agotarse y tocaría vivir de prestado.

Se conocieron en la recepción ofrecida por un amigo común que celebraba sus dos años de conferencias en su universidad. Hacía de eso quince años. Su futuro marido le trajo una copa de vino y cuando se la entregaba, ella notó que su anticuado chaleco de lana se deshacía por una costura y que de la cadera del profesor colgaba un hilo largo y oscuro revoloteando suavemente. Acababa de llegar para ocupar el puesto de un catedrático que se jubilaba y hacerse cargo de sus estudiantes; estaba amueblando la casa que había alquilado y recuperándose de su reciente divorcio, que habría podido resultar más doloroso en caso de haber tenido hijos. Su marido la había abandonado tras quince años de matrimonio para irse con otra. Karen, a sus poco más de cuarenta años, era ya catedrática de universidad y autora de varios libros. Estaba especializada en culturas antiguas poco conocidas de las islas griegas. Era experta en ciencias de la religión.

No se casaron hasta varios años después de aquel encuentro. La primera mujer del profesor estaba gravemente enferma, cosa que dificultaba el divorcio. Pero incluso sus hijos se mostraron favorables a la nueva pareja.

Se preguntaba a menudo por cómo le había ido en la vida, llegando a la conclusión de que la verdad era bien simple: los hombres necesitaban de las mujeres más que las mujeres de los hombres. En realidad, pensaba Karen, las mujeres podrían tranquilamente prescindir de los hombres. Soportaban bien la soledad, cuidaban de su salud, eran más resistentes, cultivaban la amistad..., buscaba más rasgos característicos en su cabeza cuando se dio cuenta de que describía a las mujeres como una utilísima raza de perros. Con cierta satisfacción se entregó a multiplicar otros rasgos caninos: aprendían deprisa, no eran agresivas, les gustaban los niños, se mostraban sociables, guardaban la casa. Resultaba fácil despertar en ellas, sobre todo cuando eran jóvenes, ese instinto misterioso que te desarmaba y que solo en contadas ocasiones estaba relacionado con el hecho de tener descendencia. Era algo decididamente superior su capacidad de abarcar el mundo, de trillar caminos, de mullir días y noches, de crear rituales tranquilizadores. No era difícil despertar ese instinto con pequeñas representaciones de indefensión. Después quedaban ciegas, el algoritmo se activaba, entonces ellos podían plantar su campamento en los nidos de ellas, arrojándolo todo, sin que ellas tan siquiera se dieran cuenta de que el polluelo era un monstruo, y además ajeno.

El catedrático se había jubilado cinco años atrás, recibió premios y distinciones en el acto de despedida, una inscripción en el libro de honor de los científicos más destacados, una recopilación de artículos de sus discípulos publicada para la ocasión; asimismo se ofrecieron varias recepciones en su honor. Se presentó en una de ellas un famoso cómico de la televisión, aparición que, a decir verdad, fue lo que más alegró y animó al profesor.

Una vez instalados en una casa no muy grande pero sí muy cómoda de la ciudad universitaria, él se dedicó a «ordenar sus papeles». Por la mañana Karen le preparaba té y un desayuno frugal. Recogía su correspondencia y daba contestación a cartas e invitaciones, cometido que consistía principalmente en declinar cortésmente las últimas. Intentaba levantarse a primera hora, como él, y, muerta de sueño, preparaba un café para ella y copos de avena para él. Le dejaba lista la ropa limpia. Hacia el mediodía venía la asistenta, con lo cual Karen disponía de un par de horas para sí misma mientras él se entregaba a su siesta. Por la tarde, otra taza de té, esta vez de hierbas, y prepararlo para su solitario paseo cotidiano. Lectura de Ovidio en voz alta, la cena y las abluciones vespertinas antes de acostarse. Y todo esto, amenizado con la tarea de contar gotas y administrar pastillas. Cada uno de los años del apacible lustro, contestaba «sí» a una sola invitación: un crucero primaveral por las islas griegas a bordo de un barco de lujo en que el catedrático emérito daba diariamente una conferencia a los pasajeros. Sin contar sábado y domingo, eran diez conferencias, siempre acerca de las fascinaciones personales del profesor, cada año diferentes; no obedecían a programa prefijado alguno.

El barco se llamaba *Poseidón* (las letras griegas en negro destacaban sobre su blanco casco: ΠΟΣΕΙΔΩΝ), comprendía dos cubiertas, restaurante, sala de billar, un café, salón de masaje, solárium y confortables camarotes. Llevaban años ocupando el mismo, con su gran cama doble, su cuarto de baño, una mesa con dos sillones y un diminuto escritorio. En el suelo, una mullida alfombra color café, y Karen al mirarla seguía abrigando la esperanza de encontrar entre sus largas fibras el pendiente que había perdido allí mismo cuatro años antes. Del camarote se salía directamente a la cubierta de primera clase y por la noche, cuando el profesor ya dormía, Karen gustaba de aprovechar esa facilidad para, apoyada sobre la barandilla, fumar su único cigarrillo mientras contemplaba las luces que brillaban a lo lejos. La cubierta, recalentada por el sol durante el día, devolvía a esa hora el calor acumulado mientras del agua llegaba un aire ya fresco y oscuro, y Karen tenía la sensación de que su cuerpo marcaba la frontera entre el día y la noche.

–Salve, Poseidón, salvador de navíos y domador de caballos, que ciñes la tierra y llevas cerúlea cabellera, socorre a los navegantes con corazón benévolo –recitaba en voz baja y le lanzaba al dios el cigarrillo apenas empezado, su ración diaria; pura extravagancia.

El itinerario del crucero no había variado en cinco años.

Tras zarpar en El Pireo, el barco se dirigía a Eleusis, a continuación a Corinto, y desde allí de nuevo al sur, a la isla de Poros para que los turistas pudieran contemplar las ruinas del templo de Poseidón y deambular por la ciudad. Después ponía rumbo a las Cícladas, y todo debía transcurrir lenta y perezosamente para que el pasaje disfrutara del sol y del mar, de la vista de las ciudades asentadas en las islas, ciudades de paredes blancas y tejados naranja, y del aroma a huerto de limoneros. La temporada aún no había empezado, de manera que no habría enjambres de turistas a los cuales el profesor no tenía en alta estima y de los que solía decir, con evidente irritación, que miraban pero no veían, que deslizaban los ojos por todo y los detenían solo en aquello que les indicaba su guía impresa en millones de ejemplares, el equivalente libresco del McDonald's. Harían la siguiente parada en Delos, donde centrarían su interés en el templo de Apolo, y finalmente, sorteando las islas menores del Dodecaneso, llegarían a Rodas, donde darían por terminada la expedición y cogerían sus respectivos aviones en el aeropuerto local rumbo a casa.

A Karen le gustaban mucho esas tardes en las que atracaban en puertos pequeños y, convenientemente ataviados –el obligatorio fular del profesor–, se dirigían a la ciudad. Cuando en uno u otro puerto fondeaban los ferrys de mayor envergadura, los comerciantes se apresuraban a abrir sus negocios para ofrecer a los recién llegados toallas con el nombre de la isla, juegos de conchas, esponjas, mezclas de hierbas secas en bonitas cestitas, ouzo o helados.

El profesor caminaba con paso firme y señalaba con su bastón monumentos históricos: portalones, fuentes, ruinas protegidas por endebles barandillas, y contaba cosas que sus oyentes no encontrarían ni en las mejores guías. Esos paseos no los contemplaba el contrato. Solo una conferencia diaria.

Empezaba diciendo:

–Creo que el hombre necesita para vivir un medioambiente climático similar al que precisan los cítricos.

Alzaba los ojos hacia los pequeños focos del techo, postura en la que permanecía por más tiempo de lo socialmente aceptable.

Karen apretaba las manos hasta que los nudillos se le ponían blancos, pero creía que lograba mantener una sonrisa entre expectante y provocativa: cejas levantadas, rostro teñido de ironía.

–Este es nuestro punto de referencia –proseguía su marido–. No se debe a una casualidad el que el territorio de la civilización griega coincida, en términos generales, con la presencia de los cítricos. Más allá de este espacio soleado y vivificante, todo queda sometido a un inexorable, aunque lento, proceso degenerativo.

Aquello parecía un arranque largo y pausado. Karen siempre lo veía en imágenes: el avión del profesor da tumbos, las ruedas se hunden en las rodadas, tal vez incluso se salen de la pista: se elevará desde el césped; sin embargo, la máquina acaba por despegarse del suelo, tambaleándose y dando tumbos a un lado y a otro, pero ya se sabe que levantará el vuelo.

Karen respiraba con alivio. Conocía los temas de las conferencias, conocía su planificación escrita en fichas con la letra menuda del profesor y sus propios apuntes con los que le ayudaba; en realidad, si algo pasara, podría levantarse de su sitio en primera fila, coger al vuelo el contenido a mitad de frase y continuar por el camino trillado. Lo que seguro que no sabría hacer sería hablar con tanta desenvoltura ni permitirse las pequeñas extravagancias con las que, inconscientemente, atraía él la atención de los oyentes. Siempre esperaba el momento en que el profesor se levantara y arrancara a caminar, lo que para Karen significaba que –usando de nuevo las imágenes– su avión alcanzaba la velocidad de crucero, que todo estaba en orden. Podría subir tranquilamente a la cubierta superior y extender una mirada llena de alegría sobre la superficie del agua, suspenderla en los mástiles de los yates que pasaran al lado, en las cumbres de las montañas envueltas en una neblina blanca.

Miraba a los oyentes, sentados en semicírculo; los de la primera fila tenían delante sus notas sobre las mesas plegables, apuntaban aplicadamente las palabras del profesor. Los de las últimas filas, tocando a las ventanas, repantigados y ostentosamente indiferentes, también aguzaban el oído. Karen sabía que eran los más inquisitivos, los que después acribillarían a preguntas a su marido hasta la extenuación y ella tendría que librar pequeñas batallas para protegerlo de consultas complementarias, ya sin remuneración.

Ese hombre, su propio marido, no dejaba de asombrarla. Le parecía que sabía todo lo que de Grecia se había escrito, excavado y dicho. Sus conocimientos eran ya no tanto inmensos como monstruosos; se componían de textos, citas, referencias, palabras de vasijas melladas que había costado tiempo y trabajo descifrar, dibujos no del todo explicados, excavaciones, paráfrasis halladas en escritos ulteriores, cenizas, correspondencia y concordancia. Había en ello algo inhumano: para dar cabida en sí mismo a todo aquel caudal, el profesor debió de someterse a una intervención biológica, permitió que penetrase en sus tejidos, le abrió su cuerpo, convirtiéndose en un híbrido. De no ser así, habría sido imposible.

Es evidente que tan ingente caudal de conocimiento no puede estar ordenado; cobra más bien forma de esponja, de coral marino que crece durante años hasta crear las figuras más fantásticas. Es un conocimiento que una vez alcanzada su masa crítica muta su estado: parece reproducirse, multiplicarse, organizarse en estructuras complejas y bizarras. Las asociaciones viajan por caminos atípicos, las similitudes se encuentran en las versiones más insospechadas, igual que el parentesco en los culebrones brasileños donde todo el mundo puede resultar ser hijo, marido o hermana de todo el mundo. Los senderos trillados no valen nada, en cambio aquellos que se consideraban intransitables se convierten en cómodas carreteras. Algo que había carecido de importancia durante años, de pronto –en la cabeza del profesor– se convertía en el punto de partida de un gran descubrimiento, de un verdadero cambio de paradigma. A ella no le cabía la menor duda de que era la esposa de un gran hombre.

Cuando hablaba, su rostro se transformaba, como si las palabras le quitasen de encima la vejez y el cansancio. Era otro: los ojos le brillaban y las mejillas aparecían tensas y tersas. Se desvanecía la penosa sensación de máscara que ese rostro causara poco antes. Un cambio que parecía provocado por una droga, un chute de anfetamina. Ella sabía que cuando la droga –fuera esta lo que fuere– dejase de hacer efecto, su cara volvería a solidificarse, los ojos recuperarían su matiz mate, el cuerpo se dejaría caer en la silla más cercana, adquiriendo ese aspecto de indefensión que tan bien conocía. Y tendría que levantarlo suavemente sujetándolo por las axilas, darle un empujoncito y conducir ese cuerpo inestable que arrastraba los pies al camarote a que durmiera su siesta; habría gastado demasiada energía.

Conocía bien el curso de sus conferencias. Aun así sentía placer al observarlo en cada una de ellas porque era como poner en agua una rosa del desierto, como si hablase de sí mismo, no de Grecia. Todos los personajes que mentaba no eran sino él mismo, era evidente. Todos los problemas políticos eran los suyos propios, absolutamente personales. Las ideas filosóficas –que era lo que le quitaba el sueño– le pertenecían a él. Los dioses: a estos los conocía en persona, comía con ellos en un restaurante cerca de casa, pasaron más de una noche charlando, tomaron ríos de vino egeo. Conocía sus direcciones y números de teléfono, los podía llamar a cualquier hora. Conocía Atenas como la palma de su mano, pero, obviamente, no era la misma ciudad de la cual acababan de zarpar –esta, a decir verdad, no le interesaba en absoluto–, sino la Atenas antigua, de la época de, digamos, Pericles, cuyo plano se superponía al actual, convirtiendo la ciudad del presente en irreal, fantasmagórica.

Karen pasó su propia revista a sus compañeros de viaje la misma mañana en que embarcaban en El Pireo. Todos, incluso los franceses, hablaban inglés. Venían en taxi de sus respectivos hoteles o directamente del aeropuerto de Atenas. Eran personas bien educadas, de buen ver, inteligentes. Por ejemplo, esta pareja: cincuentones, delgados, seguro que mayores de lo que parecían, vestidos con ropa de fibra natural de color claro, lino y algodón, él jugando con un bolígrafo, ella erguida en su silla, relajada, como alguien ducho en técnicas de relajación. Un poco más allá, una mujer joven de ojos vidriosos a causa de sus lentillas, zurda, tomando notas con letra grande y redonda, dibujando ochos en los márgenes. Detrás de ella, dos gais, bien vestidos y bien cuidados, uno de ellos con graciosas gafas a lo Elton John. Junto a la ventana, un padre con su hija, parentesco que subrayaron nada más presentarse: el hombre debía de temer ser sospechoso de estar viviendo una aventura con una menor; la muchacha, vestida de negro riguroso, el pelo rapado casi al cero, bellos labios carnosos de color oscuro hinchados por un desdén difícil de ocultar. La pareja siguiente: armoniosamente canosa, suecos ellos, al parecer ictiólogos, por lo que recordaba Karen de la lista de participantes en las conferencias que les habían facilitado con antelación; tranquilos, se parecían mucho entre sí, pero no con el tipo de parecido que da el nacimiento, sino con ese otro trabajado con denuedo durante largos años de matrimonio. Unos cuantos jóvenes: este crucero era su primera vez; todavía no sabían si la Antigua Grecia era lo suyo o si hubieran preferido ahondar en el misterio de la orquídea o en los ornamentos de Oriente Medio de finales del siglo pasado y principios de este. ¿Sería lugar adecuado para ellos ese barco en que un anciano empezaba su discurso por los cítricos? Karen escrutó a conciencia a un hombre pelirrojo de tez muy clara, con amplios vaqueros de talle bajo, que con movimiento reflexivo se frotaba la amarillenta barba de varios días. ¿Sería alemán? Un alemán apuesto. Y a una docena de otras personas cuyas miradas seguían al orador en concentrado silencio.

He aquí un nuevo tipo de intelecto, pensaba Karen, que no confía en la palabra impresa en libros, en los mejores manuales, artículos, monografías y enciclopedias, intelecto maltratado durante la carrera universitaria y que ahora tiene hipo. Lo ha depravado la facilidad de descomponer en elementos primarios cualquier construcción, incluso la más compleja. De reducir al absurdo toda argumentación carente de sólida base intelectual, la aceptación cada equis años de un nuevo lenguaje en boga, el cual –semejante a la más novedosa versión, según los reclamos publicitarios, de navaja suiza– puede hacerlo todo con todo: abrir una lata, limpiar pescado, interpretar una novela y prever el desarrollo de la situación política en África central. Es un intelecto de crucigramista que opera con notas al pie y referencias cruzadas como con cuchillo y tenedor. Intelecto racional y discursivo, solitario y estéril. Intelecto que lo percibe todo, incluso de que entiende bien poco. Pero se mueve deprisa, un impulso electrónico brillante, inteligente, sin limitaciones, relacionándolo todo con todo, convencido de que todo junto significa algo, solo que no sabemos qué.

Enérgico, el profesor acababa de empezar sus disquisiciones sobre la etimología del nombre de Poseidón, y Karen volvió la cara hacia el mar.

Después de cada conferencia necesitaba que ella le confirmara que todo había ido bien. En el camarote, cuando se cambiaban para la cena, lo abrazó; su pelo exhalaba un suave olor a champú de manzanilla. Listos para salir, él con una americana ligera de color oscuro y su inseparable fular pasado de moda en el cuello, ella con un vestido verde de seda, se plantaron en el centro del angosto camarote mirando hacia las ventanas. Ella le pasó su cuenco de vino, él tomó un sorbo, susurró unas palabras, rozó el vino con la punta de los dedos y lo esparció por el camarote, pero cuidándose mucho de no manchar la mullida moqueta de color café. Las gotas fueron absorbidas por el oscuro respaldo de un sillón y desaparecieron entre el mobiliario: no dejarían rastro. Ella hizo otro tanto.

En la cena se incorporó a su mesa, que compartían con el capitán, el hombre dorado, y Karen vio que a su marido tal presencia le producía de todo menos contento. Sin embargo, el nuevo comensal mostró mucho tacto y amabilidad.

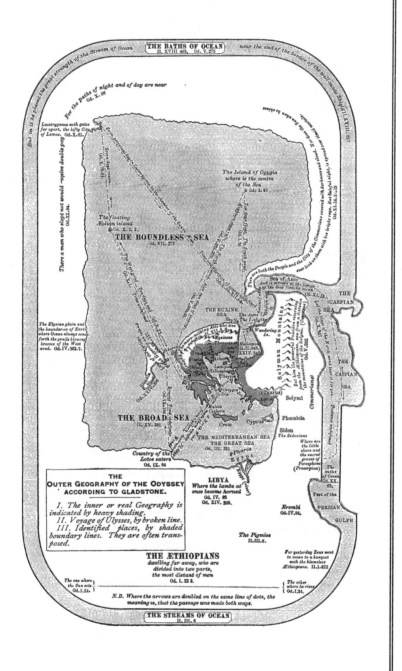

THE BATHS OF OCEAN
II. XVIII 489. Od. V. 275

THE
OUTER GEOGRAPHY OF THE ODYSSEY
ACCORDING TO GLADSTONE.

I. The inner or real Geography is indicated by heavy shading.
II. Voyage of Ulysses, by broken line.
III. Identified places, by shaded boundary lines. They are often transposed.

THE ÆTHIOPIANS
dwelling far away, who are divided into two parts, the most distant of men
Od. I. 22 3.

N.B. Where the arrows are doubled on the same line of dots, the meaning is, that the passage was made both ways.

THE STREAMS OF OCEAN
II. III. 6

Contó que era programador y que trabajaba con ordenadores en Bergen, cerca del círculo polar. Era noruego. A la suave luz de las lámparas, su piel, sus ojos y la fina montura de alambre de sus gafas parecían hechos de oro. Su camisa blanca de lino tapaba, innecesariamente, su dorado torso.

El hombre se interesó por una palabra que el profesor había pronunciado durante su conferencia y que el orador explicó con precisión:

–Contuición –dijo con irritación bien disimulada– es, como he dicho antes, una especie de aprehensión que desvela espontáneamente la presencia de una fuerza superior a la humana, de un todo superior a la heterogeneidad. Mañana desarrollaré este tema –añadió con la boca llena.

–De acuerdo –respondió el otro, indefenso–. Pero eso ¿qué significa?

No obtuvo respuesta, porque el profesor permaneció pensativo un rato, a todas luces rebuscando en las infinitas existencias de su memoria, y finalmente, y ayudándose con la mano que dibujaba pequeños círculos en el aire, recitó:

–Debes prescindir de todos esos medios y no poner la mirada en ellos, antes bien, como cerrando los ojos, debes trocar esta vista por otra y despertar la que todos tienen pero pocos usan.

Estaba tan orgulloso de sí mismo que se puso colorado.

–Plotino.

El capitán asintió con la cabeza con conocimiento de causa y acto seguido propuso un brindis habida cuenta de que era el quinto crucero que hacían juntos:

–Por nuestro pequeño aniversario.

Y el último, pensó Karen, no sin sorprenderse.

–Por que nos volvamos a encontrar aquí el año que viene –dijo.

Animado, el profesor relataba al capitán y al hombre pelirrojo, que se había presentado como Ole, su próxima idea.

–Un viaje siguiendo los pasos de Ulises. –Hizo una pausa para darles tiempo a admirarse ante tamaña noticia–. Aproximadamente, por supuesto. Habría que pensar en la logística, en cómo organizarlo. –Y lanzó una mirada a Karen, quien contestó:

–Ulises tardó veinte años.

–No importa –repuso el profesor riendo–. En el mundo de hoy se puede hacer en dos semanas.

Ella y Ole, sin habérselo propuesto, intercambiaron una mirada.

Esa misma noche o la siguiente tuvo un orgasmo, por sí sola, mientras dormía. De alguna manera estaba relacionado con Ole, aunque no lo tenía claro porque recordaba poco de lo que había sucedido en su sueño. Simplemente había penetrado en el hombre de oro. Se despertó sintiendo evidentes contracciones en el bajo vientre, sorprendida, atónita y, finalmente, avergonzada. Se puso a contarlas involuntariamente y atrapó las cuatro últimas.

Al día siguiente, mientras navegaban bordeando la costa, Karen reconoció honradamente ante sí misma que en muchos lugares ya no había nada que ver.

El camino a Eleusis: una carretera de asfalto llena de coches corriendo a todo gas; treinta kilómetros de fealdad y banalidad, los laterales cubiertos de maleza seca, edificios de hormigón, anuncios, aparcamientos y una tierra tan yerma que no valía la pena cultivarla. Almacenes, rampas de carga y descarga, un puerto enorme y sucio, una planta de calderas.

Cuando desembarcaron, el profesor condujo a todo el grupo a las ruinas del templo de Deméter, que ofrecían un aspecto más bien triste. Los pasajeros no disimulaban su decepción, así que les propuso hacer un viaje en el tiempo.

–En aquella época, la carretera era estrecha y apenas pavimentada con piedras, imaginen, la recorren en dirección a

Eleusis enjambres de personas, al caminar levantan nubarrones de un polvo que temen los poderosos más grandes del mundo. Esa tupida multitud grita con cientos de gargantas.

El profesor se detuvo, clavó los talones en el suelo, se apoyó sobre el bastón y dijo:

–Aquello podría haber sonado más o menos así... –suspendió la voz unos instantes para tomar resuello y después gritó con todas las fuerzas de su vieja garganta–: ¡Iakchos! ¡Iakchos! –se desgañitó con los ojos cerrados.

De repente su voz sonó alta y clara. Su salmodia penetró tanto en el aire recalentado que hizo levantar la cabeza a algunos de los turistas que deambulaban entre las piedras, y al vendedor de helados, y a los obreros que colocaban vallas de protección de cara al comienzo de la temporada, y a un niño pequeño que pinchaba con una rama un escarabajo aterrorizado, y a dos burros que pacían a lo lejos, en la otra ladera.

Incluso cuando ya hubo callado, su grito permaneció suspendido en el aire de tal manera que todo contuvo la respiración durante medio minuto, los treinta extraños segundos. Sobrecogidos por tan excéntrico comportamiento, los oyentes ni tan solo osaban mirarse unos a otros, y Karen enrojeció hasta las orejas, como si hubiese sido ella quien hubiera gritado. Se apartó a un lado para recuperarse del bochorno, también del atmosférico.

Pero el anciano en absoluto parecía avergonzado.

–... a lo mejor es posible –le oyó continuar– asomarnos al pasado, echar una mirada como en un panóptico o, queridos amigos, tratar el pasado como si aún existiera, solo que transportado a otra dimensión. Quizá no haga falta más que cambiar la manera de mirar, contemplarlo todo al soslayo. Porque si el futuro y el pasado son infinitos, en realidad no existe ningún «tiempo ha». Diferentes retazos del tiempo cuelgan en el aire cual sábanas, como pantallas que proyectan un momento determinado; el mundo se compone de tales momentos fijos, de enormes metafotografías, y nosotros saltamos de uno a otro.

Se interrumpió para descansar, pues caminaban cuesta arriba, pero al cabo de poco rato Karen lo oyó arrancar palabras de su respiración jadeante:

–En realidad no existe movimiento alguno. Como la tortuga de la paradoja de Zenón, no nos movemos en dirección alguna, apenas peregrinamos hacia el interior de un momento y no existe un final, ni un objetivo. Lo mismo podría aplicarse al espacio: ya que a todos nos separa la misma distancia del infinito, tampoco existe ningún «en alguna parte»: nadie permanece anclado en un solo día ni en un solo lugar.

Por la noche Karen hizo balance mental de los costes de esa expedición: nariz y frente quemadas por el sol, un pie restregado hasta sangrar. Le había entrado una piedrecita afilada bajo la correa de la sandalia, pero él no se dio cuenta. Se trataba sin duda de un nuevo síntoma de la arteriosclerosis que el profesor padecía desde hacía años.

Conocía muy bien aquel cuerpo, incluso demasiado bien, un cuerpo menudo y hundido, de piel llena de manchas marrones. Restos de vello blanco en el pecho, un cuello frágil que a duras penas sostenía la cabeza temblorosa, huesos delgados bajo una fina capa de piel y un esqueleto de pajarillo que, por liviano, parecía hecho de aluminio.

A veces caía dormido antes de que le diera tiempo a desnudarlo y prepararle la cama, entonces tenía que quitarle suavemente la americana y los zapatos y convencerlo, medio dormido, de la necesidad de ir a la cama.

Todas las mañanas tenían el mismo problema: los zapatos. El profesor sufría de una dolencia muy molesta: se le encarnaban las uñas. Se le encendían los dedos, hinchados, las uñas se levantaban agujerando los calcetines y clavándose dolorosamente en la pala del zapato. Calzarle un zapato negro de piel a un pie tan dolorido habría sido una crueldad gratuita. De manera que el profesor solía llevar sandalias y los zapatos cerrados los encargaban al único zapatero que quedaba en su vecindad y que, por una suma desorbitada, confeccionaba para el profesor un calzado tan bonito como cómodo, con empeine alto, holgado.

A última hora de la tarde le dio fiebre, seguramente a causa del sol, así que Karen renunció a compartir mesa con el capitán y encargó que les subieran la cena al camarote.

Por la mañana, mientras el barco se aproximaba a Delos, salieron juntos a cubierta —no sin antes lavarse los dientes y acabar el laborioso proceso de afeitado— con las galletas de la merienda del día anterior. Las desmigajaban y las lanzaban al mar. Era temprano, los demás debían de dormir todavía. El sol ya había perdido su color rojo, se tornaba cada vez más claro y potente. El agua, densa, cobró un tono dorado, meloso, las olas se calmaron y la inmensa plancha solar las alisaba sin dejar el menor pliegue. El profesor rodeó con su brazo a Karen, y aquel era, en esencia, el único gesto posible ante tan evidente epifanía.

Mirar a nuestro alrededor otra vez más como si se contemplara un dibujo que, bajo un millón de detalles, contiene una forma oculta en el caos. Una vez vista, nunca más se podrá olvidar.

No voy a contar cada día de ese crucero ni relatar cada conferencia, tal vez Karen las recopile un día en una publicación. La nave va, cada noche hay baile en cubierta, unos pasajeros, copa en mano, apoyados en las barandillas, mantienen perezosas conversaciones, otros contemplan el mar nocturno, una oscuridad fresca y cristalina que de vez en cuando iluminan los focos de esos barcos enormes para miles de pasajeros que cada día atracan en un puerto diferente.

Solo mencionaré una conferencia, mi favorita. La concibió Karen. Fue a ella a quien se le ocurrió la idea de hablar de los dioses menores, los que no se encuentran en las páginas de libros conocidos y populares, los que Homero no mencionó y más tarde Ovidio ignoró; los que no hicieron méritos con aventuras bélicas o amorosas; los no suficientemente aterradores ni suficientemente astutos, efímeros, apenas conocidos gracias a migajas de roca, menciones, vestigios de bibliotecas quemadas. Pero gracias a todo eso han conservado algo que los famosos perdieron para siempre: la volatilidad e intangibilidad, la forma líquida, la incertidumbre de su genealogía. Emergían de las sombras, de lo informe, y volvían a sumirse en la oscuridad. Como Kairós, sin ir más lejos, que siempre opera allí donde se cruzan el tiempo humano –lineal– y el divino –circular–. Actúa en la intersección de tiempo y espacio, en ese momento que se abre solo durante un breve lapso, suficiente para hacer aflorar una posibilidad única, irrepetible y verdadera. Es el punto donde la línea recta que va de ninguna parte a ninguna parte converge por un instante con el círculo.

Entró con paso firme, arrastrando los pies y jadeando, se plantó junto a su cátedra –una mesa de restaurante común y corriente– y sacó un pequeño paquete de debajo del brazo. Ella conocía sus métodos. El paquete no era más que una toalla del baño de su camarote. Él sabía muy bien que en cuanto empezara a desenrollarla, la sala se sumiría en el silencio y se estirarían hacia delante las cabezas de los sentados en la última fila. Los adultos son como niños. Debajo de la toalla había una cosa más, el chal rojo de ella, y solo debajo de este brilló finalmente algo blanco, un pedazo de mármol, que podría parecer un fragmento de roca. La tensión en la sala alcanzaba su cénit, y él, consciente de la curiosidad que había despertado, lo celebraba con una sonrisa oblicua debajo de la nariz y gestos prolongados como si estuviese actuando en una película. Después, con la mano extendida levantó ese pedazo de piedra plana casi hasta la altura de los ojos, parodiando a Hamlet, y arrancó:

¿Quién es el escultor y de dónde?

Sicionio.

¿Y su nombre, cuál es?

Lisipo.

¿Y tú quién eres?

Kairós que todo lo vence.

¿Por qué andas de puntillas?

Siempre voy corriendo.

¿Y por qué tienes un par de alas en los pies?

Vuelo como el viento.

¿Por qué llevas una navaja en la mano derecha?

Como muestra para los hombres de que soy más rápido que cualquier instante.

¿Y por qué el cabello sobre los ojos?

Para que me coja de él quien salga a mi encuentro.

Por Zeus, ¿por qué lo de atrás está calvo?

Para que nadie junto a quien haya yo pasado una vez con mis alados pies me agarre por detrás aunque lo desee.

¿Por qué te ha esculpido el artista?

Por vos, extranjero, y me colocó en el atrio como enseñanza.

Empezaba con ese bello epigrama de Posidipo que sin duda debía usarse como epitafio. El profesor se acercó a la primera fila de sillas y entregó a manos del público la prueba de la existencia del dios. La muchacha de labios carnosos que exhibían desdén tomó el bajorrelieve con exagerada precaución, sacando la punta de la lengua de tan intrigada como estaba. Lo pasó a su vecino mientras el profesor esperaba en silencio a que el pequeño dios alcanzase la mitad de su camino, momento en que, con expresión pétrea, dijo:

–No se preocupen, es una copia en yeso de la tienda del museo. Quince euros.

Karen oyó un murmullo de risas, un movimiento de cuerpos entre los oyentes, el crujido de una silla, señal inequívoca de que la tensión se había relajado. Había empezado bien. Debía de tener un buen día.

Se escabulló en silencio a la cubierta y encendió un cigarrillo mientras contemplaba la isla de Rodas que se aproximaba y los grandes ferrys, las playas aún casi desiertas a esas alturas del año y la ciudad que, como si fuese una colonia de insectos, trepaba por la empinada ladera hacia el brillo del sol. De repente la embargó una calma que no sabría decir de dónde venía.

Veía las orillas de la isla y sus grutas. Los claustros y las naves esculpidos por el agua en la roca le hacían pensar en templos extraños. Algo los había estado construyendo durante millones de años, la misma fuerza que ahora empujaba su pequeño barco meciéndolo. Una fuerza densa y transparente que también en tierra tenía sus talleres.

He aquí los prototipos de catedrales, de esbeltas torres y catacumbas, pensaba Karen. Esas capas de roca esmeradamente apiladas en la orilla, esas piedras perfectamente redondas torneadas durante siglos, esos granos de arena, el óvalo de las grutas. Vetas de granito en piedra caliza, su asimétrico diseño tan intrigante, la línea regular de la costa isleña, los matices de la arena en las playas. Edificaciones monumentales y joyería fina. Ante tamaño panorama, ¿qué importancia revisten las ristras de casitas ensartadas en la línea de la costa, esos puertos minúsculos y tenderetes humanos donde se vende, con arrogancia, ideas antiguas, simplificadas y miniaturizadas?

Recordó una caverna acuática que vio tiempo atrás en el Adriático. La cueva de Poseidón en la que una vez al día entra la luz del sol por una abertura en la bóveda. Recordaba la emoción que experimentó al ver la columna de luz cuando, afilada como una aguja, penetraba las verdes aguas y por un instante descubría el fondo de arena. El fenómeno duraba tan solo un momento, el anterior a que el sol prosiguiera su viaje.

El cigarrillo desapareció con un silbido en la ancha boca del mar.

Él dormía de costado, con la mano bajo la mejilla y la boca entreabierta. Una pernera de su pantalón se había levantado, mostrando un calcetín gris de algodón. Ella, sigilosamente, se echó a su lado, lo abrazó por la cintura y le dio un beso en la espalda a través de su chaleco de lana. Le vino a la cabeza la idea de que cuando él se fuera, ella tendría que quedarse un tiempo, aunque solo fuese para ordenar las cosas de ambos y hacer sitio para otros. Reuniría los apuntes de su marido, los revisaría, redactaría y, probablemente, los publicaría en una edición crítica. Arreglaría los asuntos con las editoriales: algunos de sus libros ya se habían convertido en manuales. Y, en realidad, no había ningún obstáculo para que continuase dando ella sus clases magistrales, aunque no estaba segura de si la universidad se lo iba a proponer. De lo que sí estaba segura era de su deseo de continuar con el seminario flotante a bordo del *Poseidón* (si la invitaban). En tal caso añadiría muchas ideas propias. Pensó en que nadie nos había enseñado a envejecer, que no sabíamos cómo era. Cuando somos jóvenes, nos parece que la enfermedad solo se ceba con otros. Nosotros en cambio, por razones no del todo claras, permaneceríamos jóvenes. Tratamos a los viejos como si fueran ellos mismos los culpables de su deterioro, como si alimentasen su dolencia como los diabéticos o arterioscleróticos. Y eso que sucumben a esa enfermedad, la vejez, los más inocentes. Y cuando ya se le cerraban los ojos, pensó en algo más: que su espalda quedaba al descubierto. ¿Quién la abrazaría?

Por la mañana el mar estaba tan calmo y hacía un tiempo tan espléndido que todo el mundo salió a cubierta. Alguien insistió en que con un tiempo así se vería tierra adentro de la costa turca el monte Ararat. Pero solo veían una escarpada orilla rocosa. Desde el mar, el macizo aparecía poderoso, salpicado de manchas de roca desnuda blancas como huesos. El profesor estaba encogido y con los ojos entornados, el cuello envuelto en un chal negro de ella. Karen vio la imagen del momento: nadan bajo el agua, porque el nivel del mar ha subido tanto como en la época del diluvio universal, moviéndose en un espacio verdoso e iluminado que ralentiza el movimiento y ahoga las palabras. El chal no se agita ya sonoro, sino que serpentea silente y los ojos oscuros de su marido, diluidos en la omnipresente sal de las lágrimas, la miran dulce y tiernamente. Brilla aún más la cabellera rojizo-dorada de Ole y toda su figura se asemeja a una gota de resina que, caída al agua, no tardará en quedar petrificada para la eternidad. Y por encima de sus cabezas, muy alto, unas manos liberan un pájaro que buscará la tierra firme y enseguida resultará que sabemos hacia dónde navegamos; y precisamente en ese instante la misma mano señala la cumbre de una montaña, un lugar seguro para un nuevo comienzo.

En ese mismo momento oyó gritos procedentes de proa seguidos por un histérico silbido de advertencia mientras el capitán, que segundos antes estaba cerca de ellos, corría hacia el puente de mando, lo que, dado su distinguido porte habitual, espantó a Karen. Los pasajeros no tardaron en gritar y agitar los brazos; los que se habían asomado por las barandillas dirigían sus ojos como platos no hacia el mítico Ararat sino hacia abajo. Sintió un súbito frenazo del barco, tan violento que la cubierta se movió bajo sus pies, y en el último momento se aferró al metal de la barandilla e intentó coger de la mano a su marido, pero lo vio dar pasitos al trote hacia atrás, como si viera una película proyectada en dirección invertida. Su rostro exhibía una mezcla de diversión y asombro, ningún miedo. Sus ojos le decían algo así como «¡Atrápame!». Después vio cómo se golpeaba la espalda y la cabeza contra el andamio metálico de la escalerilla, rebotaba y caía de rodillas. En ese mismo momento se oyeron en proa el estruendo de un golpe y los gritos de la gente y acto seguido el chapoteo de unos salvavidas y el poderoso impacto contra el agua de un bote salvavidas, pues –y Karen lo dedujo de los gritos– habían embestido un yate pequeño.

Las personas de su alrededor se iban levantando de la cubierta, a nadie le había pasado nada, mientras ella, arrodillada junto a su marido, intentaba reanimarlo. El hombre parpadeó, un parpadeo excesivamente largo, y dijo del todo inteligiblemente: «¡Levántame!» Pero ya no era posible, su cuerpo se negó a obedecer, así que Karen apoyó su cabeza en las rodillas y se puso a esperar a que llegara la ayuda.

El seguro médico del profesor, muy bien elegido, hizo que lo trasladaran en helicóptero ese mismo día de Rodas a un hospital de Atenas, donde fue sometido a concienzudos exámenes. La tomografía reveló un grave daño del hemisferio izquierdo y que el derrame era extensísimo. Imposible pararlo. Karen se quedó a su lado hasta el final, acariciando su mano ya inerte. La mitad derecha del cuerpo estaba paralizada del todo, el ojo, entornado. Karen llamó a sus hijos, que ya estarían en camino. Estuvo sentada a su lado toda la noche, le susurraba al oído confiando en que lo oyera y entendiera. Lo guió toda la noche por una carretera polvorienta a través de anuncios publicitarios, almacenes, rampas de carga y descarga, garajes sucios, el arcén de una autopista.

Pero el océano rojo instalado en la cabeza del profesor, alimentado por ríos sanguíneos, no paraba de crecer y poco a poco inundaba más y más territorio, primero las llanuras europeas donde nació y creció. Desaparecieron bajo las aguas ciudades, puentes y presas que con tanto esfuerzo habían construido generaciones enteras de sus antepasados. El océano se acercaba al umbral de su casa con tejado de caña e irrumpía sin contemplaciones en el interior. Cubría con roja alfombra los suelos de piedra, los tablones de la cocina fregados cada sábado y, tras apagar el fuego en la chimenea, iba en busca de mesas y alacenas. Después se desparramó sobre las estaciones y los aeropuertos desde donde el profesor había partido al ancho mundo. Inundó las ciudades a las que había viajado y, en ellas, las calles donde se había alojado en habitaciones alquiladas; los hoteles baratos donde había vivido, los restaurantes en los que había almorzado. La centelleante superficie roja del mar alcanzaba ya los primeros estantes de sus amadas bibliotecas, se hinchaban las páginas de los libros, también aquellos en cuya cubierta figuraba su nombre. La lengua carmesí lamía las letras, diluyendo su negra tinta. El rojo empapaba los suelos y las escaleras que había pisado al ir a buscar los certificados escolares de sus hijos, así como la alfombra que había recorrido el día de la toma de posesión de su cátedra. Manchas rojas invadían ya las sábanas sobre las que Karen y él se habían dejado caer por primera vez para desatar los cordeles de sus cuerpos maduros y torpes. El líquido viscoso pegaba para siempre los compartimentos de su billetero, donde guardaba tarjetas de crédito, billetes de avión y fotos de sus nietos. La corriente engullía estaciones de ferrocarril, raíles, aeropuertos y pistas de despegue: de allí ya no despegaría ningún avión ni saldría tren alguno.

El nivel del mar subía implacablemente, llevándose por delante palabras, conceptos, recuerdos; bajo las aguas se apagaba la luz de las calles, estallaban las bombillas de las lámparas; se multiplicaban los cortocircuitos en los cables, toda la red de conexiones se convirtió en una telaraña muerta, inútil, lisiada, un juego de teléfono roto. Se fueron apagando las pantallas. Finalmente, ese océano lento e infinito llegó hasta el hospital e inundó de sangre toda Atenas, sus templos, sus caminos sagrados y bosques, el ágora, vacía a esta hora, la blanca estatua de la diosa y su olivo.

Estaba a su lado cuando desconectaron definitivamente los aparatos ya innecesarios y cuando las suaves manos de una enfermera griega cubrieron hábilmente su rostro con la sábana.

El cuerpo fue incinerado y las cenizas esparcidas en el mar Egeo por sus hijos y Karen, convencidos de que era el entierro que él habría deseado.

AQUÍ ESTOY

He madurado. En un principio, al despertarme en lugares extraños, pensaba que estaba en casa. Solo al cabo de un rato reparaba en los detalles desconocidos que iba desvelando la luz del día. Los gruesos cortinajes del hotel, la forma del televisor, mi maleta destripada, las toallas blancas diligentemente dobladas. El nuevo lugar asomaba de detrás de los visillos, velado, misterioso, las más de las veces blanco o amarillento por obra del alumbrado urbano.

Algo más tarde, sin embargo, entré en la fase que los psicólogos del viaje llaman «No sé dónde estoy». Me despertaba completamente desorientada. Intentaba –como un alcohólico en plena borrachera– recordar qué había hecho la noche anterior, dónde había estado, adónde me conducían los caminos, reconstruía detalle tras detalle para descubrir el aquí y ahora. Cuanto más duraba el proceso, mayor era el pánico, un estado desagradable, parecido a la laberintitis, la pérdida del equilibrio básico, al borde de las náuseas. Que dónde coño estoy. Pero los detalles del mundo, que son misericordiosos, acababan dándome la pista correcta: Estoy en M. Estoy en B. Esto es un hotel y esto otro el piso de una amiga o la habitación de invitados en casa de la familia N. El sofá de los amigos X.

Semejante despertar equivalía al sello en el billete necesario para continuar el viaje.

Sin embargo, la más importante es la etapa número tres,
etapa clave –según la psicología del viaje– que constituye el
destino definitivo; viajemos a donde viajemos, siempre nos
dirigimos hacia él. «No importa dónde estoy», da igual dónde. Aquí. Aquí estoy.

DEL ORIGEN DE LAS ESPECIES

Asistimos a la aparición en la Tierra de nuevos seres que
ya han conquistado todos los continentes y la mayoría de los
nichos ecológicos. Son gregarios y anemófilos, superan sin dificultad grandes distancias.

Los veo por la ventanilla del autobús, anémonas aero-
transportadas, rebaños enteros, cual nómadas por el desierto.
Individuos solitarios que se agitan ruidosamente aferrados a
las escasas y esmirriadas plantas desérticas: a lo mejor es su
modo de comunicarse.

Los especialistas sostienen que las bolsas de plástico
constituyen un nuevo capítulo de la existencia, que trastocan
los sempiternos hábitos de la naturaleza, pues se componen
únicamente de superficie, por dentro están vacías, y que esa
renuncia histórica a contener les reporta pingües beneficios
evolutivos. Son rápidas y livianas; sus prensiles orejas les permiten agarrarse a objetos u órganos de otros seres ampliando
así su espacio vital. Empezaron por los suburbios de las grandes ciudades y los vertederos de basura y han tardado un par
de estaciones ventosas en llegar a provincias y descampados
remotos. Se han apoderado de vastas extensiones de la Tierra: desde grandes cruces de autopistas hasta tortuosas playas, desde el espacio de delante de un centro comercial que
acaba de cerrar hasta las óseas laderas del Himalaya. A pri-

379

mera vista parecen frágiles, débiles, pero no es más que una ilusión: son longevas, casi indestructibles; sus etéreos cuerpos tardarán unos trescientos años en descomponerse.

Nunca hemos tenido que enfrentarnos a una forma de existencia tan agresiva. Hay quienes opinan, en un arrebato metafísico, que en su naturaleza anida la vocación de hacerse con el mundo, de conquista de los continentes; como mera forma de búsqueda de un contenido del que, sin embargo, se aburre enseguida para volver a entregarse al viento. Que es un ojo errante perteneciente a un «allí» irreal, un observador misterioso que participa de ese panóptico. Otros, los que tienen los pies en la tierra, sostienen que hoy la evolución promueve formas etéreas capaces de poblar el mundo durante un breve lapso de tiempo, a cambio obtienen la omnipresencia.

HORARIO DEFINITIVO

Esta peregrinación ha sido en pos de otro peregrino; hoy, finalmente, uno incrustado en plexiglás o (como en otras salas) sometido a plastinación. He tenido que guardar larga cola para poder verlo y avanzar a lo largo de especímenes maravillosamente iluminados y con leyenda bilingüe. Expuestos ante nuestros ojos, se ven como esas mercancías preciosas traídas de ultramar por un precio nada desdeñable y que ahora se las exhibe como carnaza para la vista.

Primero contemplo especímenes incrustados en plexiglás, perfectamente logrados, pequeños fragmentos corporales, podría decirse: una exposición de tornillos, segmentos, soldaduras y bisagras, esas partes del cuerpo pequeñas que por lo general no se aprecian y de cuya existencia solemos olvidarnos. Es un buen método: suspendidos en el vacío, no corren peligro de evaporarse ni de sufrir daño alguno. De estallar una guerra, la mandíbula que tengo delante contaría con todas las probabilidades de sobrevivir, incluso bajo los escombros, entre las cenizas. Aun en el caso de que un volcán entrase en erupción, se desbordase el mar, se produjese un desprendimiento de tierra, futuros arqueólogos podrían disfrutar de tan gran hallazgo.

Pero esto solo es un principio. Los peregrinos seguimos el recorrido en silencio y en fila india, los de atrás apurando con delicadeza a los de delante. ¿Qué tenemos aquí, qué veremos a continuación, qué parte del cuerpo nos mostrarán ahora los sagaces plastinadores, herederos de embalsamadores, taxidermistas, anatomistas y curtidores de pieles?

He aquí una columna vertebral extraída de un cuerpo y expuesta en una vitrina acristalada. Conservando su curvatura natural, recuerda al Alien, el pasajero que viaja por el interior del cuerpo humano hacia su destino, un ciempiés gigantesco. Un Gregor Samsa compuesto de tentáculos, haces de nervios, confeccionado con un rosario de huesecitos entretejidos con vasos sanguíneos. Se le podría dedicar un *Requiescat in pace*, decirlo muchas veces, hasta que alguien por fin se apiade y le permita descansar en paz por los siglos de los siglos.

El siguiente espécimen es una persona entera, un cuerpo –o mejor dicho, un cadáver–; seccionado longitudinalmente por la mitad, muestra el fascinante orden de los órganos internos. Por su increíble belleza destaca el riñón, un haba gigantesca, el sagrado grano de la diosa del inframundo.

Más adelante, en la sala siguiente: otra persona, un cuerpo masculino, esbelto y de ojos rasgados; pese a carecer de párpados y de piel, nos muestra a nosotros, los peregrinos, los puntos de inicio y de final de los músculos. ¿Sabes que los músculos siempre empiezan más cerca de la línea central del cuerpo y acaban más lejos, en la periferia? ¿Y que *dura mater* no es una actriz porno exótica, sino la meninge? ¿Y que los músculos van desde su punto de inicio hasta su punto final? ¿Y que el músculo más fuerte del cuerpo humano es la lengua?

Ante otro espécimen solo compuesto de músculos, los peregrinos, por un reflejo, comprueban la veracidad de la descripción, tensando sus músculos estriados, los que obedecen a nuestra voluntad. Lamentablemente, también hay músculos desobedientes, no tenemos sobre ellos poder alguno, no hay nada que podamos hacer. Se instalaron en nuestro interior en un pasado inmemorial y ahora gobiernan nuestros reflejos.

Luego aprendemos muchas cosas acerca del trabajo del cerebro, por ejemplo, que debemos a la amígdala cerebral la existencia de fragancias, la expresión de las emociones y las reacciones de lucha y huida y al hipocampo, ese caballito de mar, la memoria a corto plazo.

La *septal area,* a su vez, es ese minúsculo segmento del cuerpo amigdalino que regula la relación entre placer y dependencia. Será bueno saberlo cuando nos toque lidiar con nuestros vicios. Es necesario saber a quién hay que rezar suplicando ayuda y apoyo.

El siguiente espécimen es un cerebro con sus nervios periféricos esmeradamente extendidos sobre una superficie blanca. Se podría tomar este dibujo rojo sobre fondo blanco por un plano de metro: he aquí la estación central, de la que parte la arteria principal, y de esta, a su vez, parten en todas direcciones otras líneas. Tengo que reconocerlo: bien pensado.

Los especímenes más recientes son multicolores, llamativos; vasos sanguíneos, venas y arterias, se muestran sumergidos en líquido para resaltar sus bellas redes tridimensionales. Lo más probable es que la suspensión en la que flotan tan pacíficamente sea la Kaiserling III: resulta ser la que mejor conserva.

Ahora nos apiñamos frente al Hombre Hecho Únicamente de Vasos Sanguíneos. Recuerda a una variante anatómica del fantasma. Es un fantasma que se aparece en lugares iluminados, alicatados, algo así como mitad matadero, mitad laboratorio cosmético. No paramos de suspirar, nunca hemos reparado en la cantidad de venas y venitas que llevamos dentro, no es de extrañar que sangremos por la menor interrupción en la continuidad de la piel.

Ver es saber, ya no nos cabe ninguna duda. Lo que más nos ha gustado son las secciones transversales.

Ahora estamos ante un hombre-cuerpo cortado en rodajas. Cosa que nos brinda la posibilidad de acceder a puntos de vista del todo insospechados.

PRESERVACIÓN POLIMÉRICA, PASO A PASO:

– primero se prepara el cuerpo para la autopsia de manera tradicional, empezando por drenar la sangre;

– durante la autopsia se expone las partes que se quiere mostrar, por ejemplo, cuando se trata de músculos, hay que deshacerse de la piel y el tejido adiposo. En esta fase se coloca el cuerpo en la posición deseada;

– a continuación, se sumerge el espécimen así preparado en un baño de acetona a fin de deshidratarlo;

– una vez deshidratado, se sumerge en un baño de polímeros de silicona y se encierra en una cámara de vacío;

– en el vacío la acetona se evapora y ocupa su lugar el polímero de silicona que penetra en los rincones más recónditos del tejido;

– la silicona se endurece, pero permanece flexible.

He tenido la oportunidad de tocar un riñón y un hígado así: recordaban a un juguete de goma hecho de caucho duro, una pelota de esas que se tira a los perros para que corran a buscarla. La frontera entre lo artificial y lo natural se ha vuelto de pronto muy sospechosa. También me ha dado la intranquilizadora sensación de que esta técnica convierte un original para siempre en copia.

Se acaba de quitar los zapatos, ha colocado la mochila a sus pies y ahora espera a que empiecen a darnos paso al avión. Luce una barba oscura de varios días, está casi completamente calvo, su edad: entre los cuarenta y los cincuenta. Parece una persona que hace bien poco se ha dado cuenta de que no difiere mucho de los demás, o sea, de él se puede decir que ha alcanzado una suerte de iluminación. Su rostro todavía conserva la huella de tal conmoción: ojos mirando hacia abajo, a los zapatos –seguramente para que no recaiga su vista sobre nadie–, ausencia de toda expresión facial y corporal, innecesaria ya. Al cabo de un instante saca un cuaderno, un bonito bloc de notas, cosido a mano, probablemente comprado en una de esas tiendas que venden caros objetos baratos del Tercer Mundo; en la cubierta de papel reciclado se lee, impreso en negro, «Traveller's Log Book». Una tercera parte está llena de apuntes. Lo despliega en el regazo y su bolígrafo negro de gel concibe las primeras frases.

Así que yo también saco mi cuaderno de bitácora y tomo apunte del hombre que apunta. Es muy probable que en este momento él también escriba: «La mujer que apunta. Se ha quitado los zapatos, ha colocado la mochila a sus pies...»

No os cortéis –pienso en quienes están esperando a que abran su puerta de embarque–, sacad vuestros cuadernos y escribid. Al fin y al cabo somos muchos los que apuntamos. No dejaremos que nos pillen observándonos unos a otros, no levantaremos la vista de nuestros zapatos. Seguiremos apuntando, es la forma más segura de comunicación, intercambiaremos letras e iniciales, y nos inmortalizaremos mutuamente en hojas de papel, nos plastinaremos, nos sumergiremos en el formaldehído de frases.

Al volver a casa guardaremos este cuaderno lleno de notas junto a otros; en la caja donde los guardamos todos y que está detrás del armario o en el cajón inferior del escritorio o en un estante de la mesilla de noche. Allí tenemos el relato de nuestros viajes, de los preparativos y de nuestros felices retornos. Nuestros arrebatos ante una puesta del sol en una playa sucia, llena de botellas de plástico, y aquella noche pasada en un hotel excesivamente caldeado. Aquella calle exótica en la que un perro enfermo nos pidió algo de comer, pero no teníamos ni una triste migaja, y los niños que nos rodearon en aquella localidad donde el autobús tuvo que hacer parada para refrigerar sus radiadores recalentados. Allí está la receta de una sopa de cacahuetes que sabía a jirones de trapo y el tragafuegos de labios chamuscados. Hemos sumado escrupulosamente nuestros gastos y fracasado en nuestros intentos de dibujar la forma de aquel adorno que por un instante había atraído nuestra atención en el metro. El extraño sueño que tuvimos en un avión y la belleza de aquella monja budista con vestimenta gris que iba delante de nosotros en una cola que hicimos. Encontraremos allí de todo, incluso aquel marinero que bailaba claqué en el muelle desierto de donde en tiempos zarpaban barcos de pasajeros.

¿Quién lo leerá?

La puerta está a punto de abrirse. Las azafatas se afanan preparándolo todo en el mostrador mientras los pasajeros, hasta ahora como aletargados, se levantan de sus asientos y llaman al orden a su equipaje de mano. Buscan su tarjeta de embarque, abandonan sin pena periódicos a medio leer. Cada uno hace su particular examen de conciencia mental: si lo tiene todo, pasaporte, billete, tarjetas de crédito, y si ha hecho cambio de divisas. Y adónde va. Y para qué. Y si allí encontrará lo que busca, si ha elegido bien el rumbo.

Las azafatas, bellas como los ángeles, comprueban nuestra idoneidad para el viaje y con un suave movimiento de la mano nos permiten adentrarnos en la mullida curvatura, forrada de moqueta, del túnel que nos conducirá a bordo del avión y, más tarde, rumbo a otros mundos a través del frío camino aéreo. Su sonrisa encierra, o eso nos parece, una promesa de que quizá volvamos a nacer y esta vez será en el momento y lugar adecuados.

ITINERARIUM

1. Viena – Narrenturm, Pathologisch-anatomisches Bundes-museum, Spitalgasse 2.
2. Viena – Josephinum, Museum des Instituts für Geschich-te der Medizin, Währingerstrasse 25.
3 Dresde – Deutsches Hygiene Museum, Lingnerplatz 1, Dresden Gläesernen Menschen.
4. Berlín – Berliner Medizinhistorisches Museum der Chari-té, Charitéplatz 1.
5. Leiden – Museum Boerhaave, St. Caecilia Hospice, Lange St. Agnietenstraat 10.
6. Ámsterdam – Vrolik Museum, Academisch Medisch Cen-trum, Meibergdreef 15.
7. Riga – Paula Stradiņa Medicīnas vēstures muzejs, 1 Anto-nijas iela, y Jēkaba Prīmaņa anatomijas muzejs, Kronvalda bulvāris 9.
8. San Petersburgo – Muzéi antropologuii (Kunstkámera), Universitétskaya Náberezhnaya 3.
9. Filadelfia – Mütter Museum, 19 South 22nd Street.

FUENTES DE CITAS

Santa Biblia, Reina-Valera, 2009.

Émile Cioran, *Ese maldito yo,* Barcelona, Tusquets, 1987, traducción de Rafael Panizo.

Benedykt Chmielowski, *Nowe Ateny* [Nueva Atenas], Cracovia, Znak, 2006.

Herman Melville, *Moby Dick,* Barcelona, Austral, 2015. Introducción, traducción y notas de José María Valverde. Por motivos estilísticos, las citas no se entrecomillan en el texto.

«Requiem aeternam».

Zygmunt Węclewski, *Diccionario griego-polaco,* Lvov, 1929; Teresa Kambureli, *Pequeño diccionario griego-polaco,* Varsovia, Thanasis Kamburelis, 1999; Zofia Abramowiczówna (ed.), *Gran diccionario griego-polaco,* Varsovia, PWN, 1962.

ÍNDICE DE LOS MAPAS Y LOS DIBUJOS

Los mapas y los dibujos provienen de *The Agile Rabbit Book of Historical and Curious Maps*, The Pepin Press, Ámsterdam, 2005.

AGRADECIMIENTOS

Mi agradecimiento a la fundación Het Fond voor Letteren de Ámsterdam y a Nederlands Literair Productie- en Vertalingenfonds, así como a la Maison Internationale des Littératures Passa Porta de Bruselas.

Agradezco a Lech Trzcionkowski la bella traducción del epigrama de Posidipo dedicado a Kairós y el permiso para reproducirlo.

OLGA TOKARCZUK

ÍNDICE